Нічого правдивого й усе можливо

PETER POMERANTSEV

NOTHING IS TRUE AND EVERYTHING IS POSSIBLE

Adventures in Modern Russia

FABER & FABER

ПІТЕР ПОМЕРАНЦЕВ

НІЧОГО ПРАВДИВОГО Й УСЕ МОЖЛИВО

Сходження до нової Росії

Yakaboo
publishing

Київ · 2020

УДК 316.776.23-029:821
П55

Перекладено за виданням:
Peter Pomerantsev, *Nothing Is True and Everything Is Possible. Adventures in Modern Russia.* — London : Faber & Faber Limited, 2015
ISBN 978-0-571-30801-9

З англійської переклав *Андрій Бондар*

Померанцев Пітер

П55   Нічого правдивого й усе можливо. Сходження до нової Росії / Пітер Померанцев; пер. з англ. А. Бондар. — Київ : Yakaboo Publishing, 2020. — 288 с.

ISBN 978-617-7544-64-6

Москва почалася для британського журналіста Пітера Померанцева, народженого в Києві сина дисидента-вигнанця, 2001 року, коли він приїжджав у переповнене життям, можливостями, грошима місто — працювати в західних аналітичних центрах, проєктах ЄС, асистентом на зйомках документальних фільмів. Проте сюжет цієї книжки починається лише 2006 року, коли Померанцев стає продюсером документальних фільмів і реаліті-шоу на телеканалі ТНТ. Він знайомиться зі світом, який у своїх засадах відрізняється від знайомих йому світів: британського європейського, російського дисидентського. Це світ всемогутнього російського телебачення, грубих грошей та великої влади. І поруч із цією Росією нафтових капіталів, декадентських вечірок, захмарно дорогих творів мистецтва постає Росія переповнених слідчих ізоляторів, бандитів, спецслужб, безправ'я. Так Померанцев відкриває сам спосіб мислення цієї «нової Росії» — глибоке розщеплення особистості, множинність, розшарування і порожнечу між ними. Розповідь не завершується у Москві: по поверненні до Лондона Померанцев спостерігає, як «нова Росія» крокує Заходом, скуповуючи нерухомість, а її мислення універсалізується. Книжка «Нічого правдивого й усе можливо» зробила внесок у зміну способу, в який у світі доти дискутували про Росію, особливо на тлі подій 2014 року, коли книжка вперше побачила світ. А 2016 року Пітер Померанцев отримав за неї нагороду Королівського літературного товариства — Премію Онтадчі.

УДК 316.776.23-029:821

ISBN 978-617-7544-64-6 (укр.)
ISBN 978-0-571-30801-9 (англ.)

*Моїй дружині, батькам, дітям,
тітці Саші та Полу*

Зміст

Дія перша

РЕАЛІТІ-ШОУ РОСІЯ

Місто прискореного перемотування

Пролітаючи вночі над Москвою, можна побачити, що форму міста утворює низка концентричних кільцевих доріг із невеличким колом Кремля в самому центрі. Наприкінці XX століття ці кола відбивали тьмяне, брудно-жовте світло. Москва була сумовитим супутником на околиці Європи, що випромінював зникомий жар Радянської імперії. Потім, уже в XXI столітті, щось сталося: прийшли гроші. Ще ніколи така велика кількість грошей не вливалась у таке мале місце за такий короткий час. Орбітальна система змістилась. Концентричні кола цього міста засяяли вогнями нових хмарочосів, неону та швидкісних майбахів на дорогах, дедалі стрімкіше поринаючи в галасливу й запаморочливу ярмаркову пишноту. Росіяни стали новими джет-сетерами — найбагатшими, найенергійнішими та найнебезпечнішими. Вони мали найбільше нафти, найвродливіших жінок і влаштовували найкращі вечірки. З людей, готових продати все, вони перетворилися на людей, готових усе купити: футбольні клуби в Лондоні та баскетбольні клуби в Нью-Йорку, художні колекції, британські газети та європейські енергетичні компанії. Ніхто не міг їх зрозуміти. Вони були вульгарні та водночас витончені, хитрі — і наївні. Вони набували сенсу лише в Москві — місті, що живе в режимі прискореного перемотування, змінюється так швидко, що від цього втрачається будь-яке відчуття реальності, де хлопчаки миттю стають мільйонерами.

«Перформанс» був модною фішкою цього міста, де бандити ставали художниками, мисливиці за багатіями цитували Пушкіна, Ангелам Пекла марилося, що вони святі. Росія звідала так багато світів, які промчали у блискавичному темпі — від комунізму до *перестройки*, шокової терапії, бідності, олігархії, мафіозної держави та мегабагатства, що в її нових персонажів склалося враження, ніби життя — це просто один блискучий маскарад, де всі ролі й амплуа чи переконання плинні. «Я хочу приміряти всі образи, які знав цей світ», — зізнається мені Владік Мамишев-Монро. Він був художником-перформером і талісманом міста, незмінним завсідником вечірок із незмінними ділками та супермоделями, з'являючись переодягненим у Ґорбачова, факіра, Тутанхамона, російського президента. Коли я вперше прибув до Москви, то подумав, що ці нескінченні перетворення — прояв звільненої країни, що вбирається в різноманітні костюми в пориві шаленої свободи, ламає межі особистості, яка потенційно могла б досягти стану, який візир президента назвав «вершинами світобудови». Мине лише кілька років, і я переконаюся в тому, що ці нескінченні мутації ніякий не прояв свободи, а форми делірію, в якому налякані маріонетки та опівнічні містики переконалися, що вони майже реальні та крокують у світ, що його візир президента наполегливо називатиме «п'ятою світовою війною, першою нелінійною війною всіх проти всіх».

Але я забігаю вперед.

Я працюю на телебаченні. Документальному телебаченні. Точніше було б це назвати розважальною документалістикою. Я летів до Москви 2006 року, тому що телеіндустрія, як і все інше, переживала бум. Я вже знав країну: від 2001 року, через рік після закінчення університету, жив там більшу частину життя, змінюючи різні роботи — від працівника аналітичних центрів і дуже молодшого консультанта у проєктах Європейського Союзу, призначених для допомоги «розвитку» Росії, до працівника кіношколи, а згодом — асистента документальних фільмів для західних мереж. Мої батьки емігрували з Радянського Союзу до Англії в 1970-ті роки як політичні біженці, і я виріс на такій собі розмовній емігрантській російській мові. Але в Росії я завжди був у ролі пильного спостерігача. Я хотів стати ближчим: Лондон здавався мені таким стриманим і прогнозованим, Америка, де проживала решта моїх родичів-емігрантів, здавалася надто самовдоволеною, а от реальні росіяни видавалися насправді живими, вони відчували, що все можливо. Щиро кажучи, мені хотілося знімати. Натиснути на «запис» і просто наводити та знімати. Я всюди ходив зі своєю камерою — роздовбаною металевою Sony Z1 — достатньо зручною, щоб носити її в наплічнику. Часто я просто знімав так, немовби чимдуж намагався не дозволити цьому світові вислизнути. Я знімав наосліп, знаючи, що ніколи більше не матиму таких акторів. І я був затребуваний у цій новій Москві з тієї простої причини, що міг промовити магічну фразу «Я з Лондона». Вона спрацьовувала, як «Сезаме, відкрийся». Росіяни переконані, що лондонцям відомий алхімічний секрет успішного телебачення і вони здатні витворити нове хітове реаліті-шоу або змагання талантів. Дарма, що я ніколи не працював вище, ніж третьорядним асистентом у проєктах інших людей. Однієї фрази «Я з Лондона» було досить, щоб влаштувати будь-яку зустріч. Я був зайцем на великій армаді західної цивілізації — банкірів, юристів, консультантів з міжнародного розвитку, фінансистів й архітекторів, які вийшли в море шукати свого щастя, мандруючи на хвилях глобалізації.

Проте в Росії робота на телебаченні — це щось більше, ніж бути камерою, спостерігачем. У країні, що охоплює дев'ять часових поясів, одну шосту частину світового суходолу, простягаючись від Тихого океану до Балтійського моря, від Арктики до пустель Середньої Азії, від майже середньовічних сіл, у яких люди досі набирають воду з дерев'яних криниць, через міста, збудовані навколо одного заводу, і до хмарочосів із блакитного скла і сталі в новій Москві, телебачення — єдина сила, яка може об'єднати та скріпити цю країну й керувати нею. І як телевізійний продюсер я перебував би в самому центрі його внутрішнього механізму.

На свою першу зустріч я прибув на горішній поверх *Останкино* — телевізійного центру, завбільшки в п'ять футбольних полів, що виконує роль тарана кремлівської пропаганди. На горішньому поверсі, після низки матово-чорних коридорів, розміщена довга конференційна зала. Саме тут збираються найяскравіші московські уми на щотижневі мозкові штурми, на яких вирішують, що мусить транслювати *Останкино*. Мене туди запросив російський приятель-видавець. Через моє російське прізвище ще ніхто з них не помітив, що я британець. Я тримав язика за зубами. У залі нас зібралося понад двадцятеро осіб: засмаглі телемовники в білих шовкових сорочках, професори політології зі спітнілими бородами та важким диханням і менеджери з реклами у кросівках. Жодної жінки. Усі курили. Стояв такий густий дим, що свербіла шкіра.

Наприкінці столу сидів один із найвідоміших політичних телеведучих. Він низенький, швидко говорить прокуреним голосом:

> — Ми всі знаємо, що ніякої реальної політики не існує. Але ми все одно мусимо дати нашим глядачам відчуття того, ніби щось відбувається. Їх треба постійно розважати. То з якого боку зайдемо? Наїдемо на олігархів? Хто в нас ворог цього тижня? Політика має захоплювати, як… як кіно!

Перше, що зробив президент, прийшовши до влади 2000 року, — узяв під контроль телебачення. Це було телебачення, за допомогою якого Кремль вирішував, яких політиків він «дозволить» як маріонеткову опозицію, якими будуть історія, страхи та свідомість країни. І новий Кремль не хоче допустити тієї самої помилки, що її вчинив Радянський Союз: він ніколи не дозволить телебаченню стати нудним. Завдання полягає в синтезі радянського контролю із західною видовищністю. *Останкино* XXI століття поєднує шоу-бізнес із пропагандою, рейтинги — з авторитаризмом. І в центрі цього великого видовища стоїть сам президент, створений із ніякого, сірого спецслужбиста за допомогою сили телебачення, так само стрімко, як і художник-перформер, трансформуючись у своїх персонажів — солдата, коханця, мисливця з оголеним торсом, бізнесмена, шпигуна, царя, супермена. «Новини — це той фіміам, яким ми благословляємо дії Путіна, робимо його президентом», — подобалося казати продюсерам і політтехнологам. У тій прокуреній кімнаті у мене склалося враження, що реальність була такою гнучкою, що Просперо, які сиділи поруч, були здатні спроєктувати на пострадянську Росію будь-яку сутність, яку бажали. Але з кожним роком моєї роботи в Росії і наростанням параноїдальності Кремля стратегії *Останкино* ставали ще збоченішими, потреба в нагнітанні паніки та страху — ще нагальнішою. Раціональність вимкнули, а свідків культу Кремля і злостивців ставили у прайм-тайм, щоби країна й надалі була закляклою, зачарованою, а тим часом дедалі більше іноземних найманців приїжджали допомагати Кремлю та популяризували його ідеологію у світі.

Але хоч доля, врешті-решт, приведе мене знову до *Останкино*, моя початкова роль у докладно розписаному реаліті-шоу нової Росії полягала в тому, щоб змусити його виглядати, звучати й почуватися по-західному. Телекомпанія *ТНТ*, у якій я працював спершу, розміщувалась у новому офісному цен-

трі під назвою *Византий*. На першому поверсі—декорований
у псевдороманському стилі з доричними гіпсовими колонами
та руїнами спа-центр, до якого вчащали сповнені млості дов-
гоногі дівчата, щоб посилити засмагу вже достатньо засмаг-
лої шкіри й для нескінченних сеансів манікюру та педикюру.
А види манікюру—складні: барвисті, багатошарові, вкриті
блискітками візерунки маленьких сердечок і квітів, набага-
то блискучіші за втомлені очі дівчат, немовби вони вклада-
ли всі нездійсненні мрії у крихітні поверхні своїх нігтів.

Телекомпанія займала в цьому приміщенні кілька го-
рішніх поверхів. Коли двері ліфта відчинялися, вас вітало
лого «ТНТ», дизайноване у сліпучо-яскравих, пронизливо-
радісних рожевих, яскраво-синіх і золотих кольорах. Над
лого висіло гасло телекомпанії: *Почувствуй нашу любовь!*.
Це нова, відчайдушно щаслива Росія та імідж Росії проєк-
тів *ТНТ*—молодої, бадьорої та блискучої країни. Телеком-
панія посилає промені гіперактивної жовтизни й рожево-
сті в похмурі квартири росіян. Офіси вільного планування,
заповнені яскравими, радісними молодими людьми, які
завжди поспішають, пересипають свою російську англі-
цизмами й насвистують мелодії бритпопівських хітів. *ТНТ*
робить хуліганське телебачення, а молодий штат пережи-
ває емоційне збудження культурною революцією. Для них
ТНТ—витвір провокативного поп-арту, спосіб проникну-
ти в душу країни та змінити її зсередини. Телекомпанія за-
пустила в Росії реаліті-шоу: одне скандальне шоу—справ-
жня радість телепродюсера,—звинувачене в аморальності
пристаркуватими комуністами. *ТНТ* була першою, хто за-
пускав російський ситком і трешове ток-шоу на кшталт шоу
Джеррі Спрингера*. Телекомпанія поглинає західні концеп-

---

* Шоу Джеррі Спрингера—американське ток-шоу телекомпанії
NBC. В основі кожної програми був таблоїдного кшталту сюжет,
а героїв історії провокували на конфлікт у студії. У випадку *ТНТ*
ідеться, певно, про програму *Окна* Дмітрія Нагієва. —*Прим. ред.*

ції одну за одною, за рік реалізувавши більше форматів, ніж Захід зміг втілити за десятиліття. Чимало найяскравіших зірок Москви переходять на розважальні канали та в глянцеві журнали. Тут вони не мусять займатися пропагандою і їх заохочують до провокативності. Вони просто не можуть займатися тут реальною політикою, бо це територія без новин. Більшість із них задоволені таким компромісом: повна свобода за повне мовчання.

«Нам хочеться з'ясувати, що насправді думає нове покоління, Пі-і-і-тррр».

«Що їх хвилює, Пі-і-і-тррр».

«Ми хочемо побачити реальних людей на екрані. Реальних героїв, Пі-і-і-тррр».

«Пі-і-і-тррр» — так називають мене продюсерки *ТНТ*. Три жінки, усім двадцять з чимсь. Одна чорноволоса, друга — кучерява, а третя — із прямою зачіскою, і кожна з них підхоплює закінчення речення попередньої. Вони могли б звертатися до мене на російську версію мого імені — *«Пётр»*. Але віддають перевагу варіанту «Пі-і-і-тррр»: так воно звучить англійськіше. Я їм потрібен на вітрині — людина з Заходу, допомагаю створювати вдаване західне суспільство. А я, своєю чергою, вдаю з себе більшого продюсера, ніж є насправді. Ми починаємо запуск першого документального циклу. Мені знадобилося всього лише пів години, щоб отримати своє перше замовлення: «Як вийти заміж за мільйонера» (Путівник для мисливиць за багатіями). Думаю, якби я доклав зусиль, то міг би отримати замовлення і на три фільми. У Лондоні та Нью-Йорку вам знадобилися б місяці, щоб зрушити проєкт із мертвої точки. Але *ТНТ* спонсорує найбільша газова компанія світу. Власне, ні, не так: це найбільша світова компанія, крапка.

Без комплексів

— Бізнес-теорія дає нам важливий урок, — каже викладачка. — Завжди ретельно вивчайте бажання споживача. Застосовуйте цей принцип у пошуках багатого чоловіка. На першому побаченні існує одне головне правило: ніколи не розповідайте про себе. Слухайте його. Захоплюйтеся ним. Дізнайтеся про його бажання. Зрозумійте його хобі. Потім відповідно змінюйтеся самі.

Академія золотошукачок, мисливиць за багатіями. Група серйозних білявок старанно все нотує. Пошук багатого папіка — це ремесло, професія. В академії зали під мармур, великі дзеркала та вкриті позолотою оздоблення. Поряд — спа та салон краси. Спочатку ви відвідуєте свій мисливський урок, потім ідете епілюватися та засмагати. Рудоголовій вчительці ледь за сорок, вона дипломований психолог з МВА: широка посмішка, високий і суворий голос, міс Джин Броді* в короткій спідниці: «Ніколи не надівай прикрас на перше побачення: чоловік повинен думати, що ти бідна. Спонукай його купити тобі прикраси. Приїдь на роздовбаній тачці: спонукай його купити тобі кращу машину».

Студентки записують усе акуратним почерком. Вони виклали близько тисячі доларів за кожен тиждень цих курсів. Таких «академій» із назвами «Школа ґейші» або «Як стати справжньою жінкою» в Москві та Санкт-Петербурзі — десятки.

---

* Джин Броді (Jean Brodie) — головна героїня роману Мюріел Спарк «Зоря міс Джин Броді», а також однойменного фільму, вчителька у школі для дівчат, дещо ексцентрична прихильниця фашизму (дія відбувається в 1930-ті), яка прагне зробити з обраних дівчат школи crème de la crème. — *Прим. ред.*

— Прийдіть у дорогий район міста, — продовжує викладачка. — Розгорніть мапу і вдавайте, що ви заблукали. Заможний чоловік може прийти на допомогу.

— Мені потрібен чоловік, який міцно стоїть на [своїх] двох ногах. За яким я почуватимусь як за кам'яною стіною, — каже Альона, недавня випускниця, яка послуговується паралельною мовою шукачки папіка (вона має на увазі, що їй потрібен чоловік із грішми).

За інших обставин Альона — одна з тих недосяжних дівчат, яка відшила б мене помахом своїх вій, — навіть і не подумала б розмовляти зі мною. Але я збираюся показати її по телебаченню і це все змінює. Передача називатиметься «Як вийти заміж за мільйонера». Я був подумав, що буде важко розкрутити Альону на розмову і що вона соромитиметься свого життя. Якраз навпаки: їй кортить звернутися до світу; життєвий шлях шукачки папіка став одним із найулюбленіших міфів країни. Книгарні завалені самовчителями, у яких дівчатам розповідають про те, як захомутати мільйонера. Опецькуватий сутенер Пьотр Лістерман* — телевізійна знаменитість. Він називає себе не «сутенером» (це було б незаконним), а «шлюбним посередником». Дівчата платять йому за знайомство з багатіями. Багатії платять йому за знайомство з дівчатами. Його аґенти — підлітки-ґеї — нишпорять вокзалами, полюючи на довгоногих і стрункий дівчат, які збираються до Москви в пошуках певного стилю життя. Лістерман називає дівчат «курочками»; він позує на фотографіях із настромленою на кебабні стрижні смаженою курятиною. «Треба курочок? Вам до мене», — каже його реклама.

---

*   Пьотр Лістерман — телеведучий, власник «VIP-аґенції», організовує знайомства російських бізнесменів з молодими дівчатами, персонаж російської світської хроніки. — *Тут і далі — прим. пер., якщо не зазначено інше.*

Альона живе в невеличкій, яскравій, новій квартирі зі своїм нервовим песиком. Ця квартирка розташована на одному з головних шосе, що ведуть до Рубльовки — селища для мільярдерів. Багатії селять своїх коханок там, щоб можна було зупинитись і відвідати їх дорогою додому. Вона приїхала до Москви з Донбасу, українського вугільного регіону, контрольованого босами мафії від 1990-х. Її мама була перукаркою. Альона навчалася тієї самої професії, але мамин салон збанкрутував. Альона приїхала до Москви практично без копійки у двадцять й улаштувалася стриптизеркою в казино Golden Girls. Вона добре танцювала, що й допомогло їй зустріти свого папіка. Сьогодні вона отримує середню платню московської коханки: квартира, 4000 доларів на місяць, автомобіль і тижнева відпустка в Туреччині або Єгипті двічі на рік. Навзамін папік отримує її податливе й засмагле тіло за першим покликом, удень або вночі — завжди радісно-щасливе й готове до експлуатації.

— Ви би бачили очі дівчат, які вдома лишилися. Вони заздрять до смерті, — каже Альона. — «Ой, у тебе так змінився акцент, тепер ти розмовляєш, як москвичка», — кажуть. Та посрати, я цим тільки пишаюся.

— Ви збираєтеся колись повернутись?

— Ніколи. Це означало би поразку. Повернулася до мами.

Проте три місяці тому папік пообіцяв їй нову машину і досі не купив. Вона боїться, що він кине її.

— Усе, що ви бачите в цій квартирі, — його. Я не володію нічим, — каже Альона, вилупившись на власну квартиру, немовби це просто декорація і в ній насправді живе ще хтось.

І тієї миті, коли вона набридне папіку, вона піде. Повернеться на вулицю зі своїм нервовим песиком та десятком блискучих суконь. Тому Альона шукає нового папіка (вони називають їх тут не «папіками», а «спонсорами»). Тому вона в Академії золотошукачок, типу, підвищує кваліфікацію.

—Але як ви можете зустрічатися з іншими чоловіками,—запитую я.—Хіба ваш нинішній спонсор не стежить за вами?

—Ох, так, мушу бути обережною. Один його охоронець мене постійно перевіряє. Але він робить це тактовно. Охоронець з'являється з покупками. Та я знаю, що він перевіряє, чи тут не було чоловіків. Він намагається робити це непомітно. Це так мило. Іншим дівчатам набагато гірше. Камери. Приватні детективи.

Поле діяльності Альони—низка клубів і ресторанів, майже винятково створених для потреб спонсорів, які шукають дівчат, і дівчат, які шукають спонсорів. Чоловіків називають *форбсами* (як у списку багатіїв журналу Forbes); дівчат—«*тёлками*», худобою. Кон'юнктура ринку така: десятки, ні, сотні *тёлок* припадає на одного *форбса*.

Ми починаємо вечір у «*Галерее*». Навпроти ресторану—монастир з червоної цегли, стримить, мов океанічний лайнер у снігу. На вузькому хіднику біля ресторану і на бульварі тісно припарковані чорні автомобілі. Похмурі охоронці курять, чекаючи своїх босів, які сидять усередині. «*Галерею*» створив Аркадій Новіков: його ресторани якраз *саме те* місце, куди ходять у Москві (він також опікується кейтерингом Кремля). У кожному ресторані використано нову тему—близькосхідну, азійську. У них відчувається не так імітаційне наслідування, як навмисні натяки на чийсь інший стиль. «Галерея»—колаж із різних цитат: колони, хромовані чорні столи, британські панелі з тканини з «турецькими огірками». Столики освітлені кінопрожекторами. План зали влаштовано так, що можна побачити людей в інших кінцях. А головний експонований тут об'єкт—жінки. Вони сидять за баром, завбачливо замовивши лише воду Voss і в такий спосіб спонукаючи форбсів пригостити їх випивкою.

—Ха, такі наївні,—каже Альона.—Тепер уже всі знають цей фокус.

Вона замовляє коктейль і суші:

— Я завжди вдаю, що мені нічого не потрібно від чоловіка. Це їх заводить.

Опівночі Альона прямує до останнього клубу. Звивисті кавалькади чорних (завжди чорних) куленепробивних бентлі та мерседесів поволі рухаються до входу. Біля дверей тисячі шпильок ковзають і коливаються на чорному льоду, якимось чином завжди втримуючи бездоганну рівновагу. (Ох, нація балерин!) Тисячі платиново-білих гривок спадають на оголені, вічно засмаглі спини, зволожені снігом. Зимове повітря наелектризоване криками роздутих губ, що благають, щоб їх впустили. І не заради моди чи крутизни, а заради роботи. Сьогоднішня ніч — заповітний шанс для дівчат протанцювати крізь зазвичай неприступні бар'єри з грошей, приватних армій та заходів безпеки, зазирнути по той бік. На один вечір у тиждень найбільш розшароване місто Північної півкулі, де казкові багатії живуть відособлено в окремій шовковистій цивілізації, прочиняє невеличкий, вузький шлюз до раю. І дівчата юрмляться, штовхаються і заповзають до цього невеличкого шлюзу, добре усвідомлюючи, що він буде відкритий лише на одну ніч, перш ніж закриється, виштовхнувши їх назад у вбогу Москву.

Альона невимушено проходить до початку черги. Вона у VIP-списку. На початку кожного року вона сплачує вибивайлу кілька тисяч доларів, щоб запевнити собі постійний вхід — необхідний податок для її професії.

Усередині цей клуб побудований як бароковий театр із танцювальним майданчиком у центрі та рядами лоджій уздовж стін. Форбси сидять у затемнених лоджіях (за це задоволення вони сплачують десятки тисяч доларів), тим часом Альона і сотні інших дівчат — унизу, кидають навчені погляди на лоджії, сподіваючись на запрошення. Лоджії занурені в темряву. Дівчата не мають поняття, хто там насправді сидить. Вони фліртують з тінями.

— Так багато вісімнадцятирічних дівчат дихає у спину, — каже Альона. Їй лише двадцять два, але вона вже наближається до віку, коли кар'єри московських утриманок закінчуються. — Я знаю, що незабаром мені доведеться знизити стандарти, — зізнається вона радше задоволено, ніж стривожено. Тепер, коли Альона почала довіряти мені свої таємниці, я виявив, що вона зовсім не така, як мені здавалось. Вона не спиртний напій, а слабоалкогольна шипучка. Усе просто крутиться навколо неї. Мабуть, це таємниця її успіху: коли вона з'являється, кімната починає вібрувати.

— Ясно, я все ще сподіваюся вичепити справжнього форбса, — зізнається вона, — але навіть якщо станеться найгірше, я погоджуся на якогось мільйонера-лоха з провінції або одного з цих тупих експатів. Або на котрогось із бридких дідів.

Проте ніхто не знає, яке майбутнє насправді чекає на шукачок папіків. Це перше покоління, яке ставиться до цього способу життя як до кар'єри. За спиною в Альони мафіозне шахтарське містечко, бозна-що попереду. Вона хихотить і танцює над прірвою.

А в академії і далі тривають уроки.

— Сьогодні ми дізнаємося про алгоритм отримання подарунків, — каже студенткам викладачка. — Коли ви жадаєте подарунка від чоловіка, станьте з його лівого, ірраціонального, емоційного боку. Праворуч — його раціональний бік: ставайте з його правого боку, якщо ви обговорюєте бізнес-проєкти. А якщо ви жадаєте подарунка, станьте ліворуч. Якщо він сидить у кріслі, присядьте так, щоб він почувався вищим, немовби ви дитина. Напружте ваші вагінальні м'язи. Так, вагінальні м'язи. Це розширить ваші зіниці й зробить вас привабливішою. Коли він щось говорить, кивайте. Таке кивання змусить його погодитися з вами. І, врешті-решт, коли ви просите його про автомобіль, сукню і будь-що вам потрібне, гладьте його руку. Ніжно. А тепер повторіть: Дивись! Кивай! Гладь!

Дівчата виспівують хором:

— Дивись. Кивай. Гладь… Дивись. Кивай. Гладь.

— Їм здається, що вони щось виграють, коли отримують від нас сукню, — сказав мені один знайомий мільйонер, коли я розповів йому про уроки в академії. — Іноді я дозволяю їм виграти. Але серйозно: що вони можуть забрати у нас такого, що ми й без того їм даємо?

— Знаєш, як я їх називаю? Чайками. Вони, як чайки, що кружляють над сміттєзвалищами. І звучать вони, як чайки. Знаєш, коли вони сидять разом у барі і пліткують: «Каркар! Кар-кар!» Чайки. Правда, смішно?

У процесі підготовки цього шоу я знайомлюся з новими випускницями академій. Наташа розмовляє доброю німецькою. Вона працює перекладачкою для заїжджих бізнесменів. Бюро перекладів набирає лише дівчат «без комплексів». Це своєрідний код для дівчат, які готові лягти в ліжко з клієнтом. Усюди можна побачити оголошення про пошук секретарок або особистих помічників «без комплексів», що дописано маленькими літерами внизу. Ця фраза певним чином перетворює приниження на акт персонального звільнення. Наташа працює в шефа німецької енергетичної компанії. Вона сподівається, він забере її до Мюнхена.

— Російські чоловіки переважно геть зіпсовані. Із західними чоловіками значно легше, — переконливо говорить вона, немовби проводить ринкове дослідження. — Але із західними чоловіками є проблема: вони не купують подарунків і не платять у ресторанах. З моїм німецьким хлопцем ще треба буде працювати й працювати.

Лєна хоче бути поп-зіркою. У Москві дівчат без таланту, але з багатими спонсорами, називають «*поющие трусы*». Лєна чудово знає, що співати вона не вміє, але вона також знає, що це не має значення.

— Я не розумію, який сенс у роботі 24 години на добу сім днів на тиждень у якомусь офісі. Така робота принизлива. Чоловік — це ліфт нагору, і я маю намір ним скористатись.

Рудоволоса інструкторка з дипломом МВА погоджується:

— Фемінізм — це неправильно. Чому жінка повинна вбивати себе на роботі? Це чоловіча роль. А наша мета — вдосконалювати свою жіночність.

— Але як з вами бути? — запитую я, коли студентки виходять з кімнати. — Ви працюєте, академія приносить вам гроші.

Інструкторка злегка посміхається і змінює тему:

— Я тут збираюсь відкрити клініку, яка допомагатиме зупинити старіння. Прийдете знімати?

Заняття продовжується. Викладачка малює на білій дошці кругову діаграму і ділить її на три частини.

— Існує три типи чоловіків, — каже вона своїм студенткам. — Творці. Аналітики. Нас вони не цікавлять. Нам потрібні «власники», — і вона повторює цю щиросердну фразу всіх невільниць:

— Чоловік, за яким ви почуватиметеся як за кам'яною стіною. Усі ми знаємо, як визначити їх. Мовчазні, сильні чоловіки. Вони носять чорні костюми. Вони мають глибокі голоси. Вони зважують свої слова. Ці чоловіки зацікавлені в контролі. Їм не потрібна сильна жінка. Вони їм уже набридли. Їм потрібна дівчина, яка буде ніжною квіткою.

Чи варто згадувати, що Альона росла без батька? Так само, як Лєна, Наташа й усі шукачки папіків, яких я зустрів. Усі вони росли без батька. Покоління осиротілих дівчат на високих підборах, які татка шукають не менше, ніж папіка. А найсмішніше в Альоні та інших студентках те, що їхні хитрощі поєднуються з казковими фантазіями про царя, який сьогодні, завтра або післязавтра забере їх до свого величного царства Майбах. І, певна річ, цей образ втілюється у президентові. Усі його фотографії з голим торсом, де він полює на тигрів і вбиває гарпуном китів, — любовні листи за нескінченним списком розсилки осиротілих дівчат. Президент як абсолютний папік, абсолютний захисник, за яким ти можеш бути як за кам'яною стіною.

Коли я знову зустрічаюся з Альоною в її квартирі, вона приносить том Пушкіна. Однієї ночі у клубі вона зустріла форбса — шанувальника літератури. Вона вчить напам'ять цілі строфи «Євгенія Онєгіна»:

Кого ж любить? Кому нам вірить?
Хто нас не зрадить хоч один?
Хто все ладен на світі міряти
Послужливо на наш аршин?
...Примар шукачу невгамовний,
Свої ви сили бережіть,
Себе самого лиш любіть...[*]

—Я їх продекламую, тільки коли він цього найменше очікуватиме, — підморгує вона, прагнучи продемонструвати свою хитрість.

Форбс уже брав її на прогулянку на своєму приватному літаку.

—Можете уявити: там можна курити, пити, закидати ноги на сидіння. Жодних ременів безпеки! Свобода! Усе це правда, насправді можна так жити. І не лише в кіно!

Вона зустріла цього форбса, коли підійшла до VIP-зали.

—Він гарний, як бог, — схвильовано шепоче Альона. — Він роздавав стодоларові купюри дівчатам за мінет. Розважався цілу ніч. Уявіть його потенцію! А ті бідні дівчатка не роблять це просто за гроші, знаєте. Кожна з них думає, що він її запам'ятає, що вона особлива, що вона суперкрута. Звісно,

_____

[*] Переклад Максима Рильського.

я відмовилася, коли він запропонував: я не така, як *вони*...
Тепер ми зустрічаємось. Побажайте мені успіху!

От ким Альона ніколи не вважатиме себе, так це повією.
Є чітка відмінність: повії займаються сексом із будь-ким,
на кого вкаже сутенер. Вона займається власним полю-
ванням.

— Одного разу, коли я працювала танцівницею, мій шеф
наказав мені піти додому з одним клієнтом. Він був по-
стійний клієнт. Впливовий. Жирний. Ну і не дуже молодий.
«Мені що, справді піти до нього?» — питаю. «Так». Я пішла
з ним до готелю. Коли він відвернувся, я підсипала руфі-
нолу в його келих і втекла.

Альона розповідає про це з гордістю. Це її бойова від-
знака.

— Але як із коханням? — запитав я Альону. Вже пізно, ми
записуємо інтерв'ю в її квартирі. Ми п'ємо її улюблене лип-
ке й солодке просеко. Маленький нервовий песик хропе
біля дивана.

— Мій перший хлопець удома на Донбасі. Оце й була лю-
бов. Він був місцевим авторитетом.

Авторитет — гарне слово для ґанґстера.

— Чому ви не разом?

— Він воював з іншою бандою — вони використали мене,
щоб розібратися з ним. Я стояла на розі, здається, чекала
на трамвай. Потім двоє великих мужиків схопили мене
й почали заштовхувати в машину. Я пручалась і кричала.
Але вони сказали перехожим, що я їхня п'яна подруга. Ні-
кому не хотілося зв'язуватись із такими типами. Вони при-
везли мене на квартиру. Прив'язали руки до стільця. Три-
мали мене там тиждень.

— Вони ґвалтували тебе?

Альона потягує солодке просеко. І посміхається. Вона
досі вбрана в блискучу сукню. Вона зняла туфлі на висо-
ких підборах і вдягла рожеві пухнасті пантофлі. Вона ку-

рить тонкі ароматизовані сигарети. Вона розповідає про все прозаїчно, навіть захоплено: історію дуже поганого, але в чомусь трохи смішного робочого дня.

— Вони робили це почергово. Протягом тижня. Іноді один виходив по копчену рибу та горілку. Уся кімната просмерділася копченою рибою та горілкою. Я досі пам'ятаю ту кімнату. Вона була порожня. Дерев'яний стіл. Гантелі. Тренажерна лавка: вони піднімали вагу між підходами. Пам'ятаю, на стіні висів радянський прапор. Я дивилася на прапор у процесі. Врешті, один із них пожалів мене. Коли другий пішов докупити горілки, він мене відпустив.

— А як ваш авторитет?

— Коли я розповіла йому, що сталося, він розлютився, пообіцяв їх убити. Але потім він уклав мир з тою бандою. Та й по всьому, він так нічого їм і не зробив. Я часто бачила цих мужиків. Один із них, той, що мене відпустив, навіть просив вибачення. З'ясувалося, що він добрий хлопець. Другий завжди усміхався, коли я зустрічала його. Я покинула місто.

Наприкінці розмови Альона стає глибокодумною, як ніколи раніше:

— Ви не могли б не показувати у вашій програмі те, що трапилось у тій кімнаті?

— Звісно. Це ж може бути небезпечним.

— Небезпечним? Ні, не в тому річ. Це могло б показати мене, ну, сумною. Пригніченою. Мені б не хотілося, щоб люди бачили мене такою. Люди вважають мене живчиком. Це добре.

Мені стало прикро, що я змушував її розповідати про те, що сталося.

— Послухайте, мені прикро, що я порушив цю тему. Я не навмисне. Мабуть, жахливо, коли знову витягаєш це на поверхню.

Альона знизує плечима:

— Слухай, це нормально. З усіма дівчатами буває. Не страшно.

Стосунки Альони з форбсом — шанувальником Пушкіна потривали недовго.

— Я подумала спершу, що йому потрібна сучка. Тож я грала цю роль. Тепер я не певна, що йому потрібна сучка. Можливо, йому потрібна мила дівчинка. Знаєте, іноді я розгублююсь, я навіть не можу сказати, яка я є — мила дівчина чи сучка.

Вона сказала це не з гіркотою, а, як завжди, невимушено-байдуже, немовби думає про себе в третій особі. Щоразу, коли я шукаю в Альоні джерело суму, воно розчиняється. Моя робота як режисера — підловити її, віднайти тріщину, потягнути за емоційний важіль, де обсиплеться її фасад, а вона зламається і заплаче. Але вона крутиться, вигинається, сміється і міниться всіма кольорами. Вона не боїться бідності та приниження. Якщо вона втратить спонсора, то почне знову, перевинайде себе й натисне на кнопку «перезавантаження».

О п'ятій ранку клуби добряче підносить. Форбси вивалюються зі своїх лоджій, посміхаючись і п'яно погойдуючись. Усі вони однаково одягнені в дорогі смугасті шовкові сорочки, заправлені в дизайнерські джинси, усі вони засмаглі, вгодовані та збуджені від грошей і самозадоволення. Вони приєднуються до *тёлок* на танцмайданчику. Усі вони вже добряче одурілі та, пітніючи, скачуть так швидко, що це скидається на уповільнену зйомку. Вони обмінюються цими привітними, щирими поглядами взаємного визнання, немовби скинули маски і всі поділяють одну таємницю. І тут настає усвідомлення того, якими насправді рівними є форбси та ці дівчата. Усі вони виборсалися з одного радянського світу. Нафтовими гейзерами їх розкидало по різних фінансових світах, але вони досі чудово розуміють одне одного. І їхні щирі та привітні погляди немовби промовляють, наскільки кумедний увесь цей маскарад: учора всі ми жили в комунальних квартирах, співали радянський гімн і думали, що джинси Levis і порошкове молоко — це вершина розкоші, а тепер навколо нас автомобілі представницького класу, приватні літаки та липке просеко. І хоча чимало західних людей запевняють мене, що росіяни одержимі грішми, я думаю, що це неправда. Готівка прибуває так само швидко, як струшуються блискітки в сувенірній сніговій кулі, що здається абсолютно нереальною. Не річчю, що накопичується і зберігається, а чимось, що крутиться та кружляє, як пір'я під час бійки подушками, і нарізається, мов пап'є-маше для різних, швидкозмінних масок. О п'ятій ранку музика швидшає, і в пульсуючій сніжній ночі *тёлки* стають форбсами, а форбси — *тёлками*, які рухаються тепер так швидко, що можуть побачити свої відображення, вихоплені стробоскопом на танцмайданчику. Хлопці й дівчата дивляться на себе та думають: «Невже це насправді відбулося зі мною? Невже це насправді *я*? З усіма цими майбахами, зґвалтуваннями, бандитами, братськими могилами, пентхаусами та блискучими сукнями?»

ГЕРОЙ НАШОГО ЧАСУ

Я на нараді в *ТНТ*, аж раптом загудів мій телефон. На дисплеї висвітлюється «прихований номер», що могло б означати щось важливе з дому. Я прошу вибачення і виходжу в коридор, під неонове гасло *«Почувствуй нашу любовь!»*. Відповівши, я сперше почув протяжне мовчання. Подих. А потім хрипкий, свистячий сміх.

— Пі-і-і-тррр, ви впізнаєте мене? Це Віталій Дьомочка. Мені потрібно, щоб ви зробили для мене одну послугу. Ви зробите для мене послугу? Одну маленьку послугу?

Віталій має таку манеру про щось просити, що просто незручно відповісти йому «ні».

— Звісно.

— Приходьте на вокзал Д. Візьміть камеру. І не маленьку. А справжню. Домовились?

— Гаразд...

Увечері я їду до Д. Поїздка повільною приміською електричкою забирає в мене годину. Ці електрички — один із найжалюгідніших видів транспорту в Росії. Вони заповнені сердитою біднотою міст-сателітів — продавцями, поліцейськими і прибиральниками, які щодня приїжджають до великого міста, щоб побути на відстані простягнутої руки від усіх цих платинових годинників та порше і знову щовечора повертатися до своїх похмурих околиць, несучи змінний одяг у поліетиленових пакетах і п'ючи тепле пиво в холодному поїзді. Дерев'яні лавки, на яких неможливо зручно вмоститись. Я соваюсь, і мені цікаво, що Віталій міг би робити в Д. Як на мене, це місце не в його стилі. Але я давно нічого не чув від нього.

Колись Віталій Дьомочка був бандитом. У 1990-ті роки слово «російський» і «бандит» були майже синонімами, але коли президент вступив на посаду в Кремлі, епоха бандитів закінчилася. Спецслужби самі очолили організовану злочинність, і простору для конкуренції бандюків уже не залишилось. Дехто заради збереження своїх капіталів став депутатом Думи, інші подались у легальний бізнес. Але в Сибіру Віталій Дьомочка мав інші плани: він хотів знімати фільми. Він зібрав свою знімальну групу. Більше жодних великих автокрадіжок і шантажування бізнесменів, сказав він їм. Вони збиралися знімати фільми про себе із собою в головних ролях.

Ніхто з них нічого не знав про кіновиробництво. Вони ніколи не чули про монтування, розкадровування та рухи камери. Не було ні кіношколи, де вони могли б навчи-

ся, ні відомого режисера, який міг би їх спрямувати. Ві-
талій навчився фільмувати сам. Він дивився та переди-
влявся класику, аналізуючи кожен кадр, кожен план, кожен
сюжетний хід і поворот. На папері не було жодного сцена-
рію, сценарії — для слабаків. Кожен знав сцени напам'ять.
Вони не використовували гриму або дублерів. Самі стри-
бали з будинків і розбивали власні автомобілі. Уся кров,
яку ви бачили на екрані, була їхньою справжньою кров'ю.
Коли крові було недостатньо з рани, Віталій проколював
шприцом свою вену і розбризкував його вміст навколо.
Зброя та кулі були також справжніми. Коли вони знімали
перестрілку в барі, заклад порожнів.

Результатом став епічний шестигодинний мінісеріал
«Спец» (буквально — «Спеціаліст»), і коли він був готовий,
бандити-кіношники мали оригінальні ідеї щодо дистри-
буції. Вони ходили місцевими телеканалами з копіями се-
ріалу й наказували менеджерам показувати його — інакше
будуть проблеми. Ніхто не сперечався. Звук не відповідав
відео, а деякі кадри не збігались. Та загалом Віталію вдало-
ся звести все докупи. Там був сюжет, екшн і драйв. Це була
сенсація. Він став зіркою Сибіру.

Коли я вперше зустрівся з Віталієм, він був на верши-
ні своєї слави і приїхав до Москви засвітитися на ток-
шоу та знайти гроші для свого наступного великого
фільму. Я працював помічником американського режисера-
документаліста, і ми намагалися переконати Віталія взяти
участь у зйомках фільму про нього. Ми призначили зустріч
в одній із нових московських кав'ярень. Крізь вишуканий
внутрішній фонтан розсіювалося пастельне світло. Тихо
грала фонова музичка. Високий, худорлявий і голомозий
Віталій разюче скидався на президентського двійника, але
крутішого та вищого. Він носив прасований дизайнерський
спортивний костюм. Він пив капучино, обережно витира-
ючи губи щільно складеною серветкою, щоб не залиша-

лося слідів піни. «Кап-у-ші-ноуз», — назвав він його, насолоджуючись цим словом*. Він насварив офіціантку за те, що та принесла йому брудну ложку.

— Чи вам завжди хотілося бути бандитом? — запитали ми.

— Я завжди знав, що можу бути кимось *більшим* за інших людей. Бігати швидше, стрибати вище, стріляти краще. Просто більшим.

Він говорив так, немовби завжди був таким монументальним, із паузами між короткими реченнями. Усе в ньому здавалося таким стриманим. Він не пив, не курив і дорікав мені за лайливі слова. Він був колись наркоманом, але кинув. Він хрипко й повільно сміявся з найдивніших речей (йому здалося кумедним слово «лате»). Знадобилося кілька тижнів, щоби влаштувати цю коротку зустріч. Спочатку він призначав побачення, а потім їх останньої миті скасовував, що нас дуже втомлювало і дратувало. Згодом я збагнув, що це в нього такий хитрий спосіб прив'язати до себе.

— Як виникло бажання знімати кіно?

— Я провів вісім років у тюрмі. У тюрмі ти багато дивишся телебачення. Усі ці шоу про ментів і злочинців. Вони показували моє життя, мій світ. Але все це було фальшем. Стрілянина — фальш. Зброя — фальш. Злочини — фальш. Що актор може знати про життя бандита? Нічого. Лише я міг розповісти свою історію.

У Віталієвому телевізійному мінісеріалі його життя у криміналі показано з найдокладнішими подробицями. У своїй жорстокій пишноті він був сучасним Діком Терпіном**, справжнім розбійником. Він ховався в кущах на узбіччі автомагістралі, чекаючи на вантажівку з абсолютно но-

---

* В оригіналі обігрується фраза «she knows» («вона знає», «їй відомо») і капучино: *Capp-ooo-she-knows*.

** Дік Терпін — англійський розбійник (страчений за крадіжку коней 1739 р.), чиє життя та пригоди з часом ставали сюжетами балад, книжок, театральних вистав, а в ХХ столітті — й кіно. — *Прим. ред.*

венькими міцубіші або тойотами, щойно привезеними
з Японії. Потім він пов'язував хустку на обличчя, витягав
свій обріз і виходив на середину шосе. Ставав, розставив-
ши ноги і прицілившись від стегна, один посеред дороги,
сам на сам із вантажівкою, що рухалась назустріч. Вони
завжди зупинялись, і всі машини були його. Якщо водій
опирався, Віталій бив його. Телесеріал розкошував цими
сценами насильства. Іноді діалоги бували пишномовни-
ми (Віталій не дозволяв своїй команді лаятися на екрані),
але коли справа доходила до бійок, нападів і принижень,
актори-бандити опинялись у своїй стихії — їхні обличчя
сяяли радістю та гнівом.

—Але як було з жертвами? Чи ви колись співчували їм? —
запитав американець.

Віталій виглядав розгубленим. Він повернувся до мене.

—Звісно, ні. Жоден, хто робить те, що я, не відчуває жа-
лощів до жертви. Ти або лох, або реальний мужик, а лохи
заслуговують на все, що отримують.

У центральній сцені «Спеца» Віталій убиває боса іншої
банди. У фільмі він спокійно приходить і розстрілює сво-
го суперника, а потім знову спокійно собі йде. Усе відбува-
ється так швидко, що я мусив перемотати назад і двічі про-
глянути цей фрагмент.

—Скількох ви вбили? — запитав я, коли відійшла офіці-
антка.

—Я можу сказати лише про один випадок. Це була по-
мста за мого брата. Я відсидів за це вбивство, але після цьо-
го ніхто не тягається зі мною.

—Чи може будь-хто стати вбивцею? — запитав амери-
канець.

—Ні, сидячи в тюрмі, я зустрічав людей, які шкодували
про скоєне. Вони плакали, ходили до церкви. Не кожному
під силу робити це. Але мені під силу.

—А ви не збираєтеся взятися за старе?

Віталій посміхнувся:

— Тепер усе моє життя присвячене мистецтву.

Ми переконали його взяти нас до його рідного міста й дозволити зняти сюжет про зйомки його нового проєкту. Ми отримаємо ексклюзив із бандитом-директором у процесі роботи, а він — проморолик, який допоможе йому знайти кошти.

— Зазвичай такі, як ви, стають моїми жертвами, — недбало промовив він. — Але в цьому випадку ми будемо партнерами.

Щоб долетіти до рідного Віталієвого Усурійська, знадобився цілий день. Віталій просто ліг, посміхнувся і проспав усю подорож. Я балакав із його другом Сєрґєєм, також колишнім бандитом. У минулому чемпіон з важкої атлетики, Сєрґєй займав два сидіння в літаку. Він перестав бути бандитом, коли знайшов Господа: куля, яка мала вбити його, якимось чудом пройшла крізь його тіло. Потім він побачив світло (за сприяння американської євангелічної секти, яка допомогла йому одужати після замаху). Він сміявся — милий, ведмедеподібний чоловік із допитливими, добрими, світло-блакитними очима. Раніше він торгував героїном і займався контрабандою дівчат з України до Європи.

— А як ви тепер, будучи релігійним, ставитеся до минулого? — запитав я.

— Коли мене хрестили, я був очищений від гріхів, — відповів Сєрґєй.

— Але чи відчуваєте ви провину за те, що коїли?

— Я був демоном, але все ж виконував Господню волю. Мабуть, усі мої жертви заслужили це. Бог карає лише поганих людей.

Під час польоту Сєрґєй намагався писати сценарій фільму. Планувалася сучасна версія давньої російської казки про «трьох богатирів» — великих лицарів надзвичайної сили, які подорожували Руссю, приборкуючи змїів і загарбників. У Сєрґєєвому варіанті богатирі були колишніми бандитами.

Коли ми, врешті-решт, приземлились у Владивостоку, найближчому аеропорті від Усурійська, я сподівався побачити Схід. Адже ми були на відстані тисячі кілометрів на схід від Пекіна, там, де Росія зустрічалася з Тихим океаном. Окрім Віталія, цей регіон славиться своїми тиграми. Але поза тим він виглядав точнісінько так само, як і решта Росії — ті самі зелено-коричневі плями пагорбів і тонкі, жалюгідні дерева. З таким самим успіхом це могло бути й московське передмістя. В аеропорту нас зустріла група Віталія — ввічливі молоді люди у спортивних костюмах з нервовими очима, короткими стрижками й акуратними нігтями. Один привіз Віталію новий джип — васал подарував своєму сюзеренові нового краденого коня. Без номерних знаків. Ми їхали розмашистим кортежем обома смугами подвійного шосе так швидко, що я спочатку перелякався, а потім захопився цим процесом. Віталій проігнорував першого даішника, який зупиняв його. Потім зупинився біля другого. Коли даішник побачив, хто в машині, він махнув йому, мовляв, їдь.

— Вони знають, що зі мною краще не зв'язуватись, — сказав Віталій.

Віталію не потрібно було зупинятись. Усе це просто було демонстрацією, мовляв, хай усі знають: він повернувся.

Ми влетіли в сам Усурійськ, проминули гігантську й порожню центральну площу, спроєктовану для військових парадів, а не з думкою про людину. Кінотеатр, міська рада й басейн були побудовані в однаковому кондовому стилі совєтського класицизму. Широкі проспекти вели в нікуди, різко зупиняючись у безкраїй тайзі. По всій совєтській імперії ви знайдете однакові міста, спроєктовані в якомусь московському міністерстві містобудування — безглузді й незручні.

Місто було спорожнілим і тихим.

— Ми, бандити, тримаємо це місто в порядку, — сказав Віталій. — Тут колись повно було наркоманів і повій. Підлітків із довгим волоссям. Тепер вони не посміли б носа висунути. Ми продемонстрували їм, хто тут хазяїн. Я навіть не дозволяю нікому зі своєї команди курити. Якщо хтось із моїх хлопців нап'ється на людях, я його поб'ю.

Віталій тут був знаменитістю. Коли ми йшли вулицями, дівчата-підлітки з великими плечима та в коротких спідничках зупинялись і фотографувалися з ним. Коли ми зупинилися біля школи, діти побачили його у вікно і вибігли, оточивши Віталія і простягаючи йому свої підручники з математики та зошити для автографа, а вчителі добродушно усміхались.

Новий фільм Віталія буде про його підліткові роки наприкінці 1980-х, коли з'явилися перші бандити разом із першими бізнесменами. Наступного дня Віталій організував кастинг підлітків на головну роль — себе в юності. Перед Палацом культури та дозвілля, старим радянським театром, зібралася юрба охочих. Батьки забрали своїх синів з уроків і привели їх спробувати свої сили в ролях юного Віталія та його першої банди.

— Я хочу, щоб мій син знав нашу історію, — сказав один із батьків. — Бандити об'єднали це місто і тримають його в порядку.

Віталій проводив свій кастинг у репетиційній залі. На стінах висіли портрети Чехова та Станіславського — великого російського винахідника методу акторської гри. Хлопчики ходили взад і вперед перед Віталієм.

— Вам треба ходити, як бандити, як ви це собі уявляєте. Не озирайтеся на всі боки. Не напружуйтесь. Уявіть, що всі дивляться на вас. Повільно. Повільно йдіть. Це ваша територія.

Він вибрав кількох хлопчиків. Вони були в захваті. Він вишикував їх біля стіни, уважно придивляючись і вибираючи, хто з них міг би його зіграти.

—Занадто низький. Занадто товстий. Занадто крикливий. Ти. Ти гратимеш. Але тобі доведеться зістригти собі чуба.

Хлопчик, якого він вибрав, був спокійний (і на вигляд найкращий). Його звали Мітя. Він вивчав історію в місцевому коледжі. Здавалося, він зовсім не виявив жодних емоцій з приводу того, що гратиме Віталія. Або ж він уже просто ввійшов у роль.

Віталій відвіз його в місцевий парк провести інструктаж щодо особливостей ролі.

—Бачиш пацанів отам? Отих, які п'ють пиво на лавочках? Я хочу, щоб ти пішов і сказав їм вшитись. І також змусив прибрати за собою сміття. Поводься так, немовби ти тут хазяїн. Говори спокійно. Твердо. Наказуй. Дай їм відчути, що в тебе за спиною банда. Уяви, що ти — це я.

Хлопчик усе зробив якнайкраще. У паузах між його словами звучала погроза. Він наказав хлопцям, які випивали, вшитись. Коли вони звелися, він кинув їм принизливе: «І своє сміття не забудьте». Це була суто Віталієва манера: він завжди шукає нагоди вколоти тебе якимось різким зауваженням («Ви користуєтесь такою маленькою камерою, Пітере. У вас немає справжньої камери?» — полюбляв він запитувати мене, або: «Ви не знаєте, як робити інтерв'ю. Чи я вас мушу цього вчити?»).

Мітя здавався добрим хлопцем, який міг би закінчити університет і, ймовірно, зробити кар'єру в державній корпорації. Але його поведінка, його стиль уже були суто бандитськими.

—Ви думаєте, Мітя міг би бути таким самим добрим бандитом, як і ви? — запитав я.

—Він має потенціал, — сказав Віталій, — але йому треба стати трохи жорсткішим. У його віці я вже відсиджував свій перший тюремний термін за рекет.

Ми пішли на зустріч із батьками Віталія. Я сподівався, вони допоможуть пояснити його біографію, але на мене чекало розчарування. Батько Віталія працював робітником на заводі: зварював деталі для танків. Він був невисокий, сором'язливий і говорив про рибальство. Мама Віталія — трохи під градусом, але ввічлива, утримувала в порядку дім. Схоже, вони самі боялися Віталія, а він так зневажав їх, що навіть не ввійшов до квартири.

— У школі він був хуліганом, — сказав тато. — Ми так сподівалися, що тюрма заспокоїть його, що він вийде й отримає нормальну роботу на збройному заводі. Та коли вийшов із тюрми, з'ясувалося, що він уже став великим босом.

Тюрма стала для Віталія alma mater. У цій частині Сибіру їх було повно. Усюди, куди не глянь, видно було колючий дріт, сторожові вишки та бетонні стіни. Ми знімали інтерв'ю з Віталієм, а він у той час дивився на місце свого першого відсиджування.

— Усім, що мені відомо, я завдячую тюрмі, — сказав він. Уперше я побачив його навіть злегка сентиментальним. — Ти одразу ж мусиш довести, що ти реальний мужик, а не сцикун. Ти не плачеш, не патякаєш і не дозволяєш нікому наказувати тобі, що робити. Говори тільки те, що думаєш, розмовляй повільно, а коли щось пообіцяв, то дотримай слова.

Перший тюремний термін Віталія — п'ять років. За ґрати потрапив 1988 року. Коли він вийшов 1993-го, світ, у якому він виростав, змінився. Розпався Радянський Союз. Усі, хто колись були кимось, раптово стали ніким. Учителям, міліціонерам і суддям не платили зарплати. Робітники на заводах робили холодильники та деталі для поїздів, які нікому не були потрібні. Герої війни були пенсіонерами-жебраками. Коли він уперше сів у тюрму, люди його штибу були приречені вести життя на марґінесі. Вони були *«шпаною»*, покидьками. А тепер він раптом відчув, що настала його епоха.

— А сенс був працювати на заводі за копійки, як мій батько? Це ж дурдом.

Єдиними цінностями в новому Усурійську були автомобілі та готівка. Бандити до цих речей доступ отримували першими і в найбезпосередніший спосіб. А втім, вони займалися не лише здирництвом і крадіжками. Бізнесмени кликали їх, щоб убезпечити оборудки (якщо хтось із партнерів не виконував зобов'язань, бандити могли з ним розібратись). Люди зверталися до них, а не до незацікавленої міліції, щоб покарати ґвалтівників і злодіїв. Вони стали істеблішментом, клеєм, який тримав усе вкупі. У цьому новому світі ніхто не знав, як поводитись: усі старі радянські моделі для наслідування стали неактуальні, а міфічний «Захід» був далеко. Але бандити мали власний тюремний кодекс, що пережив *перестройку*. І це зробило бандитів кимось більшим, ніж просто небезпечними хуліганами. Вони стали єдиними людьми в цій розгубленій новій Росії, які знали, хто вони такі на цій землі і що їм потрібно. І тепер, у XXI столітті, попри те, що чимало бандитів залишилися поза ремеслом, їхня модель поведінки стала універсальною.

Під час підготовки до зйомок Віталій часто зникав. Це був його звичний прийом тримати нас у напрузі. Він призначив свого друга Стаса опікуватися нами. У Стаса був джип із невеличкою лопаткою, прикрученою до бампера, — бандитський знак. Його супроводжувала подруга — висока, бліда, нудна білявка, яка вмикалася тільки тоді, коли розповідала про свою колекцію колготок:

— Удома маю навіть пару колготок зі зміїної шкіри, — сказала вона мені.

Стас узяв нас на екскурсію Усурійськом.

Місто славилося своїм авторинком — одним із найбільших у всій Росії. Ми перебували поряд із морським шляхом до Японії, тож усі нові міцубіші і тойоти продавали тут. Ринок розміщено на пагорбі при в'їзді в місто. Коли ми наблизились, він засяяв срібним світлом, як чарівна гора. Лише коли ми під'їхали ближче, то зрозуміли, що це сонце виблискувало на нових джипах і позашляховиках. Усі тут їздили останніми моделями. Вони могли ходити в дерев'яні туалети надворі, жити в неремонтованих квартирах, але великий чорний автомобіль завжди сяяв, як на телевізійній рекламі. Стас влаштував нам зустріч із місцевими умільцями, які модернізували свої автомобілі. Один чувак встановив ззаду джакузі, інший — кінотеатр. Вони хвалилися своїми здобутками з неабиякою ніжністю. Ці суворі мужики так делікатно торкалися своїх автомобілів. Стас дістав маленьку зубну щітку, щоб почистити фари на своєму ленд-крузері: він чистив їх так повільно й терпляче, немовби купав немовля.

Стас повіз нас на пагорби за місто, щоб ми могли мати якнайкраще уявлення. Напівіржаві заводи досі пихкали димом. Серед пагорбів були кладовища з надгробками чорного мармуру. На них викарбувано імена молодих бандитів: «Буба Боксер», «Борис Мерседес». Їхні портрети вибито на пам'ятниках, зображуючи їх із бандитською пишнотою: один крутив у руці ключі від свого мерседеса, другий позував з мобільним телефоном. Неначе єгипетських фараонів, їх виряджали на той світ із найважливішими речами. Дати на пам'ятниках часто збігались. Молоді хлопці в 1990-ті роки вмирали в один день. Це були дати бандитських розбірок, дні, які проріджували ціле покоління.

— У вас тут багато друзів? — запитав я Стаса.

— Більшість мого класу, — відповів він буденно. — І це не лише бандити. Чимало з них просто потрапили під перехресний вогонь.

Увечері ми пішли до ресторану «*Майямі*». Неподалік стояла шестиметрова пластмасова пальма. Усе місто було натикане цими пластмасовими пальмами. Це вважали модним. Біля входу до «*Майямі*» була крита автостоянка, а в підвалі — масажний салон.

— Це дуже зручно, — пояснив Стас. — Усе, що тобі потрібно, — в одному місці.

Інтер'єр ресторану вирішено бордовими плюшевими шпалерами та чорними лакованими стільцями. Усі клієнти одягнені у прасовані спортивні костюми. Ресторан належить китайцям. Ми були за тридцять кілометрів від китайського кордону, і, за чутками, третина населення тут — нелегальні китайські емігранти.

— Китайози пролізають усюди, — сказав Стас, — але бандити тримають це під контролем. Тепер вони обмежені лише ринком і передмістями. Їм варто знати, що це російська територія... Але в них таки найкращі ресторани.

Окрім їжі тут пропонували караоке. Поки китайські офіціанти носили їжу, усі в ресторані співали *шансон*, солодкаві кримінальні балади, що стали улюбленою поп-музикою Росії. У *шансоні* відображено подорожі бандитів у серце російської культури. Зазвичай це блатні, тюремні пісні, наповнені бандитським сленгом, легендами сибірських трудових таборів і сумом за мамою. Тепер їх вмикають у кожному таксі та продуктовій крамниці. *«Владимирский централ»* увійшов до класичного весільного репертуару. Підхмелені наречені по всій країні в пишних весільних сукнях і на високих тонких підборах танцюють повільний танець зі своїми ще п'янішими нареченими: *«Там под окном зэка проталина тонка, // И всё ж ты недолга, моя весна»*. У китайському ресторані Стас також співав, але він здавався занадто м'яким, занадто люб'язним, як на бандита.

— Я? Бандит? О Господи, ні, — схоже, його здивувало моє запитання. — Я просто бізнесмен. Лопатка, ну, це просто повимахуватися. Я люблю зависати з Віталієм.

Я запитав його про їхні взаємини. Він швидко змінив тему.

Під час наступної зустрічі ми запитали про це Віталія.

— Стас? Стас — один із бізнесменів, у яких ми вимагали гроші.

—А тепер ви друзі?

—Він робить те, що я йому накажу.

З'ясувалося, що колись Віталій побив Стаса до напів-смерті, і тепер той, зависнувши між обожненням і стра-хом перед ним, допомагає Віталію одягати пальто і носить за ним телефона. І всі, кого ми зустріли в цьому місті, здава-лися якимись пригніченими, буркотливими й нетерпими-ми. Лише бандити козирилися з гордо піднятою головою. Це було місто Віталія, типове, звичайне місто Росії — кра-їни, де третина чоловічого населення сиділа в тюрмі, міс-то, одне серед тих, на яке політтехнологи та телевізійни-ки звертають увагу, коли конструюють політиків.

У день великих зйомок Віталій займає весь ринок. Зні-маємо епізод, коли юний Віталій і його банда зазнають провалу, вимагаючи гроші в ринкових торговців. Торгов-ці грають самих себе, а поліцейських найняли зіграти по-ліцейських.

—А вас не турбує, що ви сьогодні працюєте на бандита? — запитали ми поліцейських.

Вони засміялись.

—А ви думаєте, на кого ми взагалі працюємо? (Новим мером Владивостока був чоловік на прізвисько Вінні-Пух, бос мафії, який раніше відбував термін покарання за по-грозу вбити бізнесмена.)

На Віталієвому знімальному майданчику юрмилися сот-ні акторів, і мав утворитися хаос, але я ніколи не бачив зйо-мок, які відбувалися б настільки організовано. Його бан-дитська бригада працювала як знімальна група. Хто би наважився запізнитися на зйомки, коли її влаштовують професійні вбивці? Віталій був природним. Із насунутою на чоло шапкою, постукуючи довгим пальцем по губах, він непомітно визначив кожне розташування камери. Хоча на папері й не було жодного сценарію, він ніколи не губив-ся, коротко й чітко інструктуючи всіх акторів.

— Це просто як організація пограбування, — сказав він мені. — Все повинно бути точним. А не так, як у ваших нещасних документальних фільмах.

Кожна деталь одягу, зброя та товари, які продавали ринкові торговці, були відтворені за зразком кінця 1980-х років. Та попри всю цю документальну точність, спосіб, у який Віталій знімав свої фільми, радше нагадував дешеві фільми категорії B, ніж документальний реалізм. Кожен кадр Віталія був ефектним великим планом. Він витер спітніле чоло, зітхнув, як герой пантоміми, пильно поглянув удалину й уникнув смерті під звуки саундтрека «Зоряних війн». Саме так він і розумів себе, своє життя і свої злочини. Усі болі та смерті, яких завдав і пережив, він розглядав крізь призму старомодної музики і штучного диму низькопробного бойовика.

— Які фільми вас надихають? — запитали ми.

Віталій зробив паузу.

— «Титанік». Оце справжнє кіно. З Ді Капріо. Оце справжнє життя. Такі речі я хочу знімати, коли матиму відповідні бюджети...

Тоді, три роки тому, я бачив його востаннє. Проте я часто згадував про нього. На останкінських каналах щотижня прокручують однаковий невеличкий епізод. Президент сидить на чолі довгого столу. Обабіч нього — губернатори всіх регіонів — західних, центральних, північно-східних тощо. Президент вказує на кожного з них, і вони почергово доповідають йому, що відбувається на їхній ділянці. «Негідники-терористи, невиплачені пенсії, дефіцит пального...» Губернатори виглядають заціпенілими. Президент, який бавиться з ними, — викапаний Віталій. «Ну, якщо ви не здатні навести порядок у вашому регіоні, ми завжди можемо знайти іншого губернатора...» Я довго не міг згадати, що ця сцена нагадувала мені. Потім я зрозумів, що вона походить із «Хрещеного батька», коли Марлон Брандо збирає босів мафії з п'яти родин. Квентін Тарантіно використав схожу сцену, коли Люсі Лу зустрічається з головами кланів токійської якудзи у фільмі «Вбити Білла». Це прийом із фільмів про мафію. І він збігається з образом президента, який створив Кремль: він одягнений як бос мафії (чорна футболка поло під чорним піджаком), а його фрази походять із ґанґстерських фільмів («*В туалете поймаем, в сортире замочим…*»). Я можу зрозуміти логіку політтехнологів: кого люди поважають найбільше? Бандитів. Тож хай наш лідер виглядатиме як ґанґстер. Давайте дозволимо йому поводитися, як Віталій.

Проте поки лідери країни наслідували бандитів, у Міністерстві культури та в *Останкино* дали зрозуміти: Кремлю потрібні позитивні й оптимістичні фільми. Російські фільми про бандитів, які теоретично могли б змагатися за світову першість, були спущені на гальмах. Актори, які готували себе на роль російських Де Ніро, негайно мусили переосмислити свої образи і зніматись у романтичних комедіях. Зворотна ситуація на Заході, де політики намагаються діяти як добропорядні громадяни, тимчасом як фільми й телевізійні шоу одержимі злочинним світом. Тут політики наслідують бандитів, а фільми знімають оптимістичні. Щоразу, коли я проштовхував програму про бандитів на *ТНТ*, вони нажахано дивились і казали: «Ми робимо радісний продукт, Пітере. Радісний!» Я гадав, що Віталій так і не знайшов грошей на свій блокбастер. Трохи переживав за нього.

Віталій чекав мене на вокзалі. Він був одягнений у свій звичний прасований спортивний костюм. Досить давно я не бачив, щоб хтось таке носив. Він тепло привітався зі мною. Я відчув, що він насправді був щиро радий побачити людину з «минулих часів».

— Дякую, що ви прийшли.

— Ви тепер живете в Д.?

— Я заліг на дно. Уникаю Москви: занадто багато поліцейських хоче перевірити документи. Усіх людей із моєї команди вдома прибрали. Я не маю з ким знімати кіно, навіть якби знайшов кошти.

Мені стало цікаво, чи Віталій і далі заграє зі своєю старою професією, але подумав, що краще не пхати носа. Ми пройшлися до його машини — новенького позашляховика (аякже). Без номерів. На задньому сидінні висів свіжовипрасуваний спортивний костюм Віталія.

— Поки ховаюся, живу в машині. Я завжди вважав, що вона набагато краща за квартири.

— Що трапилося з вашим кінопроєктом? — запитав я.

— Я зустрівся з декількома московськими продюсерами. Вони захотіли, щоб я показав їм сценарій. Вони думали, я дурень? Я ж знаю, вони б його одразу вкрали.

— Віталію, але так тут усе працює. Ви отримали би копірайт, гарантії.

— Це нічого не означає. Не можна довіряти продюсерам, усі вони шахраї. Я пробував отримати гроші від своїх людей, з бригадами. Людей, яким ти можеш довіряти. Але ніхто з них не хотів інвестувати в ґанґстерське кіно. «Це не має майбутнього», — сказали вони.

З'ясувалося, що Віталій хотів, щоб я зняв із ним коротке інтерв'ю. Він планував документальний фільм про себе самого.

— Ніхто з телевізійників не міг мене зняти у своїх фільмах. Ви принесли велику камеру? Добре.

Ми зняли інтерв'ю в машині. Віталій набув свого найбільш монументального вигляду напіврептилії і напівромантика, а на запитання відповідав, як завжди, повільно.

— Від самого дитинства я завжди знав, що можу бути кимось більшим за інших людей. Бігати швидше, стрибати вище…

Раптом він зупинився на середині речення і вискочив із машини. Він почав кричати, плювати на підтоптаного волоцюгу зі страшенно опухлими очима, який пив із пляшки у поліетиленовому пакеті біля машини. Волоцюга відповз. Віталій повернувся, важко дихаючи, але гнів вимкнувся, як світло.

— Не треба, щоб він був в одному кадрі зі мною. Зіпсував би.

Потім Віталій зняв інтерв'ю зі мною. Усі мої відповіді вже були записані, а я просто мусив запам'ятати сценарій.

— Коли я вперше зустрівся з Віталієм, він вразив мене як найталановитіший із найнебезпечніших і найнебезпечніший із найталановитіших людей, які мені колись траплялися...

Це була довга промова, і я постійно забував текст. Але Віталій був терплячим режисером, і з п'ятого разу нам усе вдалося.

Після зйомок Віталій обернувся назад і дістав стос книжок у твердих палітурках.

— Це для вас.

Це були романи, які написав Віталій.

— Я взявся за написання книжок. Вони продаються дуже добре. Не буду лукавити: першу книжку написав літературний негр. Але відтоді я навчився писати сам.

Більшість ранніх книжок ґрунтувалися на кримінальному досвіді Віталія. Але в останній книжці він змінив жанр. Це була сатира на російську політику, розповідь про хуліганську, бандитську державу, яка використовує гігантські запаси пердячих газів, щоб маніпулювати сусідніми країнами до повного підкорення (під ту пору Росія саме погрожувала Україні перекриттям газових поставок).

— Я тепер часто думаю, що мені варто було йти в політику, — сказав Віталій. — Просто думав, що це нудно, я не розумів, що вони використовували ті самі методи, що й ми.

Хоча тепер уже запізно. Я присвятив себе мистецтву. Якщо я не можу знімати фільми, то писатиму. І ви знаєте, за чим майбутнє, Пітере? За комедією. Влаштуйте для мене зустріч на *ТНТ*. Можливо, їм захочеться показати по телебаченню мою книжку про гази.

Я сказав Віталію, що зроблю все можливе. Він наполіг, щоб я взяв стос грубих, чорних глянцевих книжок і показав їх людям. Я не міг йому відмовити і ніс їх у двох поліетиленових пакетах, гострі краї книжок розірвали поліетилен і щокроку кололи мені ноги.

У *ТНТ* я дотримав слова допомогти Віталію, занісши у відділ комедійних сценаріїв примірник його книжки.

— Поняття не маю, наскільки це добра річ, але я пообіцяв,— пояснив я, мало не просячи вибачення. І подумав, що на цьому й кінець.

Але через кілька тижнів я зайшов на *ТНТ* і застав там Віталія, який сидів в одній зі скляних переговорок із кількома продюсерами, вбраний у свій спортивний костюм, на голові—кепка. Він помітив мене, коли я ввійшов, підвівся, зняв кепку і помахав. Я почув, як він крикнув «Привіт, брате!», скло стишувало і спотворювало слова. Раптом мені захотілося відвернутись, проігнорувати його, вдати, що вперше бачу й не знаю його. «Брате!»—крикнув він знову, дедалі активніше розмахуючи кепкою. І одиноким способом не піддатися спокусі звалити було підіграти йому й відповісти ще гучніше: «Брате! Брате!»,—поки цілий офіс це не почув і не подивився на мене.

— А він справжній?—спитала мене жінка з відділу художніх фільмів згодом.—Усе це трохи здається грою.

— Ох, він дуже справжній. А вас насправді зацікавила його книжка?

— Вона добре написана. Треба подумати про це.

Сатира—один із напрямів діяльності *ТНТ*. Якщо в СРСР гумор заганяли в підпілля і таким чином перетворювали його на ворога держави, новий Кремль активно заохочує людей сміятися за його рахунок: одне скетч-шоу на *ТНТ* присвячене корумпованим депутатам Думи, які завжди живуть розпусним життям і розважаються, водночас вихваляючи патріотизм одне одного; друге — єдиному даїшнику Росії, який не бере хабарів: його родина бідує, а дружина завжди пиляє його, щоб він став «нормальним» — більш корумпованим. Поки не названо жодного конкретного імені чиновника, чому б не дозволити глядачам випустити пару? Ідея Віталія про те, що сатира стане частиною кремлівської гри, була слушною.

Коли я намагався дзвонити Віталію після тієї зустрічі, він зник. Сєрґєй розповів мені, що поліція хоче поставити йому кілька запитань, а тому він заліг на дно, ночуючи у своєму джипі й добре почуваючись у будь-якому місті. Але, гадаю, з ним усе гаразд. Щороку я бачу його новий роман на полицях із бульварною літературою у книгарнях. І більшість цих романів — комедії.

RUSSIA TODAY

Перші представники західного контингенту в Росії з'явилися як емісари партії, що перемогла в Холодній війні. Вони відчували свою вищість і приїхали навчати Росію цивілізованості.

Тепер усе це змінюється. Росія відроджується, вчителі стають обслугою, і я не впевнений навіть, хто, зрештою, переміг у Холодній війні.

Уперше я зустрівся з Бенедиктом у Scandinavia — улюбленому ресторані експатів, які приїхали напучувати Росію на західний шлях у десятиліття прекрасного тління після закінчення Холодної війни: юристи «Магічного кола»*, фінансисти «Великої п'ятірки»**, інвестиційні банкіри. Ресторан стоїть неподалік Тверської, центральної автомагістралі Москви, у невеличкому дворі з великими зеленими деревами. Він належить шведам, і коли тільки відкрився, усе імпортували зі Стокгольма: офіціантів, кухарів, гамбургери, картоплю фрі — усе привозили. На початку 2000-х років гості переважно розмовляли англійською. Ресторан був недостатньо розкішний для російських олігархів і надто дорогий для «простих» росіян. Іноземці приходили сюди як в оазу, щоби, добряче хильнувши, набратися сміливості для дослідження нічної Москви. Він здавався нащадком старого колоніального клубу в епоху, коли прийнято пишатися, нібито подібні речі залишилися в минулому.

Завсідники Scandinavia були засмаглими й розмовляли правильною англійською, ніби зі шкільних підручників. Вони обговорювали питання дотримання угод, корпоративного управління і тренування. І всі погоджувалися з тим, що пошуки маршрутів для пробіжок у Москві були кошмаром. Кошмаром було також куріння. І затори. Вони жартували про російських дівчат, коли були напідпитку і без дружин. А якщо з дружинами — обговорювали плани на відпустку. Вони мали білі зуби. Бенедикт мав жовті зуби, пив вино за обідом і курив довгий, товстий Dunhill. Він був худорлявий і рухався, як цвіркун, з удаваним вибаченням видихаючи дим у протилежний від інших бік. Він був ірландець, але крою Шоу та Вайлда.

— Я економіст у відставці, — волів говорити людям, коли вони запитували про його рід занять.

---

*   «Магічне коло» (Magic Circle) — п'ять або шість провідних юридичних фірм із головними офісами в Лондоні.

**   Зараз «Велика четвірка» — чотири провідні аудиторські компанії світу: Deloitte, EY, KPMG і PwC. До 2001 року до них зараховували також Arthur Andersen, саме тому «Велика п'ятірка». — *Прим. ред.*

Бенедикт був міжнародним консультантом із розвитку. «Міжнародні консультанти з розвитку» — це місіонери демократичного капіталізму. Вони з'явились, наче гриби після дощу, наприкінці Холодної війни, у кінці історії, приїхавши з Америки та Європи навчити решту світу бути такими, як вони. Вони працюють у проєктах ЄС, СБ*, ОЕСР**, МВФ, ОБСЄ, DIFD***, SIDA**** та інших національних і міжнародних структур, що представляють «розвинений світ» (донор) і дораджують центральним та місцевим урядам «світу, що розвивається» (бенефіціар). Вони одягають костюми від *Marks and Spencer* (або *Zara* і *Brook Brothers*), а під пахвами носять папки з технічними завданнями (які називають ТОRА — від *Terms of Reference*)***** для своїх проєктів, що мають назви на кшталт «Будівництво ринкової економіки в Російській Федерації» або «Досягнення ґендерної рівності на постсоветському просторі». У технічних завданнях викладають «логічну структуру» для досягнення «придатних для об'єктивної перевірки індикаторів демократизації». Західна цивілізація зводиться до таких головних пунктів:

—Вибори? Галочка.

—Свобода слова? Галочка.

—Приватна власність? Галочка.

В основі цих проєктів лежить чітке бачення історії, яку викладають на нових кафедрах «міжнародного розвитку» в університетах і яку приймають як істину міністерства та міжнародні структури: посткомунізм, колишні совєтські республіки мусять пройти через спокуси «перехідно-

---

* Світовий банк.

** Організація економічного співробітництва та розвитку.

*** Департамент міжнародного розвитку Великої Британії.

**** Шведське аґентство з міжнародного розвитку.

***** Загалом кажуть TOR. Тут, імовірно, йдеться про конкретний випадок цехового жаргону. — *Прим. ред.*

го періоду» до стабільної ліберальної демократії та ринкової економіки.

Коли Бенедикт уперше приїхав до Росії, він працював викладачем економіки у провінційному ірландському університеті. Він прочитав лекцію про принципи «бізнесу та ефективного менеджменту» в Санкт-Петербурзькому університеті. Це було 1992 року. Студенти уважно слухали, жадібно вслухаючись у нову мову: «малий і середній бізнес», «первинне розміщення акцій», «рух готівкових коштів». Увечері після лекції Бенедикт повертався до свого готелю. Він помилився поворотом у холі й опинився в епіцентрі весільних урочистостей. Спробував спитати дорогу англійською. Наречений і наречена дуже зраділи, що до них приєднався іноземець, і наполягли, щоб він залишився. Він був екзотичним птахом, подарунком як таким. Вони випили за його здоров'я, і він залишився розважатися з ними. У певний момент він пішов до своєї кімнати і приніс блок сигарет Marlboro і трохи мила Imperial Leather у подарунок. Наречений і наречена були в захваті. Вони випили ще і танцювали. Бенедикт відчув, що Росія дуже скоро буде такою, як Захід.

Через кілька років він покинув свою роботу в ірландському університеті, помінявши платню у 37 тисяч фунтів на рік у провінційному коледжі на неоподатковану шестизначну суму в новій перспективній справі — допомоги в розвитку. Бенедиктові запропонували посаду керівника групи у проєкті «Технічна допомога для економічного розвитку вільної економічної зони Калінінградської області». Він і поняття не мав, де розташований Калінінград, і мусив знайти його на мапі.

Калінінград, раніше відомий як Кеніґсберґ — столиця Східної Пруссії, батьківщина Іммануїла Канта. Він розташований на узбережжі Балтійського моря, між Литвою та Польщею і навпроти Швеції. Наприкінці Другої світової війни його захопив Радянський Союз, місто перейменували, заселили привезеними з усієї імперії радянськими людьми й перетворили на високосекретний, закритий порт. Він був найзахіднішою точкою СРСР. Після Холодної війни росіяни утримали його, хоча Калінінград не має спільних кордонів із рештою Росії. Нині це ексклав Росії всередині Європейського Союзу, геополітична химера. Європейський Союз визнав «особливий статус Калінінграда», але висловив «занепокоєння в питаннях "м'якої" безпеки». Інакше кажучи, йшлося про проникнення героїну, зброї, СНІДу та мутантного штаму туберкульозу до ЄС. Калінінград або мусив змінитися, або ризикував, що його обнесуть стіною. Прямих авіарейсів з Європи туди не було. Бенедикт мусив постійно літати до Москви, а потім повертатися на захід до Калінінграда. Йому було під п'ятдесят, він розлучився і хотів почати нове життя.

Було майже боляче бачити відмінність між ветхими, елегантними будинками старого Кеніґсберґа XIX століття та новими радянськими спорудами, збудованими по війні. Червоний ґотичний кафедральний собор, останній притулок Канта, оточений з одного боку жалюгідними скупченнями агресивних, бетонних житлових багатоповерхівок, а з другого — гаванню з іржавими й негодящими військовими кораблями. Вечорами моряки ходили пиячити до барів уздовж набережної. Пам'ятаю, як опинився в такому барі під час короткої поїздки до Калінінграда. Світло в барі було тьмяне, а Балтійське море — зелене. Я замовив коньяк.

— Вам місцевий? — спитала офіціантка.

— Який сорт винограду росте в Калінінграді? — запитав я, геть без насмішки.

— Навіщо вам потрібен виноград до коньяку? — запитала у відповідь офіціантка.

Я вихилив коньяк махом. Один ковток провів мене через тридцять секунд чистої ейфорії аж до найгіршого в моєму житті похмілля.

Калінінградське міністерство економічного розвитку займало масивний радянський палац на центральній площі. Бенедикт і його перекладачка Маріна пройшли крізь низькі важкі двері у світ російської бюрократії. У широких, запилюжених, порожніх коридорах усе відбувалося, немовби під водою. Телефони, встановлені в середині 1970-х років, дзвонили, а до них ніхто не підходив. Припиняли. Потім дзвонили знову. Провисали оксамитові штори. В усіх кабінетах висіли фотографії президента, що якось винувато посміхається, з нахиленою вбік головою. Чиновниками переважно були сильні, суворі жінки за сорок і п'ятдесят, і вони становили реальну основу російської держави. Чоловіків було менше, і всі вони здавалися згорбленими. Усі називали одне одного на ім'я та по батькові: «*Игорь Аркадьевич*» і «*Лидия Александровна*».

Візаві Бенедикта був П., чиновник середнього щабля. Він носив обвислий костюм і мав животик, який, здавалося, тягнув його донизу.

— Ви людина з Європейської технічної підтримки? Нам потрібні комп'ютери, — сказав П. під час першої зустрічі.

— Технічна підтримка не передбачає технологій, — пояснив Бенедикт. — Вона передбачає навчання з боку західних консультантів.

Перекладачка Бенедикта намагалася переконливо донести цю позицію.

— Нам потрібні комп'ютери, — відповів П.

Бенедикт організував доставку комп'ютерів вартістю близько 190 тисяч євро. Він пояснив П., що, коли їх привезуть, йому треба підписати певні документи, щоб підтвердити доставку.

Він зайнявся стратегією розвитку Калінінграда. Йому виділили кабінет в Інституті кібернетики. Він запитав ректора інституту, чи має той бажання консультувати розвиток інформаційних технологій у регіоні. Вибачте, відповів ректор, хоча Інститут кібернетики досі офіційно залишається університетом, зарплати тут такі низькі, що весь штат сьогодні торгує рибою. У Калінінграді кожна людина була сама за себе. Старі заводи з виробництва зброї виготовляли макарони. Демобілізовані зі Східної Німеччини солдати розпродували запаси автоматів Калашнікова та РПГ. Одним із найсумніших місць був зоопарк, колишня гордість міста: лисиці бігали по клітці, наздоганяючи свій хвіст; вовки сиділи приголомшені у своїх ямах; полярні ведмеді дико шкірились і вдивлялись у далечінь; дикі білки бігали та постійно кидались на ґрати своїх кліток.

Бенедикт перефарбував бежеві стіни свого кабінету в білий колір, а оксамитові штори замінив на жалюзі. Він залучив топ-менеджерів європейських компаній-«блакитних фішок»* для експертизи секторів телекомунікації, авіації, сільського господарства, фінансів і туризму. Протягом наступних чотирьох років вони робили SWOT-аналізи, створювали плани змін, дерева знань та стратегії гендерного мейнстрімінгу. Потім Бенедикт надсилав П. звіти. Але коли він телефонував, то міг пробитися лише до його помічниці Єлєни.

— П. зв'яжеться з вами наступного тижня, — відповідала Єлєна. І хихотіла. П. ніколи не зв'язувався. Перед приходом на роботу до міністерства Єлєна була співачкою в нічному клубі Crystal на вулиці Карла Маркса. За якийсь час уже і Єлєна зникла, виїхавши до Туреччини зі скандинавським послом, який заради неї покинув дружину, дітей і дипломатичну кар'єру.

У місцевої влади були власні ідеї щодо розвитку. Губернатор також керував торговельним портом, а його міністр

---

*   Blue-chip companies — на жаргоні інвесторів означає фінансово найуспішніші, найвпливовіші компанії на ринку, які вирізняє якість їхніх товарів і послуг та водночас сталий розвиток й опірність кризам. Термін походить з гри в покер: «блакитна фішка» — найдорожча. — *Прим. ред.*

економіки саме створював мережу банків для управління виручкою. Сам губернатор був здоровезний, лисий і завжди спітнілий. «Я нещодавно їздив до Польщі, — сказав він Бенедиктові під час першої зустрічі. — Я бачив, як вони виготовляють кетчуп у бетономішалках. Ось які інновації нам тут потрібні».

Наприкінці проєкту Бенедикт попросив П. документ про підтвердження доставки комп'ютерів вартістю 190 тисяч євро. П. відмовився видати йому такий документ. Він заявив, що жодних комп'ютерів ніколи не було. Бенедикт підозрював, що комп'ютери були нелегально продані, але нічого не міг довести. Бенедикт списав брак прогресу на провінційний характер місцевої влади Калінінграда. Він отримав нову роботу в Москві і працював із міністерством федерального рівня, де, як він сподівався, бюрократи будуть іншого класу. Життя в Росії приносило йому чимало задоволення. Він одружився зі своєю перекладачкою Маріною — приємною, скромною жінкою його віку і з таким самим почуттям гумору, як у нього. Його задовольняв відносний достаток: він був тепер уже не зачуханим ученим, а консультантом із персональним водієм, завжди купував усім випивку. Проєкт мав і ще один добрий результат: Бенедикт виділив понад 100 тисяч євро данським експертам на облаштування зоопарку. Тварини знову мали нормальне життя. Навіть білки заспокоїлись.

У Москві Бенедикт працював навпроти міністерства економічного розвитку Російської Федерації над запровадженням стратегії Європейського Союзу в Росії. Міністра економічного розвитку вважали найосвіченішим міністром у Росії. Він був науковцем й особистим другом президента, носив хороші костюми і рожеві сорочки, його з радістю приймали в Давосі. У нього було п'ятнадцять заступників, чимало з них — молоді та «просунуті», з дипломами МВА (або принаймні студенти магістерських програм з бізнесу). Реконструкція міністерства була в розпалі. Деякі поверхи оновлені, світлі, натомість решта нагадували ті, що Бенедикт застав у Калінінграді: ті самі похмурі коридори й вічний передзвін телефонів, важкі штори та фотографії президента. Тепер це був новий президент, але й він посміхався якось винувато.

— Можете принести паперу? — запитала в Бенедикта жінка, яка була його координатором у міністерстві. — Завжди приносьте папір. Формату А4. Кожен департамент має дозволену квоту, і нам ніколи не дають тієї кількості паперу, яка потрібна.

Щоразу йдучи на зустріч до міністерства, Бенедикт брав стос паперу формату А4, захищаючи його пальтом від заметілі.

— Я не певен, чи міністерство розуміє, навіщо ми тут, — сказав він мені одного вечора у Scandinavia. — Якось вони попросили нас організувати і проплатити новорічну вечірку для всього департаменту.

Тим часом країна навколо нас змінювалась. Щодня Бенедикт оцінював проєкти ЄС у Росії вартістю мільйони євро. Усі вони в потрібному місті ставили галочки:

«Демократія? Галочка: Росія — президентська демократія з виборами кожні чотири роки».

«Розвиток громадянського суспільства? Галочка: у Росії чимало нових неурядових організацій».

«Приватна власність? Галочка».

Тепер у Росії справді проводять вибори, але «опозицію» з її майже комічними лідерами формують і фінансують так, щоб насправді лише посилити Кремль: коли комуністи з побуряковілими обличчями та хамовиті націоналісти влаштовують скандали на телевізійних політичних ток-шоу, у глядача складається враження, що порівняно з цим товариством президент — єдиний притомний кандидат. І в Росії насправді є неурядові організації, що представляють усіх, від байкерів до бджолярів, але часто їх створив Кремль, який використовує їх із метою формування «громадянського суспільства», що завжди зберігає до нього лояльність. І хоч Росія направді офіційно має вільний ринок, із мегакорпораціями, що з фантастичним успіхом розміщують акції на світових фондових біржах, більшість власників — друзі президента. Або ж вони є олігархами, які офіційно проголосили, що все, належне їм, також належить і президентові, якщо воно йому знадобиться: «Усе, що я маю, належить державі», — сказав Олєґ Дєріпаска, один із найбагатших бізнесменів країни. Це не країна в перехідному стані, а певний тип постмодерної диктатури, що використовує мову й інституції демократичного капіталізму з авторитарною метою.

Я нечасто бачив Бенедикта розлюченим, але коли він говорив про це, то затинався та червонів. Він був звичайним сурмачем у великому поході міжнародної бюрократії, але почувався розчарованим і непочутим. Захід потурав цьому, погоджуючись на викривлення сенсів. Бенедикт ніколи не був моралістом, але в цьому фальшеві було щось таке, що тривожило його.

— Якщо ти починаєш чорне називати білим, тоді, ну, тоді взагалі все розпадається, — казав він, стукаючи запальничкою по столу. І тоді, коли заспокоївся, розумієш: «Це як відображення Заходу в кривому дзеркалі».

Я розповів Бенедиктові, що зрозумів про структуру російських телеканалів. На поверхні більшість з них були організовані, як будь-яка західна телекомпанія. Незалежні продакшн-студії викладають ідеї програм у мережу, де все виглядає, як відкритий конкурс. Але є тут один виверт. Більшість продакшн-студій, як я незабаром довідався, були або в повному, або в частковому володінні голів цієї мережі та топ-менеджерів. Вони робили замовлення самим собі. Але оскільки вони були щиро зацікавлені у створенні якісних шоу з високими рейтингами, то створювали низку компаній, які змагалися між собою і в такий спосіб поліпшували якість ідей. І попри те, що телеканали самі сплачували податки та базувалися в нових офісних приміщеннях, продакшн-студії, де робилися реальні гроші, існували в зовсім іншому світі.

Нещодавно я монтував одне шоу на одній такій продакшн-студії *Потёмкин*. Її офіс розташований далеко від скляно-сталевого центру Москви, на тихій вулиці у промисловій зоні. Тут не було випускників вишів в окулярах з роговою оправою, які нюхають кокс і їдять сендвічі з екологічно чистих продуктів, самі лише прищаві обличчя, спиті очі заводських працівників і татуйовані животи далекобійників, які перевозять товари через одну шосту частину бруду, льоду та багна. На сірій споруді, де розміщувалася студія *Потёмкин*, не було ні вивіски, ні номера на чорних металевих дверях. За дверима була брудна, холодна, схожа на тюремну камеру кімната, де мене зустрів втомлений і нетверезий охоронець, який зустрічатиме мене щодня з таким виглядом, немовби я чужинець, що зазіхає на його життєвий простір. Щоб потрапити до офісу, я проходив неосвітленим бетонним коридором і різко повертав праворуч, піднімався двома прольотами вузьких сходів нагору, де були ще одні чорні, непозначені металеві двері. Там я натискав на кнопку дзвінка, і ворожий голос запитував через переговорний пристрій: «Хто там?». Я махав паспортом там, де, за моїм припущенням, була камера стеження. Потім лунало «біп-біп-біп», відчинялися двері—і я опинявся у продакшн-студії *Потёмкин*.

Раптом я знову потрапив до західного офісу з ікеївськими меблями й молодими людьми у джинсах і яскравих футболках, які сновигають туди-сюди з кавою, камерами та реквізитом. Таке можна було би побачити в будь-якому офісі продакшн-студії у будь-якій точці планети. Але проминувши стійку реєстрації, невеличкий буфет і відділ кадрів, ви доходили до зачинених білих дверей. У цьому місці чимало людей поверталися, вважаючи, що це і є весь офіс. Але ви набираєте код і потрапляєте в ще більший комплекс кабінетів: там сидять і сперечаються продюсери та їхні помічники; там урочисто походжають бухгалтери з бланками; там сидять ряди молодих дівчат, вирячених у монітори, а тим часом їхні гіперактивні пальці набирають інтерв'ю та діалоги з відеоматеріалів. У кінці цього офісу — ще одні двері. Ти набираєш код і потрапляєш до відеомонтажних апаратних, невеличких комірчин, де режисери з монтажерами пітніють і сваряться між собою. А далі — останні, найважливіші, найменш помітні з усіх найнепомітніших дверей із кодом, який мало хто знає. Вони ведуть до кабінету голови компанії — Івана. Уся ця складна система була призначена для того, щоб збити зі сліду податкову поліцію. Ось кого охоронці не пускають або затримують достатньо довго для того, щоб очистити бек-офіс* та використати за призначенням таємний чорний хід.

Незалежно від вжитих заходів, кимось інформована податкова поліція іноді все одно з'являлася. Коли вона з'являлася, ми знали один метод: забрати речі та спокійно вийти. А якщо хтось запитає, відповісти, що ти прийшов на зустріч або на кастинг. Коли це сталося вперше, я був переконаний, що нас закують у наручники та звинуватять у шахрайстві. Але для моїх російських колег такі рейди були приводом для святкування: решта дня неминуче перетворювалася на вихідний (дедлайни йдуть під три чорти), поки Іван торгувався з податковою поліцією про розмір хабара. «Тут працює лише десяток людей», — казав він, посміхаючись, коли вони обводили поглядом кілька де-

---

* Бек-офіс — підрозділи підприємства, які займаються документальним супроводом та організаційною підтримкою основної діяльності (виробництва, торгівлі, надання послуг), як-от бухгалтерія, відділ кадрів тощо. — *Прим. ред.*

сятків робочих столів, стільців і ще теплих комп'ютерів. Потім, як я собі уявляю, вони сидять і торгуються, який «штраф» він мусить заплатити, з чаєм і печивом, немовби це звичайна бізнесова оборудка. І в Росії так воно і є. Все залагодиться, і кожна роль, кожна поза та лінія діалогу відтворюватимуть ритуал законності. Це був ритуал, що розігрувався щодня в кожному середньому бізнесі, кожному ресторані, модельній аґенції і PR-фірмі по всій країні.

Одного разу я запитав Івана, чи є в цьому необхідність. Чи не краще просто платити податки? Він розсміявся. Якби він так робив, то прибутку не було б узагалі. Жоден підприємець не платить податки в повному обсязі. Їм таке просто не спадало на думку. І річ тут не в моральності. Іван був релігійною людиною і сплачував десятину в благодійну організацію. Але ніхто не очікував, що податки використовуватимуть на школи або дороги. А податкова поліція радше охоче братиме хабарі, аніж завдаватиме собі клопіт, крадучи гроші, сплачені у традиційний спосіб. У будь-якому разі Іванові прибутки вже були обскубані мовниками. Близько 15 % кожного бюджету сплачували чуваку на каналі, який замовляв програми і був співвласником компанії. Коли мій знайомий британський телепродюсер намагався заснувати продакшн-студію і не погодився взяти в долю керівника каналу, його миттєво вижили з країни. Ти змушений грати за цими правилами.

Проблема Бенедикта була в тому, що він так не міг, і його кар'єра через це страждала. Люди з міністерства просили його про «послуги»: навчальну поїздку до Швеції, плазмовий телевізор для офісу. Бенедикт відмовляв. Міністерство скаржилося на нього до Брюсселя. Функція затвердження західних консультантів належала росіянам як «бенефіціарам». Усі нові проєкти для Бенедикта заморозили до з'ясування обставин. А між тим йому потрібні були гроші для їхнього життя з Маріною.

Кінобізнес у Москві переживав бум, і я допоміг йому отримати невеличкі ролі кондового англійця в російських бойовиках. Він познайомився з деякими акторами і давав їм уроки правильної англійської вимови. Робота була нестабільна. Він переїхав у меншу квартиру. Наступного разу ми зустрілися у Sbarro*, бо Scandinavia була трохи задорогою.

Бенедикт не виглядав похмурим. У ньому завжди було щось від жвавого, яскравого хлопця з престижної школи.

— Я влаштувався на роботу в телекомпанію, — сказав він мені. — Тепер я працюю на Russia Today.

Russia Today — це російська відповідь BBC World і Al Jazeera, цілодобовий новинний канал, який транслює англійською мовою (а також арабською й іспанською) у кожен готель та вітальню світу, заснований спеціальним президентським указом з річним бюджетом понад 300 мільйонів доларів і з місією «подавати російський погляд на події у світі». Чи боявся Бенедикт, що врешті працюватиме кремлівським піарником?

— Якщо вони якось цензуруватимуть мене, я піду. Це врешті справедливо, щоби Росія мала змогу висловлювати свій погляд.

Бенедиктові запропонували сформувати стратегію для розділу бізнес-новин. Він писав звернення до керівника каналу з порадами, які сектори повинні висвітлювати бізнес-новини, які питання журналісти мусять ставити російським топ-менеджерам, щоб лондонські аналітики дивились канал. Його не цензурували і ніяк на нього не тиснули. Russia Today почала виглядати і звучати як цілодобовий телеканал новин: помпезна музика перед терміновими новинами, вродливі ведучі, атлетичні диктори спортивних новин.

---

* Мережа піцерій. — *Прим. ред.*

Молодим британським й американським випускникам університету пропонували щедрі компенсаційні пакети, тимчасом як у Лондоні або Вашингтоні вони були приречені працювати безкоштовно*. Певна річ, усі вони цікавилися, чи RT, бува, не пропагандистський канал. Двадцятирічні після роботи сиділи у Scandinavia і розмовляли про це:

— Ну, йдеться про представлення російського погляду, — говорили вони трохи невпевнено.

Відколи почалася війна в Іраку, чимало людей розчарувались у чеснотах Заходу. А потім фінансова криза нівелювала, на їхню думку, будь-яку вищість Заходу. Усі слова, які використовували для перемоги в Холодній війні, — «свобода», «демократія» — здавалося, розпухли, мутували та змінили своє значення, ставши зайвими. Якщо під час Холодної війни Росія була для Заходу контрастом, якого він потребував для об'єднання різноманітних свобод (культурних, економічних і політичних) у єдиний наратив, тепер цей контраст зник, єдність західної легенди здавалася послабленою. І хіба «російський погляд» міг бути чимось поганим у такому новому світі?

— Такого поняття, як «об'єктивне висвітлення», не існує, — сказав мені одного разу перший заступник головного редактора Russia Today, коли я запитав його про філософію його каналу. Він був достатньо люб'язним прийняти мене у своєму великому і світлому кабінеті. Він розмовляв майже досконалою англійською.

— Але що таке російський погляд? За що виступає Russia Today?

— Ох, завжди існує російський погляд, — відповів він. — Візьміть, приміром, банан. Для когось він їжа. Для когось іншого — зброя. Для расиста — спосіб подражнити людину з чорною шкірою.

---

* Ідеться про стажування, яке часто не оплачують. — *Прим. ред.*

Виходячи з кабінету, я помітив сумку з ключками для гри в гольф і спертий на стінку автомат Калашнікова.

— Це вас лякає? — запитав редактор.

За якийсь час ті, хто працював на RT, відчули, що щось не так, що «російський погляд» легко може означати «кремлівський погляд» і що «не існує чогось такого, як об'єктивне висвітлення», а це означає, що Кремль встановив повний контроль над правдою. Коли робота налагодилася, з'ясувалося, що тільки близько двохсот із приблизно двох тисяч працівників були носіями англійської мови. Вони були красивою картинкою на екрані та коректорами англійської в усій цій операції. За лаштунками реальні рішення приймала невеличка група російських продюсерів. Між розважливими спортивними репортажами вклинювалися лагідні інтерв'ю із президентом («Чому у вас така незначна опозиція, пане президенте?» — це запитання стало легендарним). Коли К., 23-річний випускник Оксфорду, підготував сюжет, у якому стверджував, що Естонію було окуповано СРСР 1945 року, він отримав сувору догану від редактора відділу новин. «Ми врятували Естонію», — сказали йому і наказали змінити текст. Коли Т., випускник Університету Бристоля, висвітлював тему лісових пожеж у Росії і написав, що президент не здатний упоратися з цією проблемою, йому сказали: «Ви мусите написати, що президент — на передовій у боротьбі проти пожеж». Під час війни Росії із Грузією Russia Today встановила постійний банер на весь екран із промовистим написом: «Грузини здійснюють геноцид в Осетії». Жодних доказів цього не було і бути не могло. А коли президент продовжив анексію Криму і затіяв нову війну із Заходом, RT стала авангардом у фабрикуванні вражаючих вигадок про фашистів, які захопили владу в Україні.

Проте новий глядач необов'язково помічав ці сюжети, оскільки такі очевидні прокремлівські повідомлення — тільки частина продукції RT. Її популярність пов'язана з висвітленням того, що називають «іншими» або «неофіційними» новинами. Головний редактор WikiLeaks Джуліан Ассанж мав ток-шоу на RT. Американським ученим, які борються з американським світовим порядком, конспірологам 11 вересня, антиглобалістам і європейським ультраправим щедро виділяли ефірний час. Частим гостем тут є Найджел Фарадж, лідер Партії незалежності Сполученого Королівства. Крайній лівий прихильник Саддама Хуссейна Джордж Гелловей є ведучим програми про упередженість західних медіа. Канал був номінований на відзнаку Emmy за висвітлення руху Occupy у Сполучених Штатах, а фани говорять про нього як про такий, що виступає «проти гегемонії». Це найпопулярніший канал на YouTube — один мільярд глядачів, третій найбільший міжнародний канал новин у Великій Британії. Його офіс у Вашинґтоні розширюється. Але канал не цілком «проти гегемонії»: коли вигідно, RT показує таких важковаговиків істеблішменту, як Ларрі Кінґ, який веде власне шоу на цьому телеканалі. Тому кремлівський погляд досягає набагато ширшої аудиторії, ніж досягав би сам по собі: президента подають пакетом з Ассанжем і Ларрі Кінґом. Це новий тип кремлівської пропаганди, що радше не протистоїть Заходові зі своєю альтернативною моделлю, як було під час Холодної війни, натомість проникає в його мову й підважує зсередини. У рекламі шоу Ларрі Кінґа на екрані спалахують ключові слова, які асоціюються з цим журналістом: «репутація», «інтелект», «повага», їх з'являється все більше, поки вони не розсипаються в пил, завершуючись жартівливим словом «підтяжки». Потім Кінґ, сидячи в студії, повертається до камери та говорить: «Я волів би радше ставити запитання людям із владних структур, аніж говорити від їхнього імені. Тому дивіться моє нове шоу Larry King Now тут, на каналі RT. Більше сумнівів». Схоже, ця невеличка реклама за кілька секунд об'єднує кліше CNN і BBC, зводячи їх до абсурду. Сенс у тому, щоби показати середній палець традиції західної журналістики: кожний здатен розмовляти вашою мовою, вона позбавлена сенсів!

Журналісти, які збагнули, що відбувається, швидко звільнилися, часто викреслюючи досвід роботи на RT з резюме. Деякі з них звільнялися або скаржились просто в прямому ефірі, кажучи, що більше не бажають бути «путінськими пішаками». Але більшість залишилася: хтось настільки ідеологічно зациклений на власній ненависті до Заходу, що не помічає, як його використовують (або не зважає на це), хтось за будь-яку ціну прагне потрапити в телевізор і працював би будь-де; хтось просто думає: «Ну, всі новини фальшиві, це ж просто гра, чи не так?». Плинність кадрів на RT висока, оскільки тих, хто здіймає галас, відсіюють, а новачків не бракує. У вечори, коли вони тусуються у Scandinavia, до них приєднуються інші новоприбулі експати — експерти з комунікацій і консультанти з маркетингу. Спілкування їхнє пронизане легким релятивізмом. Західного журналіста, який щойно долучився до PR-команди Кремля, запитують, як він узгоджує це зі своєю попередньою роботою. «Це виклик», — пояснює він. У його кар'єрній траєкторії немає нічого незвичного. «Це буде цікава робота, — погоджуються всі у Scandinavia. Тут часто можна почути: «Можливо, Росія огидна, але й Захід не без гріха».

Я й далі зустрічав старих експатів у Scandinavia — інвестиційних банкірів і консультантів. Вони зберігали засмагу, білі зуби та розмовляли про пробіжки. Чимало з них покинули своїх дружин заради російських дівчат. Чимало з них пішли працювати в російські компанії.

Бенедикт залишався на RT пів року. Він здебільшого працював удома, мейлом надсилаючи свої звіти керівникові каналу. Усі їх ігнорували. Відділ бізнес-новин на RT слабкий. Глибокі репортажі про російські компанії передбачали би аналіз їхньої корумпованості.

В останній день перебування Бенедикта на RT перший заступник редактора вийшов у коридор привітатися з ним. Він, як завжди, був одягнений у твідовий костюм.

— Може, ви б на хвильку заскочили в мій кабінет? — запитав він своєю майже досконалою англійською. У кабінеті шеф-редактор дістав сумку з ключками для гольфу.

— Я великий шанувальник гольфу, — сказав він Бенедиктові. — Чи не хотіли б ви якось приїхати і зіграти зі мною партію?

— Я не граю в гольф, — сказав Бенедикт.

— Шкода. Але ми все одно маємо подружитись. Заходьте до мене.

Розмова з ледь аристократичною вимовою, пропозиція зіграти в гольф… «Що він собі думав? Оброблав таким чином? Що йому від мене потрібно?» — дивувався Бенедикт.

Якби Бенедикт довше залишався в RT, то дізнався б, що редактор, як усі вважали, був (начебто) представником спецслужб у їхньому офісі.

Коли проблеми вляглись, і Бенедикт міг повернутися на роботу, йому запропонували інший контракт у ЄС: спочатку в Чорногорії, а потім знов у Калінінграді. Ексклав змінився. Там повсюди були лексуси і мерседеси, торговельні центри та суші-бари. Тепер П. працює міністром. Він носить костюми від італійських дизайнерів і годинник Rolex. Подейкували, що він просить десять тисяч доларів за свій підпис, який давав зелене світло місцевим бізнесменам. Калінінград відрізаний від сусідніх країн ЄС, але місцеві бюрократи перетворили це на перевагу: процвітає великий бізнес із хабарництвом при перетині кордону. На їхню думку, для Калінінграда набагато вигідніше бути відрізаним. Контрабандний бізнес ретельно вибудуваний на принципах ефективного менеджменту та руху готівкових коштів і з залученням дозволів усіх рівнів бюрократії — аж до федерального керівництва митниці в Москві. Росія брала уроки з бізнесу, які давали приїжджі консультанти з розвитку на кшталт Бенедикта, але застосовувала їх як яскравий карбункул у державній системі корупції.

Після свого останнього проєкту Бенедикт залишився в Калінінграді. Тут дім Маріни, а з Ірландією його тепер пов'язує небагато. Йому вже за шістдесят. Понад десятиліття він провів у Росії. Він трохи підробляє уроками англійської.

Вечорами він вигулює свого пса новим Калінінградом. Повсюди з'являються новобудови. Барам для моряків на старій прибережній лінії прийшли на зміну копії іграшкових німецьких містечок XVII століття, пофарбовані у веселі пастельні кольори. Ввечері новобудови здебільшого темні й порожні. Прогулюючись набережною, Бенедикт постукує кісточками пальців по пастельних будинках. Вони відлунюють порожнечею. Фарбоване оргскло і гіпс імітують камінь, бруси та залізо.

ПРИВІТ / БУВАЙ

Я познайомився з Дінарою в барі біля одного з московських залізничних вокзалів. Щоб потрапити до цього бару, з усієї країни з'їжджалися дівчата. Вони сідали в поїзд, ішли просто до бару і сподівалися зняти клієнта. Там були всі типи дівчат: студентки, які шукали собі заробітку на кілька сотень, ботоксно-силіконові повії, старші й підтоптані розлучені жінки, провінційні дівчатка-підлітки, які просто приходили розважитись. Важко було б визначити, хто з дівчат працює, а хто просто розважається. Тільки-но ви заходите туди, то опиняєтесь у загалом старому й темному сараї з довгим баром на всю довжину. Дівчата сидять одним нескінченним рядом уздовж темного бару, пильно вдивляючись у кожного чоловіка, який заходить туди. Над рядом дівчат висить ряд телевізорів, що, коли ви прийдете раннім вечором, можуть бути налаштовані на істеричний рожевий і жовтий неон, гіперактивні сплески кольору, консервований сміх, об'ємне і рухоме лоґо *Почувствуй нашу любовь!* мого розважального каналу *ТНТ* (пізнього вечора перемикають на спорт). Дівчата в барі — цільова аудиторія *ТНТ*: жінки від 18 до 35 років із середньою освітою, приблизною зарплатою 2000 доларів і пристрастю до яскравих кольорів. Коли я казав цим дівчатам, що працюю на *ТНТ*, вони витріщалися на мене і ставали захопленими фанатками. Вони юрмилися навколо і просили автографи від наших зірок. Їхнє улюблене шоу — ситком «Щасливі разом» («Счастливы вместе»), російський римейк американського шоу «Одружені і з дітьми» (Married with Children), у якому дружина з яскравим рудим волоссям й ефектними високими підборами домінує над своїм тихим і слабким чоловіком. Це перше шоу в Росії, де жінки сильніші за чоловіків, і дівчатам у барі це подобається. Вони прохолодніше ставляться до шоу, над яким працюю я: реаліті-серіалу під назвою «Привіт / Бувай» («Привет / Пока») про те, як зустрічаються і прощаються пасажири в московському аеропорту. Емоційні історії і ріки сліз.

— Так багато закоханих прощаються у твоєму шоу. У вас має бути більше щасливих історій, — радить одна з дівчат.

— А ці всі люди у твоєму шоу реальні? — запитує друга.

Запитання справедливе. У російських реаліті-шоу все відбувається за сценарієм — точнісінько так само, як політиками в Думі керують із Кремля («Дума — не місце для дискусій!» — одного разу сказав її спікер), як передвизначено результати виборів, російські телевізійні продюсери параноїдально бояться втратити навіть крапельку контролю. «Привіт / Бувай» — це експеримент у справжньому форматі реаліті у прайм-таймі (окремі документальні фільми не рахуються; вони ніколи не могли б заповнити слоту в прайм-таймі).

Дінара скромно стояла в кутку й усміхалася мені своїми чорними очима за гривкою коротко стриженого чорного волосся: дівчата, найменше схожі на повій, як я помітив, часто були найуспішнішими. Я купив їй віскі та колу, і ми пили до наступного ранку. Я запропонував їй купити піцу. Вона погодилась, але тільки не пепероні; вона не вживає свинини. «Я все ще мусульманка. Попри те, що по-ві-я». Вона пропустила кожен склад цього слова через рот так, немовби вперше вимовляла його чужою мовою: «по-ві-я».

І так розмова перейшла на тему Бога.

Дінара сказала, що вірить у Бога, але відколи стала повією, боїться доторкатися до Корану. Чи вибачить її Аллах? Їй подобалося бути повією або принаймні вона не заперечувала. Але як Аллах? Він ненавидить перелюб. Вона відчуває його докір. Від цього вона не спить ночами.

Я сказав їй, що впевнений, мовляв, Аллах бачить істинну сутність речей.

Вона сказала мені своє справжнє ім'я; дотепер вона називала себе Танею. Потім розповіла мені свою історію.

Батьки Дінари були шкільними вчителями в Дагестані, республіці на Північному Кавказі, біля Чечні. Вони, як і більшість їхніх знайомих, сиділи без роботи. Вона приїхала до Москви на навчання, але провалилася на вступних іспитах. Вона не може повернутись і розповісти їм про це. Вона не могла просто піти й отримати добру роботу. Тому вона зависає в барах і чекає на таких людей, як я. Вона ще займатиметься цим якийсь час, а потім зупиниться.

У її рідному місті релігія мала щодалі більше значення. Її батьки — світські радянські люди, але молодші потрапляли під вплив вахабітських проповідників, які приїхали на Кавказ із Саудівської Аравії. Дінара терпіти не могла вахабітів, а її молодша сестра потрапила на їхній гачок. Вона почала носити хіджаб і без угаву говорила про джихад, про визволення Кавказу з-під московського ярма, про халіфат, який тягнеться від Афганістану до Туреччини. Дінара боїться, що вони перетворять її на шахідку, «чорну вдову». Усі подружки її сестри мріяли стати «чорними вдовами», приїхати до Москви і підірватися там.

Дві сестри. Одна — повія. Друга — джихадистка.

Саме завдяки «чорним вдовам» я вперше отримав телевізійну роботу. Двадцять третього жовтня 2002 року від сорока до п'ятдесяти чеченських чоловіків і жінок проїхали вечірніми московськими дорогами до передмістя, де колись був найбільший у світі підшипниковий завод. Надягнувши балаклави або пов'язки на свої голови та обв'язавши динамітом свої тіла, терористи стрімко ввірвались до головного входу бетонного театру, збудованого у бруталістському стилі й відомого під назвою «Палац культури № 10».

У театрі того вечора був запланований показ вистави «Норд-Ост» — мюзиклу, дія якого відбувається у сталінській Росії. Це був перший російський мюзикл — ознака того, що російська розважальна індустрія стає такою ж серйозною, як і західна, і на нього були розкуплені всі квитки. Терористи вдерлися на сцену під час виконання любовної арії. Вони вистрелили у стелю. Спочатку чимало глядачів подумали, що терористи були частиною вистави. Коли вони усвідомили, що це не так, здійнялися крики й люди ринули до дверей. Проте вони вже були заблоковані обмотаними вибухівкою «чорними вдовами», які замінували двері. Чоловіки на сцені наказали глядачам повернутися на свої місця і пригрозили стратою всім, хто поворушиться. Почалася облога московського театру, яка тривала чотири ночі. Коли я приїхав туди наступного ранку, супроводжуючи журналіста одного таблоїда (згодом я асистуватиму йому під час зйомок документального фільму), театр оточили солдати, медики, телекамери, поліція та юрби роззяв. Ручкалися журналісти, поліцейські курили з дівчатками-підлітками, які прогулювали школу. Продавці печеної картоплі та хот-доґів з'їхалися з усього міста і влаштували виїзну торгівлю. «Пропонуємо ковбаски», — закликали вони людей у натовпі. Кількадесят метрів відділяли розваги від терору, лотки з хот-доґами від заручників. Спочатку я не міг зрозуміти: чому всі поводяться так, немовби тут розігрується комедія, якщо відбувається трагедія? Чи не мусили всі ми сидіти мовчки? Гризти нігті? Молитись?

У театрі оркестрову яму використовували як туалет. Люди в передніх рядах мліли від смороду. Ряди сидінь тряслися, тому що заручники тремтіли від страху. «Коли ми помремо, як я впізнаю тебе в раю?» — запитувала семирічна дівчинка свою маму.

Заручники втрачали надію. Терористи вимагали від президента вивести всі федеральні війська з Північного Кавказу. Кремль заявив, що можливостей для переговорів не існує: довіра до президента ґрунтувалася на придушенні повстання в Чечні. Наприкінці 1990-х років, ще на посаді прем'єр-міністра, він перетворився завдяки Другій чеченській війні з миршавого чиновника на воїна: раптом з'явився в камуфляжі й пив чарку із солдатами на фронті. Війна розпочалася після низки вибухів у житлових будинках у самій Росії, які забрали життя 293 осіб. Здавалося, ніде, взагалі ніде, не можна почуватись у безпеці. Винними в цьому телебачення оголосило чеченських терористів, проте багато хто досі підозрює, що вони працювали з мовчазної згоди Кремля, щоб дати миршавому чиновнику, якого готували на посаду президента, привід для початку війни. Чимало росіян, які стали цинічними після тривалої епохи радянської брехні, часто припускають, що кремлівська реальність прописана у сценаріях. І насправді є певні підстави для скептицизму: російських спецслужбістів упіймали на спробі підкласти бомбу в багатоповерховий будинок (вони стверджували, що це були навчання); спікер Думи публічно повідомив про один із вибухів перед тим, як власне стався вибух.

Утримуючи глядачів «Норд-Осту» в заручниках, чеченські терористи охоче пускали всередину знімальні групи телебачення і давали інтерв'ю у прямому ефірі російських телеканалів. Чоловіки розмовляли російською із сильним південним акцентом, який зазвичай використовують у російських комедіях.

— Ми прийшли померти тут заради Аллаха. Ми заберемо з собою сотні невірних, — оголосили вони.

Одна з «чорних удів» говорила на камеру. Крізь її хіджаб можна було побачити надзвичайно ясні мигдальні очі. Вона сказала, що походить зі світської родини і приєдналася до секти, коли під час війни з Росією були вбиті її батько, чоловік і двоюрідний брат.

— Якщо ми помремо, це не буде кінець, — сказала вона телеглядачам досить спокійно. — Нас набагато більше.

Моїм завданням було стояти ззовні і стежити за розвитком подій, тимчасом як моє начальство подалося до свого готелю. Надворі мрячило. Холодний дощ мав солоний присмак. Я пив тепле пиво, чекаючи на вибухи та постріли. Але їх не було. О п'ятій ранку четвертої ночі облоги спецпризначенці пустили загадковий шиплячий анестетик, змішаний зі зрідженим газом, через вентиляційну систему театру. Глядацька зала наповнилася сірим туманом. «Чорні вдови» загинули миттєво, згорбившись і з'їхавши на підлогу. Заручники і терористи важко хрипіли. Заледве один постріл, як увірвався спецназ, захищений від отрути протигазами. Усіх чеченців миттєво розстріляли. Солдати здійснили бездоганну операцію. Темрява навколо мене освітлювалася прожекторами знімальних груп, які звітували про диво військової геніальності.

На порятунок глядачам прийшли медики. Їх не попередили про газ. Не вистачало нош і лікарів. Ніхто не знав, що це за газ, тож і не могли вибрати відповідної протиотрути. Сонних заручників, які хапали ротом повітря, виводили, клали горілиць на східцях театру. Вони давилися своїми язиками й захлиналися блювотинням. Я і тисяча телекамер бачили, як усе ще сплячі заручники шкандибали холодними калюжами до міських автобусів, що стояли поряд, безладно кидались усередину і на голови одне одному. Автобуси проїхали повз мене, заручники падали й осідали на сидіння та дерев'яну підлогу, наче п'яні безхатьки в останньому нічному автобусі. Близько 129 заручників загинуло: на сидіннях глядацької зали, на сходах театру і в автобусах.

Знімальні групи повідомляли про рукотворну катастрофу.

Облога театру «Норд-Ост» — це терористичне реаліті-шоу, в якому вся країна в прямому ефірі побачила власну хворобу великим планом. Побачила самовдоволені посмішки своїх поліцейських, розгубленість політиків, які не знали, як поводитися без чіткого плану, побачила «чорних удів», чомусь, попри вчинене, гідних співчуття і піднесених до рангу зірок телевізійного прайм-тайму. Побачила, як перемоги обертаються катастрофами в одному короткому кадрі новин. Саме це реаліті-шоу змінило російське телебачення. Тут більше не буде нічого неконтрольованого, неперевіреного й непродуманого. Конфлікт на Кавказі зник з екранів телебачення, і його згадували тільки тоді, коли президент оголосив про закінчення війни, повідомивши, що туди інвестували мільярди доларів, що все просто прекрасно, що Чечня відбудована, що туристичний бум, що 98 % чеченців проголосували за президента на виборах і що терористи витіснені в гори та ліси. Тепер, коли хтось із Кавказу з'являвся на телебаченні, то зазвичай для розваги, для жартів, на кшталт тих, в яких англійці жартують з ірландців.

Утім, попри всі добрі новини з Кавказу, «чорні вдови» досі з ритмічною регулярністю з'являються в Москві. З часом їхній портрет змінився: тепер це меншою мірою дружини та дочки загиблих у чеченській війні. Замість них рекрутують представниць середнього класу з Махачкали або Нальчика. Салафітські та вахабітські проповідники роблять свою роботу. Вранці я дістаюся на *ТНТ* у метро. Моя лінія закінчується на автовокзалі, де завершуються довготривалі п'ятдесятигодинні рейси автобусів з Кавказу. Вранці 29 березня 2010 року туди прибули дві «чорні вдови», спустились у метро й через кілька станцій підірвалися, залишивши сорок осіб убитими й сотню пораненими. Це сталося перед дев'ятою годиною ранку. Коли я спустився в метро кількома годинами пізніше, кров, скло і плоть, перемішані з металом, прибрали, і коли я доїхав до офісного центру *Византий* і піднявся ліфтом на *ТНТ*, усе якщо геть не забулося, то вилетіло з голови.

У цьому кольорово-неоновому світі не існує «чорних удів».

*

Потрапивши на Кавказ через чотири роки після «Норд-Осту», я працював над документальним фільмом про одну місцеву знаменитість.

Я приземлився у столиці Кабардино-Балкарії, місті Нальчику, ближче до вечора. Кабардино-Балкарія межує з Чечнею з іншого боку від Дагестану. У передмістях було темно: вуличне освітлення — досі проблема. На в'їзді в місто єдиною яскраво освітленою спорудою була зовсім нова центральна мечеть, збудована за особисті кошти місцевого лідера Арсена Канокова, якого підтримував Кремль. Це новобагатська мечеть із дзеркального скла, веж зі штучного мармуру та з позолоченими півмісяцями: нові гроші та нова релігія в одній молитві. Місцеві називають її «мечеттю КГБ», спробою влади поглинути іслам. Молодь віддає перевагу салафітським проповідникам-ренеґатам. У 2005 році на Нальчик напала група 217 мусульманських повстанців, які атакували телевізійну вежу й урядові споруди. Армії знадобилося кілька днів для перемоги над ними ціною сотні смертей, серед них — 14 цивільних осіб.

— Нас шокувало, коли ми виявили, що повстанці були не чеченцями, а місцевими хлопцями з університету, де я викладав, — розповів мені професор, історик Анзор під час вечері. Він трохи підпрацьовував моїм посередником. — Я не знаю, про що думають мої студенти. Таке враження, що вони розмовляють зі мною іншою мовою. Моє покоління було цілком радянським. Але мої студенти не почуваються росіянами. Їх нічого не пов'язує з Москвою.

Офіціантка принесла ще жорсткої копченої баранини. Ми вечеряли в найвідомішому ресторані міста «*Сосруко*», названому на честь місцевого міфічного героя, когось на кшталт Геракла. Бетонний ресторан, заввишки двадцять метрів у формі голови середньовічного рицаря з шоломом і довжелезними вусами, споруджено на пагорбі над містом. Він сяє зеленим неоном, будучи одинокою добре освітленою спорудою, крім нової мечеті.

— Коли мої учні їдуть до Москви, люди на вулицях кажуть їм повертатися додому. Але ми поки що частина російської держави. Ми не іммігранти. Тож що це означає: «повертайтеся додому»? А тут тим часом нема роботи для молоді, — продовжує Анзор, — і лише вахабіти приділяють їм увагу.

Наступного ранку я міг, нарешті, добре роздивитися Нальчик. Центр був охайний — із чудовими клумбами яскравих квітів перед урядовими будівлями громіздкого радянського неокласицизму. Гора Ельбрус нависла над Нальчиком, наче хуліган, у будь-який момент готовий вдатися до насильства. Я мав зустрітися з місцевою знаменітістю — Джамбіком Хатоховим, на той час найбільшим хлопчиком у світі. У свої сім років він важив понад сто кілограмів. Журналісти таблоїдів і телевізійні групи злітаються туди з усього світу, щоб написати про нього статтю чи зняти сюжет.

Я виїхав з міста до квартири його матері в передмісті з радянськими багатоповерховими коробками, криво розставленими на нерівних брудних дорогах (місцева ФСБ супроводжувала мене, щоб упевнитись, чи я таємно не зустрічаюся з джихадистами). Неосвітлений під'їзд, зелені облущені стіни. Мама Неля відчинила мені двері. Інтер'єр квартири був дизайнований в ікеївському стилі на гроші від медійної популярності Джамбіка. Коли я приїхав, Джамбік був у ванній. Я чув, як він плюскається, верещить і форкає. Я ввійшов привітатися з ним. Він був такий товстий, що через жирові складки не видно було пеніса і ледь виднілися пальці й очі. Він радше кректав, ніж дихав. Повсюди на підлозі була розлита вода, а він ковзав туди-сюди по ванні, в яку ледве вміщався, бризкаючи навсібіч. Він кинувся на мене, коли я зайшов, і притиснув до дверей.

— У нього ніколи не було батька, — сказала Неля. — Йому в житті потрібен чоловік.

Ми поїхали до міста. Якраз святкували «день міста», яким спонсорована державою партія намагалася прищепити місцевий патріотизм. Проводився ярмарок і відбувалися спортивні змагання. Джамбіка знали всі, він був зіркою. «Це наш Сосруко, наш малий богатир!» — кричали місцеві люди, коли він проходив через фестиваль. Усі давали йому їжу — шашлик, копчену баранину, снікерси, піцу, колу. Вони безкоштовно впускали нас на атракціони. Джамбік увесь час їв, покректуючи. Коли Неля намагалася зупинити його, він верещав, мов охоронна сигналізація, і кидався на неї всією вагою свого стокілограмового тіла.

Ми зупинилися подивитися змагання борців. Сюди приїхали спортсмени з республік Північного Кавказу (Дагестану, Кабардино-Балкарії, Інгушетії), які радше представляли самих себе, а не «Росію». Серед них були олімпійські чемпіони: Північний Кавказ — кузня найкращих борців у світі, і для місцевих борців завжди неприємно усвідомлювати, що вони виборюють свої золоті медалі для «Росії». Але для багатьох молодих людей вибір постає між джихадом і боротьбою. Неля сподівається, що Джамбік виросте і стане борцем, хоча місцеві тренери в один голос кажуть їй, що він занадто повільний. Неля думає, що, можливо, він стане сумоїстом.

Незабаром я помітив, що Джамбік повільно говорить і ковтає слова.

— Як у нього успіхи в школі? — запитав я Нелю.

— Ох, він така зірка, що вони дозволили йому перескочити через один клас без жодних іспитів, — сказала Неля.

Ми запросили Джамбіка до Москви, де він узяв участь у найвідомішому ток-шоу Росії і штовхав на камеру джип. Він пробувався на найпопулярнішому в Росії дитячому телешоу.

Тим часом небайдужі лікарі зустрілися з Нелею і пояснили, що Джамбік не богатир, а дуже хвора дитина, якій треба допомогти, або ж він помре. Їй слід перевести його на дієту та змінити спосіб життя. Про це Неля і слухати не захотіла: він був її жирним золотим гусаком і їхнім квитком в інше життя. Я співчував їй. Я бачив, що відбувається, коли вона забороняє Джамбіку їсти.

— Господь забажав, щоб він був таким, — наполягала вона.

Коли ми прощалися, Джамбік обійняв мене так міцно, що я не міг дихати. Згодом я почув, що він отримав пропозицію навчатися сумо в Японії. Що завжди було мрією Нелі. Але із сумо у Джамбіка не склалося. Незабаром родина повернулася до Нальчика. Через кілька років у Мексиці народився ще більший хлопчик, і зоряна привабливість Джамбіка дещо потьмяніла. В одинадцятирічному віці він важив 146 кілограмів.

Від одного з моїх продюсерів «Привіт / Бувай» прийшло текстове повідомлення: «Подивись новини. Ці їбанати зруйнували наш знімальний майданчик! Наш знімальний майданчик!».

Терорист-самогубець підірвався в залі прибуття міжнародного аеропорту *Домодедово*, де ми колись знімали «Привіт / Бувай». У новинах на каналі CCTV показали кадри з камер спостереження, на яких крізь залу проходить розмита постать, потім стається вибух сліпучо-яскравого світла і за мить ми знову бачимо залу, залиту кров'ю. Тридцять сім загиблих. Сто вісімдесят поранених. На мій телефон прийшла злива тривожних повідомлень: у той час я не був навіть поряд із аеропортом, і чергові серії були зняті задовго до того, як вибухнула бомба.

Домодедово — найновіший із трьох московських аеропортів. Він увесь повниться склом і світлом, чистими мармуровими підлогами, кав'ярнями та бутиками зі спідньою білизною. Коли я знімав «Привіт / Бувай», то провів чимало часу в *Домодедово*. Я знаю там кожне місце, де пожежна сигналізація не працює і можна викурити сигарету, коли найкраще світло падає крізь скляні стіни для найвдаліших кадрів, як домовитися з митниками, щоб вони пішли й купили тобі віскі із крамниці в безмитній зоні. Я знаю, якими рейсами прибуває який тип пасажирів і які історії вони привозять із собою. Наш ведучий, одягнений у яскраво-помаранчеву сорочку, ходив аеропортом і розмовляв із людьми, які прощались або зустрічались. Закохані повільно цілуються, прощаючись: він їде працювати до Сан-Франциско. Гучна компанія збирається на тестостеронові вихідні до Тайланду. Секретарка чекає свого начальника, у якого вона таємно закохана і який повертається з бізнес-відрядження з Лондона. Мікрокосм нової Росії середнього класу, першого російського покоління, яке не лише літає, а навіть сприймає польоти за кордон як щось саме собою зрозуміле, мрії цього покоління під одним високим склепінням цього найяскравішого нового летовища в новій яскравій країні.

Серед наших історій було чимало про жінок в очікуванні на чоловіків. Було про колишню балерину з Воронежа, огорнену шубою Анну, яка тепер танцювала стриптиз у цюрихському клубі. Її наречений, швейцарський банкір, приїжджав на зустріч з її родиною в Росії і двома дітьми від попереднього чоловіка, який покинув її, не залишивши жодної копійки. Банкір хотів одружитися з нею, але все відбувалося занадто швидко, і вона не була впевнена. Через два тижні ми побачили їх знову: вони прохолодно попрощалися, потім він полетів до Цюриха. Вона не розповість нам, що пішло не так, лише одне: «Ми, дівчата, називаємо стрип-клуби "Krankenhäuser", психушками, бо туди ходять лише психічно хворі чоловіки».

А ще там була «доярка», чия історія стала хітом на YouTube. Жінка невизначеного віку із золотими зубами, високою хімічною завивкою, яскравими рожевими губами й шубою та забризканими грязюкою білими чобітками аж до колін, вона була дояркою на кооперативній фірмі. Вона чекала на свого хлопця, таджицького підлітка, який допомагав їй прибирати на фермі. Їхні стосунки були скандалом у селі: не тільки через те, що вона йому в матері годилася, а ще гірше, бо вона була білою жінкою, яка зв'язалася з «чуркою» (образливе означення, яким росіяни називають людей із Кавказу або Середньої Азії). Параноя, що чоловіки з «півдня» заберуть білих жінок, переросла у щось на кшталт російської одержимості: жінки-чурки нас підірвуть, чоловіки-чурки заберуть наших жінок, чурки повстануть і Російська імперія загине.

Але «доярці» було плювати на те, що місцеві на фермі скажуть про її коханця. Вона впивалася всіма подробицями їхнього роману:

— На роботі я вдягаю цей маленький білий халат, який підкреслює мої ноги, йому це подобається! — розповіла вона нам. — Я не дала йому одразу, я сказала йому, що спочатку він мусить подарувати мені парфуми. Так мене моя мати навчила!

І тепер вона була вагітна. Вона розповіла йому, коли він вийшов із літака, на камеру. Ми зняли всі його емоції: шок (йому було не більше сімнадцяти), гнів, а потім радість, тому що він підняв її і почав крутити: «хімію», шубу, білі чобітки і все інше. Інші люди в залі прибуття почали аплодувати й підбадьорювати. Саме на цьому місці терорист-самогубець підірвав себе.

У залі прибуття завжди найважче було знімати. Він перебував на стадії будівництва, відколи я його пам'ятаю. Там бракує природного світла, він тісний і вузький. Ми мусили тягнути учасників і ставити перед неоновою вивіскою кав'ярні, щоб картинка була прийнятною. Якщо вони стояли природно, кадри виходили жахливими й огидними на тлі похмурої юрби нелегальних таксистів у чорних куртках, які накидалися на кожного пасажира, який виходив із митного контролю, і намагалися нав'язати їм поїздки до міста за завищеними цінами. Чимало з цих таксистів — вихідці з Північного Кавказу. Жертвами терориста-самогубця стали земляки та єдиновірці.

І поки ми знімали «Привіт / Бувай», поза кадром завжди залишалася інша реальність. На кожен лондонський і паризький рейс припадало набагато більше рейсів з Махачкали, Нальчика й Ташкента. Золотозубі мігранти із Кавказу та Середньої Азії цілими кланами навпочіпки сиділи у вилизаних залах, серед куп поліетиленових пакетів із одягом і фруктами, якими вони приїхали торгувати на московських ринках.

—Нам не потрібно їх бачити,—скаржилася продюсерка на *ТНТ*. —Ми вивчили нашу цільову аудиторію. Вони не хочуть чути про людей із Кавказу або Середньої Азії. Вони не симпатизують їм. Нам потрібні етнічні росіяни.

А втім, ми все-таки зняли серйозну історію про Чечню. Одна молода пара, у якої ми брали інтерв'ю, прощалася щонайменше на шість місяців. Хлопець виглядав, як юний Стів Макквін, дівчина—з трохи поплямленим обличчям.

—Чому так довго?

—Там, де я працюю, йде війна. Я солдат. Я служу в Чечні. Їй не можна туди.

А зустрілися вони так. Він стояв самотній і нудьгував на своєму посту—у невеличкій цегляній халупі на Кавказі. Була ніч, а він був напідпитку. Йому захотілося знайти дівчину, щоби вона була далеко від фронту. Просто навдачу він узяв телефон, зиркнув на серійний номер свого пістолета, набрав код Москви, а за ним—серійний номер. Відповіла сонна дівчина.

—Хто це?

Він сказав. Вона кинула слухавку.

—Мені просто сподобався її голос,—сказав він. —Тому я телефонував знову.

Він дзвонив щодня. Повільно вона здалася. Вони обмінялися фотографіями в мобільних телефонах. За два тижні перед нашими зйомками він отримав відпустку і приїхав до неї в гості. Вона була з традиційної кавказької родини, і він попросив у її батька дозволу на одруження. Батько погодився. Тепер вони носили обручки. Весілля було заплановане через шість місяців, коли він повернеться з Чечні.

—Це останнє моє відрядження. Я звільняюся з армії. Через шість місяців я повертаюся і все—більше жодної війни.

— У вас досі з собою пістолет з її номером?

— Пістолет? Я завжди ношу з собою пістолет.

Він посилав їй повітряні поцілунки, а вона плакала, коли він проходив через паспортний контроль. Не маю уявлення, що з ними сталося потім.

Минуло чимало часу, коли я повернувся до довгого-предовгого бару біля залізничного вокзалу.

— Як ваше шоу? — запитали дівчата.

— Його закрили.

Рейтинги «Привіт / Бувай» були провальні. Почасти проблема полягала в тому, що глядачі не вірили у правдивість історій у цьому шоу. Після довгих років фейкової реальності їм важко було повірити у справжність.

Дінара з криком підскочила до мене. Вона купила мені випивку. У неї було довге волосся. Вона не зуміла знайти нормальної роботи або продовжити навчання. Її обличчя виглядало опухлим.

— Як ваша сестра?

— Чудово, — відповіла Дінара. — Чудово.

— Вона досі з вахабітами?

— Той кошмар минув. Я повернулася додому і переконала її приєднатися до мене. Слава Богу, їй подобається Москва, вона більше не хоче робити джихад. Тепер ми працюємо разом, ми обидві — по-ві-ї.

Дінара була задоволена. І слава Богу. Історія закінчилася щасливо.

Вершини світобудови

Хоча ми очікуємо, що Владіслав Сурков — людина, відома як «кремлівський деміург», який «приватизував російську політичну систему», — увійде через основний вхід університетської аудиторії, він дивує нас, з'являючись із заднього входу. Він усміхається своєю знаменитою усмішкою Чеширського Кота. Він одягнений у білу сорочку та шкіряну куртку. Стиль — щось середнє між Joy Division і комісаром з 1930-х. Він вийшов прямо на сцену перед аудиторією аспірантів, професорів, журналістів і політиків.

— Я є автором або одним із авторів системи нової Росії, — промовив він замість вступу. — Мої обов'язки у Кремлі та в уряді передбачають ідеологію, ЗМІ, політичні партії, релігію, модернізацію, інновацію, міжнародні відносини і, — тут він зробив паузу й усміхнувся, — сучасне мистецтво.

Він запропонував замість виголошування промови ставити запитання і влаштувати відкриту дискусію. Після першого запитання він говорив майже сорок п'ять хвилин, не залишивши, врешті-решт, жодного часу на запитання. Він показав свою політичну систему в мініатюрі: демократичну риторику та недемократичні наміри.

Як колишній заступник глави адміністрації президента, а згодом — віце-прем'єр і помічник президента з міжнародних відносин, Сурков керував російським суспільством як одним великим реаліті-шоу. Варто йому було плеснути в долоні, як з'являлася нова політична партія. Варто було йому плеснути вдруге, і створювалися «Наши» — російський відповідник «Гітлер'юґенда», яких навчали вуличних боїв із потенційними прихильниками демократичних сил і які палили книжки непатріотично налаштованих письменників на Красній площі. Як заступник глави адміністрації президента він щотижня зустрічався з очільниками телевізійних каналів у своєму кремлівському офісі, інструктуючи їх, на кого нападати й кого захищати, хто дозволений на телебаченні і хто заборонений, як представляти президента, а також щодо кожного формулювання і категорії, у яких повинна думати і почуватись країна. Вишколені Сурковим телеведучі *Останкино* висмикували тему («олігархи», «Америка», «Близький Схід») і двадцять хвилин обсмоктували її, натякаючи, підштовхуючи, підморгуючи, вигадуючи, але нічого й ніколи не кажучи прямо, нескінченно повторюючи слова, приміром, «вони» і «ворог», поки не закарбуються у свідомості. Вони повторюють великі мантри епохи: президент — це президент «стабільності», антитеза епосі «безладу та занепаду» 1990-х років. «Стабільність» — це слово повторюють знову і знову в міріадах начебто невідповідних контекстів, поки воно відлунює і дзвенить, наче великий дзвін, і передбачає, що все гаразд. Усі опоненти президента — вороги великого бога «стабільності». Термін «ефективний менеджер», запозичений із західного корпоративного жаргону, перетворився на термін задля уславлення президента як «найефективнішого менеджера». «Ефективність» стає *raison d'être** для всього: Сталін був «ефективним менеджером», який мусив піти на жертви заради «ефективності». Ці слова просочуються на вулиці: «Наші взаємини неефективні», — кажуть одне одному коханці під час розриву. «Ефективний», «стабільність»: ніхто не може визначити, що ж насправді означають ці слова, а тим часом місто трансформується і пульсує, і всі відчувають, що цей стан є чимсь абсолютно протилежним до «стабільного» і нічого «ефективного» тут нема, але той спосіб, у який Сурков і його маріонетки використовують їх, ці слова самі приживаються — каральний меч на тих, хто якимось чином не виявляє лояльності.

---

* Raison d'être (з *франц.*) — сенс існування.

Один із багатьох титулів Суркова — «політтехнолог всія Русі». Політтехнологи — це нова російська назва для дуже давньої професії: візирів, сірих кардиналів і Чарівників країни Оз. Уперше вони з'являються в середині 1990-х років як авантюристи, стукаючи у владні брами, низько вклоняючись і пропонуючи свої послуги у справі пояснення світу та по секрету повідомляючи про своє вміння його перебудувати. Вони успадкували питому радянську традицію правління згори вниз і царистьку практику кооптування антидержавних сил (анархістів у XIX столітті, неонацистів і релігійних фанатиків — тепер), додавши до них найостанніші знахідки в царині телебачення, реклами та чорного піару. Їхніми першими клієнтами фактично стали російські модернізатори: 1996 року політичні технологи, яких координував Боріс Бєрєзовський — олігарх, названий «хрещеним батьком Кремля», і людина, яка першою зрозуміла силу телебачення в Росії, допомогли перемогти тодішньому президентові Борісу Єльцину на програшних, з першого погляду, виборах, переконавши країну, що він єдина людина, здатна врятувати її від повернення до реваншистського комунізму та нового фашизму. Вони зняли телевізійні страшилки про небезпечні погроми та викликали до життя фальшиві ультраправі партії, натякаючи на те, що інший кандидат — сталініст (хоча насправді він радше був соціал-демократом), що й допомогло створити міраж небезпечної «червоно-коричневої» загрози.

У XXI столітті прийоми політтехнологів стали централізованими та систематизованими. Їх координували з офісу адміністрації президента, де Сурков сидів за столом, на якому були телефони з іменами лідерів усіх «незалежних» партій, телефонуючи їм у будь-який момент дня і ночі й даючи інструкції. Геніальність цього нового типу авторитаризму в тому, що замість звичного пригнічення опозиції, як то було в авторитаризмах XX століття, він проникав усередину всіх ідеологій і рухів, експлуатуючи і доводячи їх до абсурду. Тепер Сурков фінансував громадянські форуми та неурядові організації в царині прав людини, іншим разом — тихо підтримував націоналістичні рухи, що звинувачували неурядові організації в тому, що ті є інструментами Заходу. Він широким жестом спонсорував масштабні мистецькі фестивалі найбільш провокативних сучасних художників у Москві, а потім підтримував православних фундаменталістів — усі в чорному, озброєні хрестами, вони своєю чергою нападали на виставки сучасного мистецтва. Ідея Кремля полягає у привласненні всіх форм політичного дискурсу й перешкоджанні будь-якому розвитку незалежних рухів за його мурами. Його Москва може видаватися олігархією вранці, демократією в обід, монархією на вечерю та тоталітарною державою вночі.

Живучи у світі Суркова та політтехнологій, я почувався щоразу сильніше дезорієнтованим. Нещодавно моя зарплатня зросла майже вдвічі. Окрім режисерування шоу для *ТНТ*, я виконував певну роботу для нового медіадому під назвою *Сноб*, що об'єднував телеканали, журнали та закриту інтернет-спільноту для найяскравіших умів країни. Він був задуманий, щоби плекати новий тип «глобального росіянина», новий клас, який боротиметься за все західне та ліберальне в цій країні. Його фінансує один із найбагатших росіян, олігарх Міхаіл Прохоров, який також володіє Brooklyn Nets*. Мене найняли «консультантом» для одного з телеканалів *Сноба*. Я пишу численні записки, стратегії та діаграми, хоча, схоже, нічого ніколи не використовують на практиці. Але мені платять. І кабінети, куди я заходжу кілька разів на тиждень, щоб поговорити про «унікальні торговельні пропозиції» та «високобюджетні продукти», є чимось на кшталт хіпстерської фантазії: розташова-

---

* Brooklyn Nets — професійний баскетбольний клуб у США.

ні в переобладнаному заводі, з недоторканою і відкритою цегляною кладкою, збереженими величезними арками гігантських вікон, зі смаком вбудованими редакційними кімнатами та офісами з відкритим плануванням. Працівники — діти радянської інтелігенції, з досконалою англійською та активною критикою режиму. Заступниця головного редактора — відома американсько-російська активістка боротьби за права ЛҐБТ, яка завзято критикує президента у глянцевих західних журналах. Але попри все опозиційне позиціонування *Сноба* також очевидно й те, що проєкт такого високого рівня аж ніяк не міг бути створений без благословення Кремля. Хіба це не чергова «керована» опозиція, з якою Кремлю так комфортно? З одного боку, це дає лібералам змогу відчути, що вони не позбавлені свободи висловлювання й місця роботи (разом із зарплатою), а з іншого — дає Кремлю можливість визначати «опозицію» як московських хіпстерів, які не мають зв'язку зі «звичайними» росіянами та перейняті такими «марґінальними» проблемами, як права ґеїв (у гомофобській країні).

Сама назва проєкту — *Сноб* — хоч і має іронічне значення, вже визначає нас як потенційний об'єкт ненависті. І попри всі антикремлівські тиради *Сноба*, ми насправді ніколи не займалися справжніми журналістськими розслідуваннями, не виявили жодних кричущих фактів про гроші, вкрадені з державного бюджету: у Росії XXI століття тобі дозволено говорити все, що завгодно, доти, доки ти не натрапляєш на корупційні схеми. Після роботи ми сиділи з колегами, випиваючи і ведучи розмови: «Чи ми опозиція?», «Чи ми допомагаємо Росії стати вільнішою країною?», «Чи ми насправді кремлівський проєкт, який посилює позиції президента? Або ж фактично шкодимо справі свободи? Або ми водночас і перше, і друге? Розмінна монета?».

І справді, на наступних президентських виборах Прохоров стане ліберальним кандидатом, якого схвалив Кремль:

проєкт *Сноб* допомагає викликати до нього прихильність інтелігенції, але як яскравий олігарх, найкраще відомий своїми розвагами в Куршевелі з екіпажем модельок, він легка мішень для Кремля. Московська освічена публіка знову в роздумах. Чи Прохоров справжній кандидат? Краще голосувати за нього, чи це означатиме, що ви граєте на руку Кремлю? Чи краще ні за кого не голосувати й ігнорувати цю систему? Зрештою, Прохоров здобуває досить істотні 8 % голосів — відтак елегантно сходить з політичної сцени в очікуванні на наступний призов. Ми всі просто граємо епізодичні ролі у великому реаліті-шоу політтехнологів.

Але Сурков — щось більше, ніж просто політичний махінатор. Він естет, який пише есеї про сучасне мистецтво, шанувальник ґанґста-репу, в якого на столі поруч із портретом президента — фотографія Тупака. Він любить говорити, що президента нам послав Господь, а ще він пише тексти для рок-груп на кшталт цього:

> *Он всегда впереди — в алом шелке, на бледном коне.*
> *Мы за ним по колено в грязи и по горло в вине.*
> *И вдоль нашей дороги пылают дома и мосты.*
> *Я буду, как ты,*
> *Ты будешь, как он,*
> *Мы будем, как все.*[*]

А ще Сурков начебто автор роману «Близьконуля» («Околоноля»), опублікованого 2008 року, в якому описано його досвід. «Начебто» — тому що роман був опублікований під псевдонімом «Натан Дубовицкий». Ім'я дружини Суркова — Наталья Дубовіцкая. Офіційно Сурков — автор передмови, в якій заперечує своє авторство роману, а потім супере-

---

[*] Владіслав Сурков — автор текстів для альбому *Полуострова* (2003) групи *Агата Кристи*.

чить самому собі: «Автор — вторинний, одержимий Гамлетом писака» і «Мені не доводилось читати нічого кращого». У своїх інтерв'ю він майже зізнавався в авторстві, завжди ухиляючись від остаточного зізнання. Та байдуже, написав він цей роман насправді чи ні, він пнеться зі шкіри, щоб цей роман із ним асоціювали. І цей бестселер — головна сповідь епохи, найближчий пункт, доступний нам для проникнення у свідомість системи.

Роман — сатира на сучасну Росію. Головний герой Єґор, корумпований піарник, готовий служити кожному, хто йому заплатить. Колись він видавав авангардну поезію, а тепер купує тексти в зубожілих андеграундних письменників і потім перепродує їхні права заможним бюрократам і бандитам із мистецькими амбіціями, які публікують ці тексти під своїми іменами. У цьому світі все продається. Навіть «найліберальніші» журналісти мають свою ціну. Піар і книговидання, зображені в цьому романі, — небезпечний світ. Видавництва мають власні банди, члени яких вбивають одне одного за права на Набокова та Пушкіна, а спецслужби інфільтрують їх і плетуть якісь свої незрозумілі інтриги. Саме такі книжки сурковські молодіжні організації палять на Красній площі.

Народжений у російській провінції в матері-одиначки, Єґор росте хіпстером-інтелектуалом, розчарованим у фальшивій пізньорадянській ідеології. У 1980-ті роки він переїжджає до Москви та обертається в тамтешній богемній тусовці. У 1990-ті роки він став гуру піару. Ця частина має чимало спільного з офіційною біографією самого Суркова — він «зливав» подробиці пресі лише тоді, коли вважав за потрібне. Він народився 1964 року, син матері-росіянки та батька-чеченця, який покинув сім'ю, коли Сурков був маленьким. Колишні однокласники згадують його як хлопця, який дражнив учительських улюбленців-комсомольців, носив вельветові штани, відростив волосся, як у Pink Floyd, писав вірші та мав великий успіх у дівчат. Він був відмінником, чиї твори з літератури вчителі зачитували в учительському кабінеті. Не він один розумів, що він надто розумний, щоб серйозно сприймати навколишню соціально-політичну систему.

«Революційний поет Маяковський стверджував, що життя (після соціалістичної революції) добре і жити добре, — писав у підлітковому віці Сурков слова, що були вельми підривними як на учня радянської школи. — Однак це не зупинило Маяковського і через кілька років він застрелився».

Після переїзду до Москви Сурков вступав на навчання до університетів за кількома спеціальностями — від металургії до театральної режисури, але кидав їх, потім його взяли до армії (де він міг служити у військовій розвідці). Його помітили в постійних жорстоких розбірках (його відрахували з театрального факультету за бійку). Його перша дружина була художницею, відома своєю колекцією театральних ляльок (яку Сурков згодом перетворить на музей). Поки Сурков дорослішав, Росія в карколомному темпі експериментувала з різними моделями: радянський застій призвів до *перестройки*, яка спричинила розпад Радянського Союзу, ліберальну ейфорію, економічну катастрофу, олігархію і появу мафіозної держави. Як можна вірити бодай у щось, коли все навколо вас так швидко змінюється?

Його вабила московська богемна тусовка, де художники-перформери починали вловлювати дух п'янких змін. Жодна вечірка не обходилася без Олега Кулика (який входив в образ скаженого пса для демонстрації безпорадності пострадянської людини), Ґєрмана Віноградова (який ходив голим вулицями й обливався крижаною водою) або ж згодом без Андрєя Бартєньєва (який переодягався в інопланетянина, демонструючи, який дивний цей новий світ). І, певна річ, без Владіка Мамишева-Монро. Неперевершений майстер перевтілення, вельми манірний Владік був пострадянською версією Енді Воргола, поєднаного з Ру Полом.* Перший у Росії драґ-перформер, він почав вживатися в образи Мерилін Монро та Гітлера (за його словами, «двох найбільших символів XX століття»), потім продовжив перевтіленнями на російських поп-зірок, Распутіна, Горбачова в образі індіанки. Він з'являвся на вечірках в образі Єльцина, Тутанхамона, Карла Лаґерфельда. «Виступаючи, я на кілька секунд перетворююся на свого героя», — полюбляв казати Владік. Його перевтілення були завжди божевільно точними, штовхаючи його героя до крайнощів, коли образ людини починав викривати й нищити самого себе.

Тим часом Росія відкривала для себе магію піару та реклами — і тут Сурков знайшов своє покликання. Він отримав шанс від Міхаіла Ходорковського — олігарха з найприємнішою зовнішністю. У 1992 році він провів першу рекламну кампанію Ходорковського, в якій олігарх у картатому піджаку, з вусами та широкою усмішкою, був зображений із пачками грошей у руках. «Приходьте до мого банку, якщо вам потрібні легкі гроші. Я зробив їх, то й ви зможете!» — таким було його гасло. Його зображення з'явилися на кожному автобусі та рекламному щиті, а для населення, вихованого на антикапіталістичних цінностях, це стало шоком. Це була перша російська кампанія, яка використала обличчя свого власника як бренд. І вперше багатство рекламувалося як чеснота. Колись мільйонери, можливо, й існували, але вони завжди приховували свій успіх. Але Сурков відчув, що світ змінюється.

Пізніше Сурков працював начальником піар-відділу Першого каналу *Останкино*, на тодішнього головного кремлівського візиря Бориса Бєрєзовського. 1999 року він прийшов у Кремль, створюючи імідж президента за тими ж

---

* Ру Пол (*англ.* RuPaul) — відомий американський шоумен, автор пісень і актор, що використовував у творчості жіночі образи.

лекалами, що й імідж Ходорковського. Коли президент вигнав Бєрєзовського за межі країни й арештував та посадив Ходорковського, Сурков допомагав провести медійну кампанію, де було використано новий імідж Ходорковського: замість усміхненого олігарха, зображеного з грішми в руках, тепер його завжди зображували за ґратами. Натяк був зрозумілий: від обкладинки у Forbes до тюремної камери відстань лише в одну фотографію.

На шляху крізь усі ці зміни Сурков змінював позиції, хазяїв та ідеології, і не виказував ані тіні збентеження.

Можливо, найцікавішими фрагментами «Близьконуля» є сторінки, де автор відходить від соціальної сатири до опису внутрішнього світу головного героя. Єґор описаний як «вульгарний Гамлет», який наскрізь може бачити поверховість своєї епохи, але не здатен на щирі почуття до когось або чогось: «Те, що він вважав собою, було замкнене в горіховій шкаралупі [...] Ззовні гуляли його тіні, його ляльки [...] Про себе він думав, що він влаштований майже як аутист, майже цілком повернутий всередину, тільки імітуючи зв'язок із абонентами за межами себе, розмовляючи з ними фальшивими голосами [...] щоб виманити з московського хаосу все йому потрібне: книжки, їжу, одяг, гроші, секс, владу та інші корисні речі».

Єґор — маніпулятор, але не нігіліст. У нього була дуже чітка концепція божественного: «Побутове облаштування життя [...] Єґор ретельно відшаровував від глибоких вершин світобудови, де в сліпучій безодні вигравали безтілесні, безпілотні, безпутні слова, вільно поєднувалися, розбігались і зливалися іноді у прекрасні візерунки».

Вершини світобудови! Господь Єґора — поза межами добра і зла, а Єґор — його обраний супутник: надто розумний, щоби дбати про когось, надто близький до Бога, щоби потребувати моралі. Він бачить світ як простір, у якому проєктуються різні реальності. Сурков артикулює основи філософії нової еліти, покоління пострадянських надлюдей, у яких більше сили, ясності думки, швидкості та гнучкості, ніж у будь-кого перед ними.

Я натрапляв на форми такого самосприйняття щодня. Продюсери телеканалів *Останкино* могли бути лібералами у приватному житті, відпочивати в Тоскані та мати цілком європейські смаки. Коли я питав, як вони поєднують своє професійне та особисте життя, вони дивилися на мене, як на дурня, і відповідали: «Протягом останніх двадцяти років ми жили при комунізмі, в який ніколи не вірили, при демократії та дефолті, мафіозній державі й олігархії, і ми зрозуміли, що вони — ілюзія, що все піар». «Усе піар» стало улюбленою фразою нової Росії. Мої московські колеги впивалися власним цинізмом і водночас просвітленістю. Коли я запитував їх про дисидентів радянської епохи, як, наприклад, мої батьки, що боролися проти комунізму, вони зневажливо називали їх наївними мрійниками, а мою відданість таким непевним західним поняттям, як «права людини» та «свобода», вважали оманою. «Хіба ти не бачиш, що ваша влада така ж погана, як і наша?» — запитували вони мене. Я пробував заперечити, але вони, знай, співчутливо усміхались. Вірити в щось і відстоювати його у цьому світі гідне насмішки, здатність підлаштовуватись — цінується. Владімір Набоков одного разу описав види метеликів, які на ранній стадії свого розвитку мусять навчитися змінювати кольори, щоб сховатися від хижаків. Хижаки, що полювали на метеликів, давно вимерли, але вони досі змінюють свої кольори лише від чистого задоволення трансформацією. Щось схоже відбувається з російськими елітами: у радянський період вони навчились прилаштовуватися заради виживання; а тепер не існує потреби в постійній зміні кольорів, але вони продовжують цим займатися лише заради похмурої радості. Конформізм вийшов на рівень естетичного акту.

*

Сам Сурков — найвищий вияв цієї психології. Його зміни та трансформації схожі на ртуть — від ангельської усмішки до демонічного погляду, від проповіді плутаної ліберальної «модернізації» до позиції жорсткого націоналіста, що вивергає з себе навмисне суперечливі ідеї: «керована демократія», «консервативна модернізація». А потім робить крок назад і, усміхаючись, каже: «Нам потрібна нова політична партія, і ми повинні посприяти її появі, тож немає сенсу чекати, поки вона сформується сама». І якщо ви пильніше придивитесь до партійців, представлених у політичному реаліті-шоу, яким керує Сурков, то помітите, що ці заслинені націоналісти та побуряковілі комуністи грають свої ролі з ледь помітною іронічною посмішкою.

Десь в інших місцях Сурков полюбляє покликатися на нові, щойно перекладені російською мовою, постмодерністські тексти, крах великих наративів, неможливість істини, і як усе є лише «симулякром»... а наступної миті говорить про свою зневагу до релятивізму та любов до консерватизму й одразу ж цитує англійською напам'ять «Сутру соняшника» Аллена Ґінзберґа. Якщо Захід колись підважив і допоміг, зрештою, перемогти СРСР завдяки об'єднанню економіки вільного ринку, привабливої культури та демократичної політики в один комплекс (парламенти, інвестиційні банки й абстрактний експресіонізм злилися для перемоги над Політбюро, плановою економікою та соцреалізмом), то геній Суркова полягав у розриві цих асоціацій, поєднанні авторитаризму та сучасного мистецтва, використанні мови прав і репрезентації для виправдання тиранії, розрізанні та склеюванні демократичного капіталізму, поки вони не стали означати свою повну протилежність.

На вершині влади амбіції Суркова переросли рамки партій і політики або навіть романів. Він почав мріяти про створення нового міста, утопії. Це мало бути Сколково, російська Кремнієва долина, закрита спільнота пострадянської досконалості. На цей проєкт було витрачено сотні мільйонів рублів. Мене запросили на ознайомлюваний медіатур сурковським «містом Сонця». Нас посадили в автобус, і ми відбули кількагодинну подорож за межі Москви. У центрі для відвідувачів Сколково дівчина з волошково-блакитними очима показала нам 3D-відео про майбутнє місто: офіси, вбудовані в ландшафт у стилі Френка Ллойда Райта, штучні озера та школи, вічне сонячне сяйво, екстремальні види спорту та підприємці у кросівках. Ми сіли в автобус і проїхалися реальним пейзажем — кілометрами засніженого простору з поодинокими деревами. Від моменту запуску проєкту «Сколково» витрачено мільярди, але практично нічого не було збудовано (подейкують, що цей проєкт, принаймні почасти, було створено, щоби середовище Суркова мало механізм викачування коштів із державного бюджету).

Нас повезли до гіперкуба — єдиної вже зведеної будівлі майбутнього міста. «Ми наближаємося до гіперкуба, — повідомила наша провідниця. — Ось гіперкуб з'являється в полі зору». З'ясувалося, що це дуже модерністська невеличка структура, яка виглядала загубленою в порожньому полі. На його бетонних стінах висіли великі відеоекрани. Піарник із сильною засмагою і бридкою посмішкою, спільною для всіх високопоставлених співробітників КГБ за кордоном, повідомив нам, що всі корупційні скандали, пов'язані зі «Сколково», було спростовано. За плечима в нього, на відеоекранах, постійно вискакували слова «інновація» та «модернізація». Я запитав, чи, бува, проєкт «модернізація» не провалився, адже щотижня арештовували дедалі більше бізнесменів і понад 50 % населення сьогодні працевлаштували державні компанії. Опитування засвідчили, що молодь тепер хоче бути не підприємцями, а бюрократами.

Піарник знизав плечима й відповів, що президент висловив цілковиту підтримку проєктові «Сколково».

В екскурсії по Сколково нас супроводжував молодий чоловік на ім'я Сєрґєй Калєнік, член молодіжної прокремлівської організації «Наши», яку створив Сурков. Сєрґєй був одягнений у толстовку з капюшоном і обтислі джинси, мав цапину борідку й виглядав, як будь-який молодий хіпстер у Брукліні чи Хекні. І тут він розтулив рота і почав співати президентові оди, стверджуючи, що Захід намагається перемогти Росію. Сєрґєй походив зі скромної сім'ї, зі столиці Білорусі — Мінська. Спочатку він зробив собі ім'я тим, що намалював цікавий мультик у стилі манґа, у якому супергерой Президент боровся проти зомбі-протестувальників і зловорожих блоґерів — борців проти корупції: чудовий приклад сурковської тактики використання хіпстерської мови зі своєю метою і намагання перетягнути «просунутих» людей на бік Кремля.

Мультик був таким успішним, що Калєніка запросили до високих кабінетів. Так почалася його кар'єра молодого політтехнолога.

— Політика — це можливість використати кожну ситуацію для підвищення свого статусу, — сказав мені Сєрґєй із усмішкою, яка, здається, є наслідуванням сурковської (яка, своєю чергою, наслідує каґебістську).

— Як ви визначили б свої політичні погляди? — запитав я його.

Він подивився на мене так, наче запитання здалося йому ідіотським, потім посміхнувся і відповів:

— Я ліберал… це може означати будь-що!

Дія друга

ТРІЩИНИ У КРЕМЛІВСЬКІЙ МАТРИЦІ

А ПОТІМ ТИ ПРОКИДАЄШСЯ
І, БОЖЕ МІЙ, ТЕБЕ ЗАСУДЖЕНО

Недільного вечора напередодні арешту Яна Яковлєва сиді-
ла в садку своєї заміської дачі. Наприкінці літа сонце вже
не було таким яскравим. Гості поїхали, залишивши після
себе порожні келихи та пляшки з-під вина, а на скошеній
траві лежали тарілки з сиром і суші після пікніка. Яна від-
кинулась у шезлонґу, щоб зловити останнє сонячне промін-
ня. Швидко ставало холодно. Раптово, дуже раптово вона
відчула, що ось-ось станеться щось погане. Це відчуття було
таким сильним, що Яна раптом усвідомила, що плаче.

Її наречений Алєксєй прибирав у саду. Яні захотілося
його покликати, але потім передумала. Вона не могла по-
яснити свого раптового страху. Вони прожили разом два
роки, і вона знала його можливу реакцію: він сказав би їй
взяти себе в руки.

Наступного ранку, в понеділок, вона поверталася лек-
сусом до міста, усе ще вбрана в одяг з вечірки: коротка
біла сукня з рюшами, рожеві туфлі та біла сумочка. Вони
зупинилися випити капучино в новій кав'ярні на Фрун-
зенській і пробігти очима *Ведомости*, російський відпо-
відник Financial Times. Потім Алєксєй упіймав таксі й по-
їхав на роботу: він працював старшим менеджером в одній
із нових російських енергетичних компаній. А Яна поїхала

до тренажерної зали. Увесь час відчуття того, що має статися щось погане, не полишало її, як далекий, але невідступний дзвін у вухах.

На рецепції вона помітила, що дівчина-розпорядниця якось дивно на неї дивилась. Яна подумала, що це нелюб'язно. Це була приватна тренажерна зала, де клієнти не очікували за свої гроші отримувати такі погляди. Біля дверей підсобного приміщення зібралася група чоловіків у поліестерових костюмах. Не схоже було, що вони прийшли сюди на тренування. Один із них походжав туди-сюди, розмахуючи руками.

З тренером Яна побоксувала, побігала й завершила вправами на прес. Після вечірки з вином відчувалася кріпатура, і тренер дозволив їй не переобтяжуватися пресом. «До зустрічі в четвер», — сказав тренер. Зазвичай вона приходила на тренування тричі на тиждень. «Сподіваюсь», — сказала Яна. Це просто вирвалось у неї. Вона не знала, чому так сказала. «Ой, куди ти дінешся», — засміявся тренер.

Яна прийняла душ і знову одяглася в білу сукню та взула рожеві туфлі. На роботі з неї могли би посміюватися за спиною, але це була її компанія, тож ніхто не смів вказувати їй, що вдягати. Вона керувала компанією разом з іншим партнером із двадцятирічного віку. Тепер їй тридцять чотири. У них були десятки працівників, тож вона могла дозволити собі з'явитися пізно в туфлях на високих підборах. Це була компанія, яку широка громадськість рідко помічає, але вона приносить добрі гроші: імпорт і перепродаж промислових мийних засобів для заводів і військових баз. Яна походить з родини науковців: її батько викладав хімію, а тепер вона заробляє гроші в хімічній промисловості. Радянська наука органічно переросла в пострадянську економіку.

Коли вона виходила з роздягальні, дівчина за стійкою на рецепції подивилася на неї ще пильніше. Від цього стало ніяково. Яна вирішила покласти цьому край і рушила до неї сваритися. Відтак до неї наблизилися чоловіки в поліестерових костюмах. Нервовий показав свій значок і сказав:

— Ми з Федеральної служби з контролю за обігом наркотиків. Ви повинні пройти з нами.

Перша думка, яка прошила Янину свідомість: «Ось і пояснення, чому дівчина за стійкою так дивно на мене дивилася. "За Яковлєвою прийшли з ФСКН". Ніби я торгую наркотиками!»

Яна посміхнулася дівчині за стійкою, немовби кажучи: «Ах, нема проблем, я працюю у фармацевтиці і маю справу з ФСКН постійно», — але дівчина відвернулась.

Яна не відчувала паніки. Вона не зробила нічого незаконного, тому для паніки не мала причин.

Люди із ФСКН навідувалися до її офісу регулярно протягом кількох останніх місяців: хімічна й фармацевтична промисловості разом із незаконним обігом наркотиків підлягали їхньому контролю. Люди в масках з автоматами Калашнікова обшуковували її бухгалтерію. Не проблема: таке регулярно трапляється в Росії, з кожним бізнесом — коли влада хоче знайти щось, якісь недоліки в оподаткуванні або у ваших документах і реєстраціях, щоб витягти з вас трохи грошей.

Яна ніколи не боялася цього. Її компанія все робила правильно. І якщо вони не зробили нічого недозволеного, то чого їй було боятись. Усе мало бути добре.

Яна пройшла з людьми із ФСКН до вхідних дверей. Вони виглядали незграбно у своїх дешевих костюмах у престижному клубі. Їхній начальник пітнів, але тепер він заспокоївся, усвідомивши, що вона не протестуватиме. І навіщо їй було протестувати?

Надворі чекали два водії. Вони припаркували свої старі радянські машини з будками біля її нового лексуса, щоб вона не змогла втекти. Це змусило її усміхнутись. Виглядало все це, наче в якомусь кримінальному телешоу.

Один із водіїв підійшов до неї. Він оглянув її згори донизу.

— Приємно арештовувати таких вродливих людей.

— Я заарештована?

— Ну… затримана.

— Мені потрібно зателефонувати своєму хлопцеві.

— Жодних дзвінків, — сказали вони їй.

Вони дозволили їй проїхати власною машиною до управління ФСКН. Вони сиділи ззаду, а вона була за кермом. Усе це виглядало дуже буденно. Яна відчула, що входить в інший світ, такий, у якому інші правила, де інші люди вказують їй, що робити. Але вона не відчувала паніки. Тільки дивно було. Вона намагалася збагнути правила цього нового світу. Він був незвичний. Дивне й тривожне відчуття.

Управління ФСКН розташоване на півночі міста — велика сіра споруда сталінської епохи, немов майстерно вирізьблений надгробок із геральдичним знаком двоголового кремлівського орла на вході. Двері відчинялися важко. Усередині — довгі службові коридори і юрми чоловіків у поліестерових костюмах. Вони, схоже, знічувалися, коли помічали Яну, дивлячись на неї так, немовби вона була надзвичайно важливою особою.

Вони привели її до кабінету зі столом і двома стільцями. Здійняли навколо неї метушню. Чи хоче вона чаю? Чи, може, щось поїсти? Вона попросила плитку шоколаду, і вони побігли по неї до місцевої крамниці. Її адвокат був на місці, сказав їй зробити потрібні дзвінки. Яна зателефонувала до Алєксєя, але він не взяв слухавки. Тому замість розмови вона написала есемеску з веселим смайликом: «Мене заарештували».

— Ви краще попросіть його привезти вам якийсь одяг, — сказав адвокат.

Ці слова вразили Яну.

—Ви думаєте, я тут надовго?

—Не дуже. Ми розберемось.

Потім прийшов слідчий на прізвище Васєльков із обличчям, як у бульдоґа.

—Ми висуваємо вам звинувачення в особливо тяжкому злочині,—сказав Васєльков.

—Якому?

—Ось, почитайте,—сказав він і вручив їй 90-сторінкову течку.—І потім отут підпишіться, що вам усе зрозуміло.

Яна глянула на Васєлькова. Він дивився в нікуди, мов робот. Вона розгорнула течку. Всередині були ксерокопії рахунків і транзакцій її компанії. Виставлені рахунки на купівлю та продаж. Сторінка за сторінкою. Просто їхні операції та рахунки. Те, що вони робили зазвичай щодня. Вона не могла зрозуміти, в чому ж її звинувачують?

—Ви торгували діетиловим ефіром.

Діетиловий ефір—хімічний очисник. Компанія Яковлєвої будувала свій бізнес на ньому, імпортуючи його з Франції і перепродуючи тут.

—Так.

—Це незаконна наркотична речовина. Вас звинувачено в поширенні нелегального наркотику.

«Це лише непорозуміння,—подумала Яна,—невеличке непорозуміння».

—Але на це ми маємо ліцензію,—відповіла Яна, майже засміявшись. Її звинувачували в торгівлі тим, чим вона торгувала. Відколи це хімічний очисник, що використовують на кожному заводі, став наркотичною речовиною? Це був цілковитий абсурд. Усе одно, що звинувачувати шоколадну фабрику в незаконності шоколаду. Або швейну—в незаконності джинсів. Вона глянула на Васєлькова, але він просто витріщався в одну точку.

Вона продовжила читати матеріали обвинувачення. Документи просто описували її щоденну діяльність. Ось що, імовірно, люди в масках вилучили з офісу. У течці на кожній сторінці була однакова інформація: «Куплено 150 літрів діетилового ефіру, продано 100 літрів діетилового ефіру». Цим вона займалася щодня. У чому ж її звинувачували?

— Якщо ви ознайомилися з обвинуваченнями, поставте підпис, — сказав Васєльков.

Вона підписала документ, але нічого не розуміла. Усе закрутилося перед очима. Її синапси не сприймали зовнішніх подій, коротке замикання в логіці. Стільці здавалися легшими, стіни — тоншими. Світ навколо нас складають зв'язки слів із речами, а її зв'язки деформувалися. Вона намагалася осягнути цю логіку у своїй голові, але послизалась і безсило падала.

У неї все ще крутилося перед очима, коли вона вийшла в коридор. Там був Алєксєй. Вона могла помітити лише його очі. Вони підтримали її. Вона кинулася до нього обійнятись, але хтось потягнув її назад. «Тут вам не побачення», — сказав хтось. Алєксєй простягнув їй пакет із кросівками та джинсами. Цього разу вони посадили її в їхню машину, роздовбану стару ладу.

Вони повезли її на Пєтровку, 38, у головне поліційне управління Москви. Ззовні — прекрасний старий палац XIX століття з великим трикутним портиком, як у давньогрецькому храмі, споруда стояла на розі одного із засаджених деревами бульварів просто навпроти *Галереи*, де золотошукачки зустрічаються з олігархами, а хідник забитий припаркованими бентлі.

Яну заштовхали всередину цього мєнтовського вулика — Пєтровки, 38. Ще ніколи раніше вона не бачила стількох поліцейських в одному місці — чоловіків і жінок, молодих і старих. Але всі вони були якісь макароноподібні, немов далекі родичі або односельці, і всі носили синю форму на тлі стін кольору морських водоростей. Вони водили злочинців туди-сюди і заводили до камер. По цих можна було побачити, що вони злочинці: пияки і молодь із розбитими обличчями, юні циганки та наркомани. Звідусюди чулися звуки клацання замків, повороту ключів та гупання дверей. Яна думала про графа Монте-Крісто. Її заводили до одного кабінету, потім — до другого. Вона відчула себе посилкою, яку передають від одного поліцейського до другого. Поверніться! Нахиліться! Покладіть руки за голову!

Зняти туфлі, ремінь, трусики.

Обшук.

Вона постійно плакала. Весь час. Хіба вони не бачили, що вона не злочинець? Кожен поліцейський, на якого вона дивилась, намагаючись упіймати їхні погляди. Невже вони не бачили, що їй не місце тут, серед цих злочинців? Невже це не було очевидним? Можливо, якби вони побачили, що вона невинна, це могло б щось змінити? Усе змінити?

Але вони просто дивилися на неї, як на посилку. Вранці вона була бізнес-леді за кермом свого лексуса у білій сукні з рюшами. А тепер стала посилкою.

Вони посадили її в темну камеру. Там було три ліжка. Деякий час вона лежала там, заціпенівши. Коли вона повернулася до стіни, хтось вигукнув із-за дверей: «Поверніться, щоб ми могли вас бачити». Наступного дня вони відвезуть її до суду, щоб вирішити, чи випускати її під заставу.

«Суд розбереться», — думала Яна. «Суд розбереться», — вона зрослася з цією фразою. Суди були місцем, де вирішувалися долі. Вона сподівалася вийти під заставу. Вона не була винною. Вона не зробила нічого незаконного. Чому б їй і не вийти під заставу?

Вони привезли її до суду у фургоні. Вона не спала і не їла. Її волосся скуйовдилось.

У суді вони посадили її до клітки для обвинувачених. Суддя з волоссям, заплетеним у гульку, в окулярах, виглядала поштиво. Як розважлива людина. Вона розбереться.

— І що? — запитала суддя.

—Я не розумію обвинувачень,—почала Яна. Вона намагалася бути переконливою, але, почавши говорити, знову заплакала. Вона не хотіла, це все було через тотальний абсурд. Сльози лилися від зусиль збагнути все це.—Мене обвинуватили в торгівлі тим, чим я торгую. Це абсурд...—А тепер вона зариздала.

—Гаразд,—сказала суддя.—Слово обвинуваченню?

Прокурор був ще одним чоловіком у поліестеровому костюмі.

—Яковлєва—надзвичайно небезпечний злочинець. Вона ховалася від нас. Ми змушені були на неї полювати. Її слід тримати під арештом до суду.

Що він сказав? Ховалася? Де? Де вона ховалась? У тренажерній залі? На роботі? Про що вони? Прокурор просто посміхнувся до неї. Суддя кивнула й повторила сказане ним слово в слово, повідомивши, що вихід під заставу не дозволяється. Їй доведеться чекати суду в тюрмі. Наступне слухання заплановано через два місяці.

Усе знову закрутилося перед очима. Прокурор підійшов до Яни і прошепотів: «Погана дівчинко, чому ти ховалася від нас?».

Чорне—це біле, а біле—це чорне. Реальності не існує. Хоч що вони сказали б, те й буде реальністю. Яна зайшлася криком. Що більше Яна кричала, то більш винною виглядала: вона побачила себе на секунду—рудоволоса, з червоними очима, вона кричить у клітці судової зали.

Вони знову відвезли її на Пєтровку. Взяли відбитки пальців. Руки були замащені чорнилом. Вона попросила трішечки мила. Трішечки мила! Вони відповіли сміхом. Потім хтось жбурнув їй мило—шишкуватий шматок господарського мила, брудніший за її руки. Потім вони сказали: «Коли закінчиш із милом, віддай його назад».

Вони посадили її в інший поліційний фургон і повезли до тюрми.

У фургоні було невеличке заґратоване віконце, крізь яке Яна могла побачити Москву. Вона притулилася обличчям до заґратованого вікна. Була глупа ніч і порожні вулиці. Їй здалося, що її перевозять контрабандою, і не лише з міста, а й із самої реальності до країни кошмарної фантазії. Чи, може, вона якраз залишала фантазію? Ми живемо у світі, який створили політтехнологи. На крихкому знімальному майданчику реаліті-шоу, що може здаватися, якщо примружитись, майже справжнім.

Ми переходимо із тренажерної зали до відкритого офісу, до кав'ярні, до французького фільму, до винного бару, до відпустки в Туреччині, і нам це може здаватися кращим за Париж. Кращим, бо цей майданчик новіший і вишуканіший. І ми можемо читати *Сноб* або дивитися розважальні програми на *ТНТ*, і все це буде повним симулякром явищ демократичного світу. Усе це здається майже реальним. Але водночас інша, реальна Росія дзвенить, як далекий дзвін у вухах. І вона нас може захопити й засмоктати в будь-який момент.

Яна помітила, що вони постійно їздять навколо Садового кільця. Їй не видно було водіїв, але за їхньою вимовою вона здогадалася, що вони не-москвичі.

— Ви заблукали? — запитала вона крізь металеву клітку.

— Тихо будь.

Потім після паузи.

— Нам потрібно знайти поворот на Волгоградський проспект.

У цьому новому світі є свій гумор. Разом з усім іншим.

Яна пояснила їм так, немовби вони були водіями-учнями, а вона — їхнім інструктором. Якою дорогою проїхати, де розвернутися, куди виїхати. Це було приємне відчуття. На якусь мить вона знову стала відповідальною особою.

Вони сказали «дякую». Вони були новенькими в Москві й не могли зорієнтуватися. Ці кільцеві дороги вводили в оману, ви могли крутитися по кілька годин, не знаючи, де виїхати.

А ще Яна зловила себе на бажанні довести водіям, цим провінційним мужикам, що вона не злочинець. Вона намагалася контролювати почуття: яка, зрештою, різниця, що вони подумали? Але їй було важливо. Тому що їй потрібно було зачепитися за життя, яким вона жила ще вчора. Лише вчора—і це життя зникало.

Перш ніж побачити тюрму, вона її почула. Відчинилася потрійна залізна брама. Заскреготіли величезні замки та гігантські засуви. Зарухалася величезна машина. Потім фургон наповнився яскраво-червоним світлом, яке засліпило її. Почувся гавкіт собак, зграї собак, які гарчали, вили, гавкали і дряпались на фургон. І був запах. Запах тюрми. Цвілі, вогкості та тютюну. Вона ніколи не забуде цього запаху.

*

Знімаючи фільм про Яну, я постійно думав, чи *ТНТ* дозволить мені це показати? Останнім часом вони говорили мені, що їм потрібно більше нових російських жінок, самостійних, незалежних. Досить уже золотошукачок. Уже нуртується нове покоління. І Яна відповідала всім параметрам. Вона була висока, сильна й рудоволоса. На *ТНТ* повідомили, що їм потрібно більше драматичних історій, а Янина історія повнилася драматизмом. До того ж це була й любовна історія. Я таки підсилив любовний аспект під час зйомок. Але як із рештою? Як далеко я міг зайти? Несправедливий арешт—можливо. Залежно від того, як його подати... Може, як «Втечу з Шоушенка»?

І тут парадокс: *ТНТ* хотіли знайти нових героїв. Знімати (і рекламувати) новий (перспективний) середній клас. Але *ТНТ* не бажав торкатися політики. І в певний момент відбувалося зіткнення цих двох тенденцій. Бум. Тож я весь час чекав на дзвінок зі словами: «Ми не можемо показати цього, Пі-і-і-террре, ми не можемо показати цього».

*

Вона прокинулася від кашлю сорока шести горлянок. Вона бачила навколо лише жінок. Їх було так багато, і вони були так близько, що, здавалося, розпадалися на частини тіла, а не були окремими людськими істотами: десятки носів і рук, ніг, що звисають із двоярусних нар, дупи, стегна та груди. В її камері було сорок шість жінок, як у консервній банці. Немовби в годину-пік у метро, але без виходу. У дальньому кутку — кухня й телевізор, який голосно, як у нічному клубі, транслював канал MTV. Хтось танцював, кружляючи між нарами. Чулися крики, прокльони, спів і сміх. Над нею хтось хропів, а поруч хтось шелестів паперовими пакетами. У кінці камери були туалети, а з п'яти кранів на повну силу постійно лилася вода, тому що десь прорвало, і всі кашляли.

Потім настав час прогулянки. Вони спустилися сходами і вийшли у двір через низку бетонних коридорів, які вели до бетонного мішка десять на десять метрів із двома деревцями та заґратованою стелею. Вони ходила туди-сюди, думаючи про тигрів у клітці. На початках вона ні з ким не говорила.

Уночі Яна чула поїзди. Тюрма стояла біля самої залізничної колії. Зовнішніх вікон у камері не було, але вона чула гудки та сигнали залізничної магістралі, які будили її вночі. За тюремними мурами було московське передмістя.

У перші дні вона тільки писала. Вона зіщулилась у своєму ліжку і писала листи Алєксєю. Любовні листи. Вони допомагали їй зберегти здоровий глузд. Вони були плаксиві та сентиментальні, і вона ніколи не мала наміру надсилати їх, але їй потрібно було думати про своє життя назовні. Вона писала про його очі, як вона мріяла кохатися з ним, як вона хотіла дітей від нього, як вони одружаться і створять родину. Щоразу, коли двері камери відчинялись, вона підводилась у надії, що зайдуть охоронці і скажуть: «Яковлєва, ви вільні», — але, певна річ, такого не сталось.

Їй не дозволили зустрітися з родиною, але її батьки передали посилку з одягом. Одяг так пахнув її домом, що вона зайшлася плачем.

До неї підійшла старша жінка, схожа на ескімоску.

— Не плач, — сказала вона суворо. — Це найгірше, що ти можеш зробити.

Старша жінка дістала кілька фотографій зі своєї кишені.

— Ось мої діти. Я не бачила їх три роки. Але я не плачу. Нам усім хочеться плакати.

Це була перша розмова з іншою ув'язненою. Вона написала листа до самої себе, список заповідей:

1. *Не жалій себе.*

2. *Не плач.*

3. *Не думай про своє життя на свободі.*

4. *Будь терплячою.*

5. *Він чекатиме тебе. Він тебе не покине.*

6. *Усміхайся.*

7. *Він любить тебе.*

Наступними днями вона почала уважніше роззиратися довкола. На кожному ліжку був невеличкий мікросвіт. Одна жінка молилася, друга писала, третя грала в карти. Раптом десь із пів десятка жінок одночасно підвелись, пройшли в куток камери, утворили невеличке коло й заходилися робити вправи. Присідання, відтискання і качання преса. Вони виглядали, як незграбні ведмедиці. Вони все робили неправильно. Яна підійшла й запитала, чи можна їй приєднатися до них. Наступного дня вона почала їх виправляти, спочатку м'яко, просто показуючи, як правильно робити вправи. Наприкінці тижня вона вже була їхньою тренеркою.

Вона почала знайомитися з ними. З'ясувалося, що в них усіх повторювався той самий сон: вони намагалися зателефонувати до когось і не могли додзвонитись. Яні щоночі снився однаковий сон: вона намагалася зателефонувати Алєксєю на мобільний, але він був поза межами досяжності. Дізнатися, що всі інші бачать той самий сон, було полегшою.

Її камера була призначена для тих, хто вчинив злочин уперше. Половині з них було ледь за двадцять, практично всі сиділи за наркотики. Вони не знали, де себе подіти. Вони не знали, як нормально розмовляти. Вони просто дивилися MTV і *ТНТ* та пліткували, але коли Яна розмовляла з ними, всі вони починали розповідати, як скучили за своїми батьками. Вони ніколи не мали з ними нормальних стосунків, і тепер скучали за ними. Тут сиділа 18-річна дівчина Лара з України, яку заарештували за мішок коноплі, яку її хлопець дав провезти через українсько-російський кордон. Вона ходила за Яною назирці й постійно запитувала: «Що мені робити з собою?». Уночі вона підійшла й дивилась, як Яна лежить у своєму ліжку. Яна підвелась і запитала:

— Що ти робиш?

— Я пробувала читати, але думки все приходять і приходять.

Інша половина жінок — бухгалтерки за сорок. Вони, як і Яна, сиділи за економічні злочини. Старші жінки метушилися навколо двадцятирічних: «Не забудь помити чашку» і «Не матюкайся». Більшість старших жінок працювала в малому бізнесі — ріелторських компаніях, бюро подорожей. Неможливо було з'ясувати, у чому саме звинувачують інших, і, певна річ, усі вони сказали, що «невинні», але незабаром деякі з них розповіли Яні, що сталось. Компанії приховували податки, але їхні керівники вчасно тікали від арешту з країни, а замість них у тюрму сідали бухгалтерки-жінки. Зрештою, саме їхні підписи фігурували на всіх документах. Ці жінки не робили нічого більш незаконного, ніж представники будь-яких інших бізнесів у Росії: кожна маленька компанія потребувала для власного виживання подвійної бухгалтерії. Але або податковій поліції треба було виконати плани арештів, або їм хотілося налякати когось іншого, більшого, для чого їм потрібен був приклад і вони переслідували ці компанії. Проте більшість жінок були переконані, що репресії проти їхніх компаній замовили конкуренти або чиновники, які прагнули їхнього банкрутства, щоби потім заволодіти їхнім бізнесом. Це називається рейдерством і є найпоширенішою формою корпоративного захоплення в Росії, яка налічує понад сотню зафіксованих випадків щороку. Бізнес-конкуренти або бюрократи, які вже давно ототожнились, платять спецслужбам за арешт очільників компанії. Поки вони в тюрмі, їхню документацію та реєстраційні посвідчення захоплюють, компанію перереєстровують із новими власниками, а коли колишніх власників звільняють із тюрми, компанію продають, купують і ділять її частки поміж новими власниками. Такі рейдерські напади трапляються на всіх рівнях, від найвищого, коли Кремль арештовує власника нафтової компанії на кшталт Міхаіла Ходорковського, а потім передає компанію друзям президента, до начальника районного управління поліції, який захоплює меблеві крамниці. Саме право робити таке цементує велику «владну вертикаль», що простягається від президента до найостаннішого даішника.

Яна підозрювала, що саме це трапилося і з нею. Певна річ, вона чула, що інші компанії ставали жертвами рейдерства. Але вона завжди припускала, що за ними, імовірно, щось було, тож вони самі наразилися на напад. Мабуть, вони робили щось неправильно. Щось. Тепер вона почувалася дурою, що брехала собі в такий спосіб.

Поширеним виходом із ситуації був хабар. Існувала ціла мережа та індустрія хабарництва. Добрими «адвокатами» вважали не тих, які могли захистити тебе в суді, адже вироки були заздалегідь відомі, а тих, хто мав потрібні зв'язки з тими, хто знав, кому заносити хабарі в судовій системі й відповідному міністерстві. Це була складна гра. Хабар, сплачений не тій людині, був просто грішми, викинутими на вітер. Вам потрібно було знайти справжню відповідальну особу. Навколо з'являлася сила-силенна посередників, які хотіли переконати вас у тому, що вони і тільки вони знають, як заплатити хабар правильній особі. Яна знала, що її батьки шукали таку людину. Вони знайшли «адвоката», який пообіцяв допомогти. Він порадив їй визнати справедливість обвинувачень, а потім, мовляв, він усе залагодить. Тим часом він порадив Яниним батькам продати квартиру, щоб мати кошти на хабар, який становитиме близько мільйона доларів. Вона відчула щось недобре. Щось було не так. Її компанія не займалася нічим незаконним. Чи мала вона пристати на таку пропозицію? І справедливість яких обвинувачень вона мала визнати? Що вона торгувала тим, чим торгувала? Вона мала зізнатися в абсурді? І навіть якщо вона почне перемовини, це відбере в неї частину невинуватості, дозволяючи їм грати свою партію й визначити, що є правдою. А потім усе почне пробуксовувати.

Вона попросила іншого адвоката. Він сказав їй те саме. Такими були правила гри. А вона ж розуміє правила, чи не так?

Саме Галя першою переконала Яну в тому, що, можливо, йшлося про щось більше, ніж випадок звичайного рейдерства. Уперше вона зустрілася з Галею на Пєтровці, 38, перед її першим судом. Коли її заштовхали в камеру, огрядна жінка десь 50-річного віку здригалася від сліз. Вона була з тих жінок, які продають овочі або шкарпетки на залізничних вокзалах. Вона плакала і розмовляла з українським акцентом.

Галя, як з'ясувалося, була касиркою в аптеці. На вокзалах повно таких маленьких аптек. Одного ранку прийшли люди з ФСКН і заарештували її за продаж харчових добавок. Харчових добавок! Яну це зацікавило.

— Як вас звати? — запитала Галя.

— Яна.

— Яна Яковлєва?

Звідки вона могла знати моє ім'я? Яна чула про підсадних качок. Може, це вона?

— Коли мене арештували, — пояснила Галя, — поліцейські розмовляли одне з одним і сказали, що мене затримують за тим самим законом, що і Яну Яковлєву. Усі вони говорили про вас.

Хоча вона лише починала укладати повну картину, саме в цьому була причина її перебування в тюрмі.

У 1950 році в Лєнінґраді, неподалік порту, у родині судноремонтників народився Віктор Чєркєсов. Дитина з робітничого класу, закінчивши школу, він одразу пішов до армії. Начебто саме тут він потрапив на гачок КҐБ. Для людини без зв'язків це був чудовий спосіб кар'єрного зростання. КҐБ послав його вивчати юриспруденцію до Лєнінґрадського університету в тій самій групі, де вчився майбутній президент, з яким він потоваришував. Як і президент, він вчився поганенько.

У 1975 році Чєркєсова взяли на роботу в п'яте управління КҐБ Лєнінґрада, яке займалося арештами дисидентів та нонконформістів-іншодумців. Деякі спецслужбісти роботу в п'ятому управлінні вважали ганьбою, порівняно з героїкою реальної розвідки. У 1970-ті роки Чєркєсов працював над вистежуванням, ліквідацією та ув'язненням членів підпільних релігійних і феміністичних угруповань. Він став начальником управління. А 1982 року особисто очолив розслідування діяльності першої незалежної профспілки Ра-

Дія друга · Тріщини у кремлівській матриці

дянського Союзу — СМОТ*. Серед тих, кого він допитував, був В'ячеслав Долінін:

> Чєркєсов був сіреньким, похмурим чоловіком. Його єдиною сильною стороною було те, що він умів брехати, не червоніючи. Коли входило начальство, він миттєво підхоплювався. Був дуже улесливим і залежним від нього, — згадує Долінін. — Він погрожував нам: «Ми вас не битимемо, хоча можемо вдатися до таких методів». Але особливо жорстоким і вмілим слідчим він не був. Йому не вдалося з'ясувати більшої частини моєї дисидентської діяльності.

Іґорь Буніч був свідком у кількох справах Чєркєсова між 1980 і 1982 роками:

> Під час допиту Чєркєсов дотримувався принципу, що заклав Алєксандр Шувалов, глава секретної поліції за часів імператриці Єлізавєти у XVIII столітті: «Завжди тримайте звинуваченого на слизькому». На початку допиту Чєркєсов розкладав перед дисидентом на столі три аркуші паперу. На кожному з них була надрукована стаття, за якою міг би бути засуджений дисидент. Усі вони були сформульовані аналогічно, але передбачали різні покарання.
> Стаття 190, «поширення антирадянських ідей», зазвичай каралася примусовим перебуванням у психіатричному стаціонарі.
> Стаття 70, «антирадянська пропаганда», зазвичай передбачала п'ятирічний термін ув'язнення.

___
* Свободное межпрофессиональное объединение трудящихся.

> *Стаття 64, «зрада Радянського Союзу», загро-*
> *жувала смертною карою (через розстріл).*
> *Якщо дисидент погоджувався на співпра-*
> *цю і ставав стукачем, його справу реєстрували*
> *за статтею 190 з умовним покаранням. Якщо ви*
> *не погоджувалися на співпрацю, вас звинувачува-*
> *ли за іншими статтями.*

Інші дисиденти, яких він допитував, розповідали, як під час допитів до Чєркєсова телефонувала його донька. Він брав слухавку, солодко усміхався і змінював тон: «Сонечко, я зараз на допиті», — казав він. Чєркєсов мав цю здатність, притаманну всім каґебістам, — за бажанням розщеплюва-ти свою особистість.

Але Чєркєсов також не відчував хід історії. У 1988 році, у розпал *перестройки*, він розпочав розслідування проти нового «Демократичного Союзу» — групи активістів, які за-кликали до повалення СРСР. Це була остання справа в СРСР, яка проходила за антидисидентською статтею 70. Чєркєсов скликав прес-конференцію, на якій повідомив, що йому вдалося виявити серйозну антирадянську змову. Справа перетворилася на фарс: молоді активісти незабаром ста-ли депутатами Думи, а закон скасували. Через два роки СРСР уже не існувало.

Після 1991 року Чєркєсов став начальником КҐБ Санкт-Петербурґа, підтриманий своїм другом, майбутнім пре-зидентом, який був заступником мера. Коли молодий Пу-тін переїхав до Москви, де став головою ФСБ (наступниці КҐБ), Чєркєсов рушив за ним і став його заступником. Мо-сквою прокотилися чутки, що коли президент прийме присягу, Чєркєсов стане головою ФСБ. Однак його обі-йшов Ніколай Патрушев, також працівник КҐБ 1970-х ро-ків, але з набагато яскравішого управління контррозвідки. Президент віддав Чєркєсову ФСКН — найменш важливий з органів безпеки. Починаючи з 2006 року ФСКН здійснила низку заходів щодо захоплення хімічної та фармацевтичної промисловості. Раптом для великого списку хімікатів змінили їхній статус із промислових або медичних на наркотичні. Обшуковували аптеки, які торгували харчовими добавками, ветеринарів, які давали кетамін котам і коням, тягали в поліційні відділки, а таким очільникам хімічних компаній, як Яна, несподівано повідомили, що вони наркоторговці. У планах було «зламати» ці індустрії. За Яною закріпили роль тіла, що гойдається на шибениці край дороги, — попередження всім, хто наважиться не погодитися із ФСКН.

*

Вона просиділа чотири місяці. Більшу частину часу Яна вмовляла себе: «Це гра, випробування». Таким чином вона рятувалась. Але раз на два місяці її будили о п'ятій ранку і виводили в підвал, де вона чекала поїздки до суду: там їй мали повідомити, випускають її під заставу чи ні.

«Вчора був найгірший день, — написала вона в одному зі своїх листів до Алєксєя, якого не надіслала. — Найгірше, коли в темному, бетонному, абсолютно закритому приміщенні двадцятеро осіб закурюють. Це жах. Очікування на машину з кліткою, бетон, темрява, залізо, наручники, дим, дим… Знадобилося чимало зусиль, щоб уявити, що це все гра й усі ці люди навколо тебе — просто актори».

Через дві години вони заводять жінок до тюремного фургона й розвозять їх, як у шкільному автобусі, по різних московських судах. Коли вона бачить Москву, все раптово стає реальним.

«Ми їхали Садовим кільцем. Я бачила людей, які поспішали у своїх справах. І всередині себе закричала: "Я повернусь! Цей світ не зможе без мене. Я повернусь і забуду все, що трапилось. Я викреслю це"».

Їй хотілося крикнути ще голосніше: «Перехожі! Громадяни! Зупиніться! Допоможіть! Хіба ви мене не бачите? Я тут». Але цього вона, певна річ, не зробила. І все, що бачили перехожі, був тюремний фургон із темними, заґратованими вікнами.

У суді вони знову посадили її у клітку. Її батьки приходили туди завжди, а на останнє засідання Алєксєй не з'явився. Її матір завжди одягала свою найкращу сукню, щоби показати свій незламний дух. Виглядали вони добре, а отже, були сильні. Яна повторила судді, що вона уявлення не має, чому її заарештували. Жодне з обвинувачень не мало сенсу. Суддя махала головою, і Яну садили на наступні два місяці.

Вона мала нового адвоката — Євґєнія Чєрноусова. Його знайшли після процесу, у якому він захищав від ФСКН кількох ветеринарів у Ярославлі. Ветеринарів звинуватили в торгівлі кетаміном, наркотиком, який використовували для котів як знеболювальне. Євґєнію вдалося здійняти достатньо шуму, щоб спростувати звинувачення. Але це спрацювало проти провінційних хлопців із ФСКН, які хотіли зрубати швидкого бабла. А тепер йому довелося мати справу проти високопоставлених чиновників у набагато серйознішій справі. План полягав у тому, щоб здійняти достатньо шуму, через який утримувати за ґратами Яну ФСКН було б невигідно. Стратегія була протилежною до того, як зазвичай поводилася переважна більшість ув'язнених, які були тихими і смиренними, сплачуючи хабар правильній людині. Чєрноусов пообіцяв Яні активізувати неурядові організації з прав людини та бізнес-асоціації. Колись він був поліцейським і брався за справи, за які ніхто інший братися не хотів. Він звик ловити правопорушників, а тепер йому подобалося ловити правоохоронців. Він служив в Афганістані та Осетії, і це було помітно. Понад усе він любив долати ситуації безвиході і, здавалося, переважно був трохи напідпитку. Він сказав Яні не втрачати надії.

Вона була майже щаслива, коли її привезли назад до тюрми після екскурсії в реальність. Вона знала, що на свободі її батьки та Чєрноусов намагаються змінити для неї світ, але, крім згоди на втілення генерального плану в життя, вона більше нічим з-за ґрат допомогти не могла. Її завдання — зберігати притомність. В атлетичному гуртку було півдесятка «учениць». Вони робили вправи вранці, а потім ще раз пополудні, під час «прогулянки»: брали старі пластикові пляшки, наповнювали їх піском і використовували замість гантелей. Їм ставало краще, вони худли. Кілька жінок навіть кинули курити. Як «тренерка» вона мала певний статус і їй дозволяли першою приймати душ. Навіть вдавалося переконати інших перемикати іноді канал із *ТНТ* і MTV на новини. Хитрість полягала в тому, щоб увесь час бути зайнятою. Писати листи, читати газети, вчити англійську, качати прес. Не давати собі жодної вільної секунди. Вона майже досягла в цьому досконалості.

Є кілька великих «НІ» для всіх ув'язнених: ніколи не плач, ніколи не говори про майбутнє або про звільнення, ніколи не розмовляй про секс. Але думки про секс не полишали жодну з них. Таня, бухгалтерка із сусіднього ліжка, вирізала фотографії чоловіків із журналів і клала їх собі під подушку. «Може, один із них мені насниться», — казала вона тихо.

Яні щоночі снився Алєксєй. Їй снилися його очі, коли він приходив до управління ФСКН із її речами. У своїх листах вона боялася, що він забуде про неї: «Чи це зробить мене егоїсткою? — писала вона. — Єдиний спосіб для мене триматися — знати, що хтось чекає на мене».

Коли вона вийшла у двір на зарядку, то усвідомила, що сприймає запахи не так, як колись, коли була вільна: «Улітку два невеличкі деревця на подвір'ї пахли теплом і хлібом. Колись я гуляла в лісі й нічого не помічала. А тут — лише два тоненькі деревця, а скільки вражень!»

Одного разу Яна займалася на подвір'ї з Сашею. Саша була власницею бюро подорожей. Вона була трохи молодша за Яну, і жінки заговорили про те, як би їм хотілося мати дітей. Їм не бажано було б говорити про такі речі, і Яна це зрозуміла, щойно почалася розмова. Саша хотіла двох. Яна розповіла про Алєксєя і про те, як вона час до часу думала про початок сімейного життя і перерву від роботи. Саша поглянула на неї і сказала: «Тобі тридцять п'ять. Занадто пізно для дітей. І якщо тобі дадуть не менш ніж п'ять років, а це мінімум — і поготів. Якщо ти вже тут, то гаплик. І не важливо, винна ти чи ні. Забудь про дітей». Яна вимкнулась і перестала слухати її, почавши стрибати «зіркою» настільки швидко, що Саша не могла за нею встигнути.

З усіх ув'язнених у Росії 99 % отримують обвинувальні вироки. Усіх жінок у Яниній камері після судових розглядів визнали винними. Їхні вироки були гіршими, ніж будь-хто міг собі уявити: п'ять років за зберігання грама кокаїну, п'ять років за підроблення рецепту, одинадцять років за роботу касиркою в одній із найбільших будівельних компаній, чий власник побив горщики з кимось у Кремлі. Часто їх обманювали власні адвокати: вони брали хабарі, а потім використовували цей факт як «доказ» провини ув'язненого (хабарі, певна річ, потім зникали). Прокурор, який вів Янину справу і стверджував у суді, що вона небезпечна і ховалась, мав репутацію найжорстокішого.

— Я сильніша за нього, — написала вона собі.

Вона шукала повідомлення про себе в новинах. Чєрноусов розповідав їй, що вони пишуть листи до депутатів Думи, влаштовують мітинги та невеличкі пікети, де правозахисники ставали на її захист. Але в Росії ти можеш протестувати, як завгодно. Це нічого не змінить. Ти можеш кричати криком, але ніхто тебе не почує. В одній ліберальній газеті про неї написали невеличкий абзац — та й по всьому.

Щодня нові в'язні з числа білих комірців з'являлись у камері. Останньою була жінка, туристична аґенція якої щойно здобула в Каннах звання найкращої в Росії. «Незабаром тюрма перетвориться у щось на кшталт зустрічі випускників універу, — написала Яна. — Тепер я знову боюся. До чого мені готуватись? До найгіршого? Чи мушу я попрощатися з усім? Час спливає і нічого не відбувається. Я така ж, як і всі решта. Неважливо, багата ти чи бідна. Ця система хапає людей на вулиці, на роботі, вдома і зжирає їх. І ніхто не знає, коли це станеться з ним».

Аж раптом одного дня, переглядаючи новини, вона побачила репортаж про себе. Не на одному з останкінських каналів, а на трохи меншому каналі з «опозиційною» репутацією, що належав, утім, одному зі старих друзів президента. З'ясувалося, що на Пушкінській площі зібралося п'ятсот осіб, які протестували проти її ув'язнення. Люди тримали транспаранти з її портретом, на яких було написано: «Свободу Яні Яковлєвій». Досить відомий музикант проспівав пісню протесту на сцені. Чєрноусов виголошував промову. Кореспондент сказав: «З'ясувалося, що ФСКН заарештовує людей, які взагалі не мають із наркоторгівлею нічого спільного».

Наступного дня про її історію розповіла одна газета. Коли вона вийшла з душу, всі ув'язнені в камері зібрались і читали цю статтю.

— Ти диви, — вигукнули вони, — то ти й справді невинна.

У Чєркєсова були вороги.

Він намагався довести президентові, що Патрушев, його суперник і голова ФСБ, — слабка ланка. Президент заохочував Чєркєсова, доручивши ФСКН розслідування незаконного бізнесу на російсько-китайському кордоні, яким начебто керувала ФСБ. Розслідування такого штибу виходило за межі компетенції ФСКН: чи той факт, що президент доручив його Чєркєсову, означав, що він віддає перевагу йому перед Патрушевим?

А втім, Патрушев і ФСБ не збиралися здаватись.

Чєркєсов розслідував справи Патрушева, а Патрушев, своєю чергою, відповів взаємністю, підтримавши тих, хто боровся із Чєркєсовим. Тож коли ФСБ почула про історію Яни, вона подбала про те, щоб поліція не прикрила демонстрації і щоб потрібні телеканали та газети висвітлили ці протести. І це була одна з причин існування «ліберальних» газет і телеканалів: дати одному політичному бонзі зброю для протистояння з іншим бонзою. Історія Яни з кожним днем ставала все відомішою. Вона отримала назву «Справа хіміків» як відлуння чистки сталінської епохи, відомої під назвою «Справа лікарів».

Нічого подібного не трапилося б, якби Яна, її батьки та Чєрноусов самі не наважилися на боротьбу. Нічого б не вийшло без цього першого імпульсу незгоди. Проте і його одного теж не було б достатньо. Щоб чогось добитись у Росії, вам потрібно водночас бути сміливим протестувальником і плести макіавелівські інтриги, граючи з одним кланом проти іншого.

*

Незадовго до звільнення Яні наснився сон. Вона й Алєксєй лежали у шезлонґах в іншій країні. Алєксєй читав газету. Вона встала і залізла на високе дерево поряд із шезлонґом. Дерево було дуже високе і згори можна було побачити ліси й поля. Раптом вона побачила, що на дереві також сидить ведмідь-ґрізлі. Рикаючи, він наближався до неї. Вона заціпеніла від страху. Він тягнувся своїми заслиненими зубами до її обличчя. А потім зупинився. Вона подумала, що він її з'їсть. Але раптом він почав відступати. Здійнявся великий шум: під деревом, зчиняючи землетрус, пробігло ціле стадо диких буйволів. А Алєксєй і далі читав собі газету, наче нічого не сталося.

Яна прокинулася від хропіння жінки на верхньому ліжку. Вона хропіла так потужно, що її протези вискочили з рота і з гуркотом упали на підлогу.

Коли Яна розповіла іншим про свій сон, вони сказали: «Це знак, що зло відступає, але небезпека ще не минула».

У день її визволення вона робила вправи з Любою, українською дівчиною, яка спала поруч із нею. Бокс, потім трохи качання преса.

— Якщо тебе випустять, я не впевнена, що витримаю без тебе, — раптом сказала Люба.

— Та куди я подінусь? — засміялася Яна.

Настав час обіду. Усі вони їли, коли зайшла наглядачка.

— Яковлєва, збирай свої речі й документи, і за мною, — крикнула вона. Усі ув'язнені перезирнулись.

— Мабуть, ще одне побачення з інспектором, — пожартувала Яна.

— Напевно, вони тебе випустять, — сказала Таня. — Ти станеш вільною.

— Цить, — сказала Яна. — Ти ж знаєш, що вимовляти це слово не можна.

Вони повезли її до управління ФСКН на півночі Москви. Там були її батьки та адвокат. Останній сказав:

— Слухай, ми уклали угоду. Вони відпускають тебе під заставу, але до суду вони триматимуть твого партнера.

Спочатку вона нічого не відчула. Вона лише повернулася і спитала свою матір:

— А Алєксєй тут?

— Він знає, що тебе звільняють, але він не тут, — відповіла її мама.

Вони повернулися до тюрми, щоб оформити її звільнення. Вона не могла вийти із заціпеніння. Тільки коли біля тюрми з'явилися телевізійні камери, вона зайшлася плачем. Було холодно й вона відчувала, як сльози пекли рота. Туди прийшли люди із правозахисних організацій і журналісти. Вона обнімала їх усіх і плакала із вдячності. Яна просиділа в тюрмі сім місяців, а тепер, коли вийшла на волю, їй раптом здалося, що вона там ніколи й не була. Але нічого ще не закінчилось: її випустили під заставу, та найсерйозніша битва в суді була ще попереду.

Чєрноусов привіз Яну на квартиру, де вона жила разом із Алєксєєм. Вона знала, що стосункам кінець. Усі ті листи, які вона писала йому, листи, які вона так ніколи й не надіслала, залишилися листами до неї самої. Їй потрібна була ця ілюзія, щоб усе витримати. Коли вони розмовляли по телефону (чотири рази протягом семи місяців), він щоразу більше віддалявся. Він навіть не вдавав, що турбується. Вона вибачила йому, адже він боявся, що вона вийде емоційно травмованою. Їхні взаємини розвивались між двома незалежними дорослими людьми, а тепер він боявся, що йому доведеться доглядати за хворобливою істотою.

— Ага, він просто боягуз, — пробуркотів Чєрноусов. — Навіть не зустрівся зі мною. Він боявся, що це може завдати шкоди його кар'єрі в компанії.

Алєксєй був у квартирі, коли вона приїхала. Вони сухо обнялись. Вона зібрала речі, запакувала їх у сумки й помахала йому на прощання. Вона не виказала жодної емоції. Їй снилося повернення додому. Це підтримувало її сили. Вона переживала останнє випробування, і воно, можливо, було найважчим. Вона витримала його з легкою посмішкою, помахавши йому на прощання.

— Жінки завжди чекають чоловіків з тюрми, а чоловіки — ніколи, — сказала вона Чєрноусову. — Про це навіть дослідження є.

Суд розпочався через кілька тижнів. Той факт, що їм навіть дозволили покликати свідків для захисту, означав, що вони мають шанс. Дивовижа, але, по суті, це був суд над діетиловим спиртом. Учені від ФСКН намагалися довести, що це наркотик. А вчені від Яни намагалися це заперечити. Певна річ, наркотиком він не був.

А тим часом справжня битва розгорнулася на кремлівському Олімпі. Конфлікт між Чєркєсовим і Патрушевим назвали «війною чекістів». Люди Чєркєсова заарештували генералів ФСБ, залучених до рекету на російсько-китайському кордоні. Щоб помститись, люди Патрушева заарештували високопоставлених генералів просто посеред аеропорту Домодєдово, оточивши їх автоматниками в масках і запроторивши до тюрми. (Програму «Привіт / Бувай» знімали в Домодєдово в той самий час, однак це протистояння не потрапило на камери.) Упродовж кількох недовгих місяців тонку завісу, що відокремлювала акціонерів російської держави від широкої громадськості, було відкинуто. Еліти країни розділилися навпіл між тими, хто підтримував Патрушева, і тими, хто був на боці Чєркєсова. За відсутності інструкцій із Кремля телеканали та газети мали право обрати одну зі сторін. Чєркєсов написав колонку до газети *КоммерсантЪ*, найвпливовішої газети країни, яка увійшла в історію як декларація чекіста: «Лише ми, чекісти, рятуємо росіян від знищення, — написав Чєркєсов. — Нам потрібна єдність». Чєркєсов порушив головне правило — він виніс на публіку внутрішній конфлікт. Навіщо він це зробив? Чи міг президент потай заохотити його? Де був президент? Він не міг контролювати власні клани? Уперше за весь час перебування на посту президента він проявив слабкість. Чи він втрачав сприт?

Ні, він просто чекав свого моменту. Обидва фігуранти скомпрометували себе: Чєркєсов скандалом навколо ФСКН і листом до *Коммерсанта*, а Патрушев — проколом із прикордонною контрабандою. Протягом одного тижня обидва вони були звільнені. Президент одним махом позбувся двох потенційних конкурентів. Вони зжерли один одного. Навіть недоброзичливці президента спостерігали й тихо аплодували.

На суді Яна виграла. Закон скасували, і діетиловий ефір знову став легальним. Вона досі офіційно веде свій бізнес, але більшу частину часу приділяє неурядовій організації, яку створила і назвала «Бизнес Солидарность»: щось на кшталт «Добрих самаритян» для бізнесменів, які потрапили у схожу ситуацію. Вона зв'язує їх з адвокатами-правозахисниками, медіа, зі мною. Вона переїхала до нової квартири, одразу навпроти моєї. І коли щось треба було підзняти для фільму про її історію, вона телефонувала мені, я хапав камеру і біг до її квартири або туди, куди вона йшла.

Іноді вона бере мене з собою на судові засідання. Зали судових засідань, на мій подив, усі новесенькі, з яскравими блискучими кахлями, високими стелями, добре освітлені. Саме їхній сучасний вигляд і їхня нормальність перетворюють реальні суди на щось значно заплутаніше. Існують малі бізнесмени, яким висунуто сфабриковані звинувачення, з однаковим збентеженим виглядом, немовби їх засмоктало у вир, у підводний світ, де взагалі нічого не має сенсу. І Яна підходить до них та втішає. Дивлячись на неї, вони заспокоюються. Вона приносить якщо не надію на справедливість, то принаймні шанс на притомність. І коли я бігаю за нею, вона широким кроком пересувається коридорами та залами судових засідань, щоразу немовби стаючи з кожним кроком вищою, її пишне руде волосся, як вогонь, заповнює простір.

Ось що я вирізав з цієї історії (з благословення Яни). Усі політичні аспекти високого рівня. Весь матеріал про Чєркєсова, Патрушева та президента. Згідно з фільмом, її звільнили внаслідок низової кампанії проти корумпованих бюрократів. І це свідчило про те, що хоч корупція і є, з нею можна боротись. Це радше виняток, аніж норма. Іншими словами, якщо ти дуже стараєшся, у країні є надія. Я концентруюся на історії кохання сильної жінки, що стикається з великими проблемами. Ця історія змонтована разом з іншою історією про молоду матір, якій сказали, що її дитина помре від раку, якщо вона не знайде 50 тисяч доларів на операцію, і вона для цього ні перед чим не зупинилась. Тож вийшов фільм не про політичні репресії, а про сильну жінку. І це був компроміс у вузькому коридорі можливостей. Але це краще, ніж нічого. І рейтинги високі. Країні потрібні нові герої.

Інша Росія

Куля для знесення будівель відмірює ритм міста — метроном, що гойдається на кожному розі. Місто змінюється так швидко, що ви втрачаєте відчуття реальності й не в змозі впізнати вулиць. Ви шукаєте місце, де обідали минулого тижня, а перед вашими очима постає цілковито зруйнований квартал. Цілі фрагменти міста знищують у нападах саморуйнування, пустирища консервують на роки і без жодної видимої причини, хмарочоси виходять на поверхню задовго перед появою під'їзних доріг до них, а потім стоять собі порожніми у брудних снігах. Нервово відбуваються пошуки стилю. Перші споруди будівельного буму імітували все, що пострадянські люди побачили за кордоном і про що мріяли: турецькі готелі, німецькі замки, швейцарські шале. Коли зруйнували Остоженку, район навпроти Кремля, її перейменували на «Московську Белґравію». Також існує «Мос-Анджелес» і «Московський Лазуровий Берег». Їх закидали в місто так само штучно та незграбно, як політтехнологи — партії фальшиво-західного стилю. В інших місцях можна спостерігати за неоновим середньовіччям: із-за високих чорних брам визирають диснеєподібні вежі, прикріплені до рожевих бетонних замків із рядами дизайнованих під рицарські шоломи офісів, створюючи враження, немовби армії богатирів з'являються з-під землі. Часто трапляється так, що в одній будівлі змішуються всі стилі. Новий офісний центр на протилежному від Кремля боці річки починається романським портиком, потім переходить у середньовічні фортечні мури з зубцями та дзеркальними вікнами золотого кольору, увінчані вежами та сталінськими зубцями. Спочатку таке вражає, а потім — вселяє тривогу. Це схоже на розмову з пацієнтом із розщепленням особистості: «Хто ти? Що ти намагаєшся сказати?» Дедалі частіше нові хмарочоси нагадують ґотемсько-ґотичні* вежі архітектури сталінської епохи. *Премиум Тауэр* — найвищий у Європі житловий комплекс — точна копія однієї з семи сталінських висоток 1950-х років. Задовго до того, як політологи почали кричати про те, що Кремль будує нову диктатуру, архітектори вже шепотіли: «Погляньте на цю нову архітектуру. Вона мріє про Сталіна. Будьте обережними, імперія зла повертається».

Але оригінальні сталінські хмарочоси будувалися із граніту, з величезними мозаїками та валгалівськими залами, які вели до невеликих, аскетичних квартир. Нові будинки мали б справляти враження величних, але виявлялися халтурами. Девелопери крали так багато грошей під час будівництва, що навіть найпрестижніші, найрозкішніші та найелітніші хмарочоси дуже швидко тріскали й осідали. Унікальне московське поєднання несмаку та злодійства. Одного разу я побачив рекламу нової будівельної компанії, що чудово передавала цю атмосферу: наслідуючи стиль нацистської пропаганди, було зображено двох молодиків арійської зовнішності на тлі величних альпійських гір під гаслом «Жити стає краще». Неправильно було б вважати цю рекламу гумористичною, але вона також не цілком сер-

---

* Ґотем (*англ.* Gotham City) — вигадане місто, в якому відбувається дія історій про Бетмена.

йозна. Ці дві стихії тут немовби поєднано. Ось суспільство, в якому ми живемо (диктатура), каже вона, але це в нас просто така гра (ми можемо жартувати про це), але гра в нас серйозна (граючи, ми робимо гроші, і нікому не дозволимо підважити її правила).

Я чую гуркіт і відчуваю вібрації екскаватора, тільки-но повертаю у Ґнєздніковський провулок. Повітря вже наповнене хмарами цегляного пилу. Двоповерхова будівля XIX століття руйнувалася легко. Неповороткий ківш екскаватора, як у дитячій грі, недбало завалює стіну, на якусь мить демонструючи нутрощі старої квартири — шпалери 1970-х років, фотографії та радіо, а потім задіюється куля для знесення — і все руйнується вщент.

Ґнєздніковський провулок розташований неподалік Пушкінської площі, яку туристичний путівник називає «історичним центром Москви». Він має статус недоторканного. Але що ближче до Кремля, то ще шаленішими стають удари відбійних молотків і куль для знесення. Ціни на нерухомість вимірюються за відстанню до Красної площі: мета — побудувати свій офіс або квартиру якомога ближче до центру влади. Ринок, сформований досі феодальною соціальною структурою, визначається потребою бути на відстані простягнутої руки від царя, генерального секретаря комуністичної партії, президента Російської Федерації. Державні інституції — нафтові компанії, банки, міністерства та суди — всі схильні до скупчення навколо Кремля, як придворні. Це означає, що місто майже приречене на самознищення. Воно не може рости назовні, тому кожне покоління топчеться по головах попередніх. Понад тисячу споруд зруйновано в центрі у цьому столітті, зникли сотні офіційно «захищених» державою пам'яток. Але нові будівлі, які прийшли їм на зміну, часто стоять неосвітлені та порожні. Нерухомість — найефективніша схема відмивання коштів, заробіток для членів московського уряду, що підписує контракти зі своїми будівельними компаніями, для аґентів, які продають ці будівлі безіменним і безликим форбсам, яким потрібен спосіб стабілізації своїх активів.

Неподалік будівельного майданчика на Ґнєздніковському провулку зібрався невеличкий натовп. Люди покладають свічки та квіти на тротуар: скромні жести жалоби. Такі флешмоби пам'яті почастішали. У вільний час я знімав зникоме місто, руїни Атлантиди.

Алєксандр Можаєв очолює невеличке збіговисько. Його волосся скуйовджене, шарф до колін, з глибоких кишень його морського бушлата стирчать пляшка горілки та пляшка молока. Він представник професії, яка в іншому контексті могла б бути дещо марґінальною — історик архітектури та міста. Але тут він організував квазірелігійну групу духівохоронців старої Москви. Можаєв із друзями почав рятувати будинки від руйнування. Вони проводять пікети перед дерев'яними будинками, яким загрожує знищення, намагаючись зчинити достатній шум для того, щоб забудовники відступили. Утім перемоги ці нечисленні та рідкісні. За кілька років їм вдалося врятувати три будівлі із трьох тисяч. Можаєв молодий, йому трохи більше тридцяти, але його голос сповнений тріснутих і шкарубких модуляцій, як і самі стіни старої Москви. Він дістає пляшку й каже:

— Ми зібралися тут пом'янути цей будинок, стару Москву, всі ці будівлі, приречені на знищення.

Можаєв і його послідовники надягають подібні до Піноккіо маски, призначені для цього жалобного ритуалу, і починають завивати, як професійні плакальниці на похороні.

— Сволота, скільки ви ще будете руйнувати наше місто? — кричать вони. — Незабаром тут більше нічого не буде, нічого не залишиться! (Ця невеличка сцена потім буде викладена в інтернет.)

Він повертається, і ми рушаємо за ним під арку, у те, що залишилось від старої, тендітної Москви, — мережу невеличких переходів, дворів і провулків, які розходяться горизонтальним гіллям між великими стовбурами гігантських проспектів сталінської епохи. Ми проходимо через вузькі арки й у несподівано просторі двори, де діти грають у хокей на залитій між будинками ковзанці. Тут світло інше, тьмяніше й лагідніше, у свіжому снігу відбивалися залишки дня, що падали на напівзруйнованих левів і ангелів, виліплених на будівлях. Тут усе здавалося зношеним, шкарубким, брунатно-жовтим, облупленим і жалюгідним. Світло починало тікати в будинки, і батьки кликали дітей додому. Тут навіть мова інша — розспівана й ніжна, зменшувально-пестлива: «Ходи сюди, мій голубчику», «мій маленький дзвіночку». Майже сільський настрій дитинства, м'який сніг, санчата. Ця Москва існувала до радянського експерименту. У XVII і XIX століттях Санкт-Петербург був столицею, містом влади, режиму та порядку. А Москва — тихою гаванню, святковим містом, де можна було допізна спати і провести весь день у піжамі.

Тут можна знайти місця з назвами на кшталт «*Кривоколенная*», вулиця кривого коліна, і «*Потаповский*» — слово, яке падає в рот, наче сніжинки. Але найулюбленіша з усіх — «*Пятницкая*», вулиця всіх п'ятниць. На вулиці П'ятницькій немає пишноти. Вона забудована маленькими двоповерховими кам'яницями, що безладно спираються одна на одну, ніби щасливі п'яні друзі розходяться, співаючи, по своїх теплих ліжках. У кожному подвір'ї свій бар, якась невеличка точка з дешевою горілкою та задимленими приміщеннями. Тут немає ні офісних споруд, ні самозакоханих хмарочосів, ні пихатих торговельних центрів. Але тут є стара станція метро, велика, низька, жовта, коржикувата будівля, в якій студенти п'ють пиво, а хлопці залицяються до дівчат. Я люблю цю вулицю за її назву. П'ятниця — найкращий з усіх днів, особливо п'ятничний вечір. Коли робочий тиждень поступово переходить у вихідні. Коли надворі сутеніє, настрій освітлюється, похмурі мармизи стають усміхненими, дихання — кращим і глибшим. *«Пятницкая»* — вулиця, присвячена цьому моментові, матеріалізації у просторі настрою часу. Усе на цій вулиці промовляє: «Давай вип'ємо, поговоримо, обміняємось історіями: я не бачив тебе так довго, я не був собою так довго». А потім, пізніше, я люблю блукати містом, доходжу до третього будинку на Пєчатніковому провулку, де заходжу в арку біля світлої, покрученої кам'яниці з гігантськими ангелами й вікном, яке не веде нікуди, а всередині — довге подвір'я з високими будинками навколо, які справляють враження, ніби зайшов у глибоку долину. Довгий, приземкуватий дерев'яний будинок оточений двором, що підсвічується помаранчевим світлом, і недоламана лавка посередині.

— Я називаю подвір'я Пєчатнікового машиною часу, — каже Можаєв під час нашої прогулянки. — Для людини, знайомої із Прагою або Лондоном, Римом або Единбурґом, ці старі московські двори, вочевидь, не мають великої архітектурної принади. Я навіть не переконаний, що їх можна вважати гарними. Але на противагу до нової Москви з її нескінченними імітаціями, цей світ — справжній.

На розі Покровки стоять три огрядні жінки. Вони виглядають, наче шкільні вчительки або лікарки патрулюють житловий будинок у стилі ар-нуво, оточені своїми лабрадорами. Коли наближаємось, вони скоса позирають на нас, а потім, побачивши Можаєва, розпружуються і вітаються з ним. Ці невеличкі пильні дружини трапляються в Москві дедалі частіше, стаючи на захист не від грабіжників, а від забудовників, які посилають аґентів підпалювати будинки, а потім використовують пожежі як привід для виселення мешканців, стверджуючи, що існує небезпека займання. Мотивація — колосальна: у перше десятиліття після 2000 року ціни на нерухомість зросли на понад 400 %. Москвичі вийшли на патрулювання своїх будинків уночі: лікарі, учителі, пенсіонерки й домогосподині придивляються до кожного перехожого, підозрюючи в ньому підпалювача. Безглуздя казати, що вони повинні викликати поліцію. Найбільші групи забудовників — це друзі та родичі мера і членів уряду. А надто мерової дружини. Майже міфічний російський середній клас раптом з'ясовує, що взагалі не має реальних прав на свою власність, може бути позбавлений її і переселений, як кріпаки, за поміщицькою забаганкою.

Ми йдемо за Можаєвим, коли він піднімається на руїни знищеного дерев'яного будинку, нещодавно охопленого такою загадковою пожежею. Крізь прогорілий дах у кімнати із блакитними шпалерами та залишками старовинного каміна, тепер обвішаного бурульками, падає сніг. Ми бачимо, крізь діру в підлозі, безхатька, який спить у підвалі. Можаєв знаходить старі блокноти людей, які тут колись мешкали. Він починає розповідати історію цього будинку, хто тут мешкав і чим займався. Невеличка аудиторія уважно слухає. У цих розповідях є щось майже галюциногенне: дах будинку, здається, знову виростає в нас над головами, відчуваєш, як у каміні горить вогонь, і чуєш кроки колишніх аристократів і плітки їхніх слуг, потім бачиш, як 1917 року будинок захопили комуністи, чуєш, як розстрілюють його колишніх власників, і бачиш, як невеличкий особняк перетворюється на комунальну квартиру, усіх мешканців якої арештували в часи сталінського терору, а потім, під час війни, тут організували невеличку лікарню.

— Старі стіни та двері знають щось, що ми не здатні зрозуміти, — пише Можаєв в одному своєму есеї. — Справжню природу часу. Драма людського життя прописана в цих будинках. Ми підемо звідси, після нас залишаються лише місця.

— Можаєв — це пам'ять міста, — говорить мені дівчина з помаранчевими кісками, коли я запитую, чому вона сюди прийшла. — Досі я й уявлення не мала про місто, у якому виросла.

Але Росія має проблеми з пам'яттю. Не було жодної будівлі, повз яку ми проходили, котра б не була сценою для розстрілів, зрад і масових убивств. Найтихіші двори ховають у собі найжахливіші таємниці. За рогом Потаповської стоїть житловий будинок, у якому в кожній родині хтось був арештований під час сталінських репресій. У підвалі, де сьогодні облаштовано новий торговельний центр, було приміщення суду, в якому до роботи у виправно-трудових таборах засуджували стільки безневинних людей, аж судові доводилося працювати так швидко, що дві справи розглядали впродовж однієї хвилини. І це лиш у сталінські роки, не кажучи про ганебні доноси пізніших десятиліть, підслуховування сусідських квартир, чи звідтам не чути ВВС та радіо «Вільна Європа».

— Кожен новий режим радикально перебудовує минуле, — говорить Можаєв, коли ми повертаємося до Баррікадної. — Лєнін і Троцкій нищили пам'ять про царську епоху, Сталін нищив пам'ять про Троцкого, Хрущов — про Сталіна, Брєжнєв — про Хрущова. *Перестройка* вихолостила ціле століття комуністичного правління... і щоразу героїв перетворюють на негідників, рятівників переписують у біси, змінюють назви вулиць, вирізають обличчя з фотографій, редагують енциклопедії. І так само кожен режим руйнує та перебудовує минуле міста.

На розі Баррікадної невеличкий бароковий будинок, оточений конструктивістськими житловими будинками 1920-х років, над яким, своєю чергою, вивищується хмарочос сталінської ери, з одного боку припертий темними блискучими панелями нового величезного торговельного центру з банею, що нагадує намети та списи монгольського військового табору. І здається, що всі ці споруди намагаються виштовхати одна одну зі свого шляху. Якщо райони Лондона або Парижа, збудовані в подібному стилі, шукають певну гармонію, пам'ять та ідентичність, то тут кожен будинок накладає тавро на минуле і зневажає його так само, як кожен новий режим дискредитував попередні.

Щоразу, коли російська культура XXI століття шукає фундаменту для свого здорового та щасливого майбутнього, вона знаходить підлогу, що провалюється, ховаючи це майбутнє у ґрунті та крові. Коли останкінські канали запускають російську версію британського телешоу «Великі британці» (Great Britons) під своєю назвою «Ім'я Росії» («*Имя России*»), це означає просто кондовий піар-проєкт для підвищення патріотизму. Глядачі всієї країни мають проголосувати за найбільших героїв Росії. Але коли країна починає шукати свої рольові моделі, своїх батьків-засновників, з'ясовується, що всі кандидати — тирани: Іван Ґрозний, засновник самої Росії в XVI столітті та перший цар, Пьотр Перший, Лєнін, Сталін. Здається, країна пронизана любов'ю до жорстоких правителів. Коли почалося народне голосування «Імені Росії», продюсери були збентежені перемогою Сталіна. Вони сфальсифікували голосування так, щоби міг перемогти Алєксандр Нєвський — напівміфічний середньовічний воїн-рицар приблизно 1220 року народження. Він жив так давно, коли Росія ще була колонією Монгольської імперії між XIII і XV століттями, тому цей вибір видавався нейтральним. Росія мала вийти за межі історії власної країни, щоб віднайти постать батька-засновника. І хоча про це ніколи не згадували у програмі, ті незначні доступні факти з його біографії свідчать, що Нєвський зробив собі ім'я, збираючи податки, придушуючи й убиваючи інших бунтівних російських княжат для свого монгольського сюзерена.

Як будувати історію, що ґрунтується на безперервному кривавому розбраті та зраді? Ви заперечите її? Забудете? Але тоді ви залишаєтесь сиротами. Тому історію переписують на догоду сучасності. Коли президент шукає способу, щоб обґрунтувати власний авторитаризм, Сталіна підносять як великого лідера, що переміг у війні. На телебаченні перші спроби дослідження минулого, якісні драми про сталінський терор 1930-х років, зняли з ефірів і замінили оспівуваннями перемоги у Другій світовій війні. (Але водночас із публічним і гучним святкуванням сталінської перемоги також воскресають давні страхи: Сталін повернувся! Будьте пильними!)

Ці муки відображені в архітектурі. Місто корчиться, поки Росія XXI століття шукає, відмовляється, повертається, заперечує і перевинаходить себе.

— Москва — це єдине місто, де руйнують старі будівлі, — веде далі Можаєв, — а потім перебудовують як копії самих себе, з прямими лініями, плексигласом і склопакетами.

Готель «Москва» навпроти Кремля — похмурий надгробок сталінської епохи — спочатку розібрали, потім, після численних дебатів про те, що має стояти на його місці, врешті-решт відбудували його у трохи яскравішій версії. Така доля чекає і Ґнєздніковський — знесення, а потім перебудова на ресторанний комплекс у псевдоімперському стилі, де офіціанти розмовляють дореволюційною російською, в меню пропонують пельмені з мозком, а туристи насолоджуються контактом зі «справжньою Росією». Тож екскурсії Можаєва стають чимось більшим, ніж просто архітектурними, натомість вони також і про спосіб керування суспільством. Глянцеві московські журнали, які ніколи б не наважилися критикувати високопосадовців, тепер розповідають про містобудівну політику як про метафору: «Поверніть нам наше місто», — пишуть вони, висловлюючи таким чином своє набагато загальніше незадоволення.

Чути дзвони. Можаєв зупиняється і проказує коротку молитву. Він православний: перед кожним ковтком промовляє благословення. Він приводить нас до церкви. Біля входу скупчилася юрба. Усі тримають свічки, які відбиваються на снігу, що створює враження, немовби ця частина вулиці пофарбована в золотий колір. Усередині аж густо від православних молитов, які за звучанням скидаються на буддистські піснеспіви, стоїть сильний аромат ладану, а люди скупчуються перед іконами, запалюючи свічки. Хай там як, у тебе пришвидшується серцебиття, а тіло вкривається гусячою шкірою. Якась правда таки є у твердженні православних, що їхня версія віри — ближча до первісної, менш раціональна, більш емоційна й експериментальна. Усе тисне на тебе — піснеспіви, люди, світло — і підштовхує до ікон. І, зрештою, будучи людиною, яка працює на телебаченні, я помітив, як досвід слідує за візуально-емоційною логікою моєї професії: ти вдивляєшся в ікону страдденного Христа, ідентифікуючи власний досвід із ним точнісінько так само, як теле- та кіноглядач ідентифікує себе з великим планом героя на екрані. І я пам'ятаю, як російський художник-емігрант Віталій Комар сказав мені колись, що геніальність у виборі Христа на роль головного героя божественної драми в тому, що вперше глядач отримав Господа, з яким міг по-справжньому себе ідентифікувати.

— Христос — попередник Чарлі Чапліна й усіх інших великих героїв-невдах кіно та телебачення, — сказав Комар. — До появи Христа всі боги були або досконалими, недосяжними Аполлонами, або невидимими, а цей — слабкий і зламаний. Так само, як і ти. (У своїх картинах Комар уперше висміяв радянську іконографію зображенням Сталіна, оточеного грецькими музами, а потім, уже на еміграції, перебував у пошуках нового божественного символізму.)

І коли стоїш у церкві, віднаходячи в образі страдденного Христа втішне дзеркало для всіх своїх невдач, ти повертаєш голову й бачиш образ немовляти з матір'ю, і твої емоції переходять від втішеного невдахи до можливості нового народження.

Маршрут Можаєва веде далі, через бульвари, заметені снігом, і будівлі, вкриті тонкою зеленою сіткою: це знак, що вони приречені на руйнування. І впродовж усього шляху Можаєв розповідає, відпиваючи із пляшки й оживлюючи вулички та будинки, що, здається, вони сповнені живих привидів. У його психогеографії є щось містичне, його пошуки старої, священної Москви, міста, якого не існує, схожі на пошуки чогось кращого та омріяного.

Уже пізньої ночі ми повертаємося з Можаєвим до Ґнездніковського. Екскаватори замовкли. Можаєв спускається, щоб очистити верхній шар від снігу. Під світлом ліхтаря видно, наскільки грубий наступний цегляний шар, червоний від пилу дня великого знищення:

— Коли ми підемо на барикади, — жартує Можаєв, — це буде колір нашої крові.

Прогулянку закінчено. Ми прощаємось, і Можаєв ловить приватне таксі. Я завжди вважав, що він мешкає десь у провулках старої Москви. Натомість машина везе його далеко в передмістя. У таксі грає радіо «Шансон». Він їде далеко за межі магічного Можаєвленду, минаючи орди прямокутних багатоповерхівок, просто до МКАДу, кінцевої, найостаннішої кільцевої дороги, що оточує Москву.

Занедбана двадцятиповерхівка Можаєва, збудована в 1980-ті роки, стоїть біля краю кільцевої дороги. Ліфт поламаний, він піднімається сходами повз недолугі графіті й невеличкі бляшанки, заповнені недокурками. Ходьба протверезує. Він важко дихає. Його будинок зруйнували кілька років тому, а на його місці звели висотні будівлі. Він — емігрант.

«Ти дорослішаєш, переконаний, що все завжди залишатиметься, як є: будинок, дерева, батьки, — напише він згодом в іншому есеї. — Коли мої батьки померли, я пам'ятав їх завдяки будинку, в якому ми мешкали. Будинки існують не так для згадування часу, як для перемоги над часом».

Після холоду назовні в будинку гаряче, і він страшенно пітніє, поки дістається до свого поверху. Намагається поводитися тихо, заходячи у квартиру. Його дружина та діти сплять. Молодший із трьох лежить у ліжку в коридорі. Він просувається до малої вітальні. Всюди розкидано невеличкі артефакти уламків старої Москви, які Можаєв урятував від знищення: черепки від ліпнини XVI століття у формі квітів із підвалів будинків, дерев'яна різьба з віконних рам зламаних вікон — жар-птиці, добрі велетні, щурячі королі. Вони виставлені, як рештки давно зниклої цивілізації.

Назовні посилюється шум авто на МКАДі. Висотні будівлі зливаються з темрявою. Тільки зграї підйомних кранів ще жевріють і погойдуються навколо будівельних майданчиків, працюючи ночами, немовби заради збереження театральних декорацій між актами театральної вистави. На віддалі найбільше скупчення кранів зосереджено навколо вічного довгобуду «*Башня Федерация*» — центрального хмарочоса Московського міжнародного ділового центру, російської відповіді паризькому Ла-Дефанс і лондонському Кенері-Ворф, але збудованого вище, швидше, із хамовитою, нахрапистою наполегливістю, неподалік самого центру столиці. Він є настільки вищим та більшим, ніж усе в цьому місті, що переосмислює його виміри, самі уявлення про висоту та розмір. «Час Росії підвестися з колін», — звучить улюблена суперфраза президента, і «*Башня Федерация*» постає, як фольклорні богатирі російських казок, виростаючи «*не по дням, а по часам*».

Почувся крик, новонароджене немовля Можаєва заплакало в ліжечку. Можаєв бере на руки дитину, гойдає її, щоб заспокоїти пхинькання. Йому лише кілька місяців, він змішаної раси. Дружина Можаєва з Куби. Її батьки були комуністами, які в радянські часи переїхали до Москви в пошуках утопії. Усі трійко можаєвських дітей — темношкірі, єдині чорні діти, яких коли-небудь бачила місцева дітлашня. Їх б'ють і обзивають образливими прізвиськами. Можаєв думає про еміґрацію, щоб забезпечити їм нормальне життя.

«Чорногорія», — думає він собі. Йому завжди подобалося звучання слова «Чорногорія». Або Лондон. Або, можливо, ще далі.

ІНІЦІАЦІЇ

Пізнього ранку запах бензину заповнює місто, перегар минулих ночей заповнює рота, білий недільний сніг перетворюється на понеділкову кашу: я запізнююся. Хапаю камеру та вибігаю зі своєї квартири на високому поверсі з її чудовою панорамою вигину річки та зірки університету за ним. Темно-зелені сходи засипані недокурками й забруднені невеличкими коричневими калюжами талого снігу, збитого з чобіт. Двері квартир оббиті з міркувань безпеки, що робить їх схожими на кімнати у психлікарні. За оббитими дверима — квартири мільйонерів. У цьому місті мільярдерів із дитячими обличчями всім добре ведеться, а особливо людям у цьому будинку — ґотичній споруді сталінської епохи, призначеній для партійної, каґебістської та дипломатичної еліти й великих акторів. Останні скористалися із благ старого ладу, а перші — нового. Проте ні одні, ні другі не здатні скооперуватися і зробити ремонт у під'їзді. Дбайливе ставлення закінчується на порозі твоєї квартири. Ти доглядаєш і фарбуєш свій персональний світ, але коли виходиш у публічний простір, надягаєш маску ворожості.

Я заходжу в ліфт, досі освітлений тьмяною жовтою лампочкою, проходжу повз божевільну жінку, яка сидить на сходах і волає: «Я — яйце, я — яйце, — постійно те саме. — Прийшло КҐБ і забрало мене. Вони прийшли і забрали мене. Я — яйце!» (Що вона має на увазі, — завжди замислююся я. Вони щось зробили з нею? Або це просто нісенітниця?)

Виходячи з під'їзду, я обмацую кишеню штанів, щоб перевірити, чи на місці мій паспорт, і усвідомлюю, що його там немає. Завжди паспорт, на кожному кроці «Документи!». У будь-який момент вас можуть зупинити й перевірити ваші документи. Насправді це може трапитися лише раз або ж навіть двічі на рік, але ти постійно мусиш стояти в чергах і стукати у двері, щоб зібрати всю колекцію штампиків, інструкцій і дозволів — правових положень і вимог, що як такі постійно змінюються. Маленька хитрість, щоб ти завжди перебував у напрузі, завжди обмацував свої кишені в пошуках документів, завжди прокидався у страху, що ти міг їх загубити в барі. З часом ти почнеш обмацувати паспорт інстинктивно, твоя рука несвідомо опускається і перевіряє кишеню стільки разів на день, що ти більше цього просто не помічаєш. Ось справжня влада: коли вона починає впливати на несвідомі рухи твоїх рук.

Я мушу повернутися до квартири.

Є так багато маленьких ініціацій, так багато методів, якими система зв'язує тебе. Останній мій досвід був з іспитом на отримання водійських прав. Ти ніколи не складеш його, пояснив мій інструктор, якщо не заплатиш хабаря (цього місяця 500 доларів, але якщо не покваплюся, ціна зросте до тисячі). Я запротестував, мовляв, хочу навчитись і пройти тест по-справжньому. Він пояснив мені, що дорожня поліція мене валитиме, поки я не сплачу.

Інструктор був другом друга моїх батьків, і всі, кого я знав, порадили мені довіритися йому. Він спеціалізувався на уроках для певних типів людей, яких він називав «нервовими», — акторок та експатів. Я заплатив гроші, і він склав відповідну угоду. Я припустив, що згодом отримаю водійські права в конверті. На мій подив, інструктор сказав мені піти до управління ДАІ та пройти тест разом з усіма.

Теоретичну частину тесту проводили у великій, світлій, новій залі з дуже новими комп'ютерами. Нас перед комп'ютерами сиділо близько двадцяти осіб, розв'язуючи завдання про різноманітні дорожні ситуації. З невеличким полегшенням я припустив, що мій хабар пропав десь у процесі, та почав свідомо відповідати на запитання. На мій самозаспокоєний подив, я отримав 18 балів із 20, і цього було достатньо для проходження тесту. Лише згодом до мене дійшло, що всі комп'ютери в цій залі, вочевидь, заздалегідь були налаштовані на видавання 18 балів із 20: всі люди в цій залі заплатили за правильний результат.

Потім настав час практичного іспиту — кількох маневрів навколо конусів на автодромі. Я сів за кермо інструкторської моделі автомобіля із двома комплектами педалей, поруч із даїшником у формі. Він наказав мені завести машину. Я нервувався, та й відпрацював лише кілька практичних занять, тож не міг правильно натиснути на педалі й машина постійно глухла. Даїшник посміхнувся, глянув через плече і сам завів автомобіль. «Поклади руки на кермо і вдавай, що керуєш», — сказав він мені. Я зробив так, як він мені наказав, і хоча даїшник цілком контролював рух автомобіля зі свого комплекту педалей, я проїхав навколо з дурнуватою посмішкою. А згодом у мене було відчуття, що я практично сам керував машиною.

Повернувшись до квартири, я знайшов паспорт у своїх вчорашніх штанах на незастеленому ліжку. Я тримаю його у спеціальній внутрішній кишені, звідки його важко було б витягти. Але це означає, що паспорт постійно просякає потом моїх ніг. Логотип на обкладинці вже стерся. Краї загнулись. Пластик, що вкриває моє фото, обліз. Я вибіг на вулицю і заходився ловити машину. Повертаючи за ріг, машини прискорювались: міцубіші, хамери, беемве, мерседеси, усі із затемненими шибками. Ти хтось лише доти, доки принаймні вдаєш: тобі є що приховувати. Один зупиняється. Вікно опускається, і я нахиляюся до рівня водійських очей. У тебе лише кілька секунд, щоб оцінити обличчя водія. П'яний? Божевільний? Або й гірше, людина, що довезе тебе до стоянки і пограбує? Попри всі невеличкі аркуші паперу й маленькі формуляри, які ти мусиш підписати тут заради виживання, усе, зрештою, зводиться тут до цих невеличких ситуацій імпровізованої довіри та угод у стилі *«как договоримся»*, в якій кожен розуміє правила гри, хоча вони ніколи не бувають формалізованими.

— Триста рублів до Площі трьох вокзалів?

— Чотириста?

— Триста п'ятдесят.

Я сідаю спереду і намагаюся скласти думку про свого водія. Дивні стосунки встановлюються в таких автомобілях. З одного боку, ти заплатив, і ніби головний, а з другого боку, це несправжнє таксі, тож водій може образитись. Цей носить бороду і виглядає спокійним. Він вмикає CD-програвач із псалмами. Я раджу йому бути обережним на розі, де даїшники люблять раптово замінювати знаки «дорога з однорядним рухом» знаком «в'їзд заборонено», щоб ловити на цьому водіїв і стягати з них плату. Місто — це смуга перешкод корупції, і твій вибір такий: або сердитись, або приймати правила, грати у гру і просто отримувати від неї задоволення. Рух уже став інтенсивніший — їхати мені недалеко, але цей шлях буде довгий. Москвич міряє своє життя заторами. Вдало чи невдало ти прожив свій день, визначається тим, скільки годин провів у заторах. Вони перетворилися на символ міста. Єдиний спосіб звільнити місто — перенести фінансові й урядові установи за межі центральної частини. Але такий крок не відповідатиме феодальним інстинктам цієї системи. Таким чином автомобільний рух стає вираженням патової ситуації в усіх аспектах: з одного боку, вільний ринок передбачає, що кожен може володіти машиною, але, з другого боку, всі машини потрапляють у затори через відповідну соціальну структуру. Оснащені сиренами, чорні (завжди чорні) куленепробивні мерседеси великих, багатих і впливових людей, сучасних баронів, що живуть за іншими правилами, мають право мчати проти руху транспорту. Сирена — це статусний символ міста, яким нагороджують, немовби рицарським титулом, найбільш лояльних бюрократів, бізнесменів і кінорежисерів (або продають за певну ціну). Коли вони минають нас, ми з водієм буркочемо, на якусь мить об'єднані, як я відчуваю, проти спільного ворога. Я розпружуюсь і кажу йому, як сильно мені до вподоби його псалми. Але наприкінці нашої поїздки, коли я вже збирався виходити, він раптом вхопив мене за плече й розвернув так, що ми опинилися лицем до лиця. Залізна хватка сильної руки.

— Не бійся, брате мій, — сказав він мені, — ми очистимо вулиці від усього цього бруду, всіх цих чорних, мусульман і їхніх смердючих грошей. Відродиться священна Русь.

Іноді трапляються такі типи євразійців-великоросів, святенників-неоімперіалістів і тому подібних, не надто сильно, але крадькома підтримуваних Кремлем для того, щоб мати рупор, за допомогою якого увага відвертається від корупції та зосереджується на ненависті до іноземців (Кремль не бажає цих слів вимовляти безпосередньо).

Я проходжу крізь вокзал і сідаю в поїзд до Санкт-Петербурґа, де мене чекає моя найновіша історія: про обов'язкову військову службу, велику ініціацію в російську мужність. Кожного квітня та жовтня колір хакі, здається, цілком раптово заповнює вулиці: це групи молодих солдатів з'являються в містах. Худі, або в надто великих, або в надто тісних одностроях, із жалюгідними червоними носами та вухами, вони вовком дивляться на майбахи та позолочені ресторани. Вони вештаються біля входів у метро, звідки виходять хвилі теплого повітря, дрижать, попиваючи тепле пиво на розі головних автомагістралей. Вони, човгаючи, піднімаються сходами, стукають у двері квартир і блукають парками. Це особлива пора року — велика щорічна всеросійська гра у хованки. Солдатам роздають ордери на затримання молодих хлопців, які ухиляються від призову, та на їхню примусову мобілізацію до збройних сил. Військова служба обов'язкова для здорових осіб чоловічої статі у 18–27 років, але всі, хто може, її уникають.

Найпоширеніший вихід — медична довідка. Дехто грає дурня, проводячи місяць у психіатричній клініці. Їх туди приводять матері зі словами: «Мій син психологічно неврівноважений. Він погрожував мені розправою і прокидається вночі у сльозах». Лікарі, певна річ, знають, що хлопці вдають, і хабар за місячне перебування у психушці обійдеться вам у кілька тисяч рублів. Вас уже ніколи більше не примусять служити (божевільним не довіряють зброї), але вам також дадуть довідку про психічну хворобу, яка переслідуватиме вас усю кар'єру. Інші медичні рішення короткотерміновіші: тиждень у лікарні з начебто пораненою рукою або спиною. Таке треба повторювати раз на рік, а відтак щороку лікарні заповнюються прищавими юнаками, які симулюють хворобу. Однак медичний спосіб вимагає кількох місяців підготовки: треба знайти відповідного лікаря, правильну хворобу, тому що список хвороб, через які не беруть до армії, постійно змінюється. Ви з'являєтесь у військкоматі з невеличкою проштампованою реєстраційною карткою, на яку ваша матір витратила місяці підготовки та купу заощаджень, і там дізнаєтесь, що плоскостопість або короткозорість більше не є обставиною, яка звільняє від військової служби.

Якщо ви вступили до університету, то уникаєте військової служби (або ж проходите військову муштру на військовій кафедрі), поки не закінчите навчання. Більшого стимулу для здобування вищої освіти не існує, і російські чоловіки вступають на нескінченні магістерські програми, поки не подолають призовного віку. А якщо ви не дасте ради з навчанням в університеті? Тоді доведеться заплатити хабаря за вступ. Існують десятки нових університетів, почасти створених для обслуговування потреб тих, хто ухиляється від служби в армії. А відрахування з університету робить можливість вашої мобілізації набагато небезпечнішою: тоді вас одразу ж забирають до армії. Коли починаються погані оцінки, матері турбуються і кричать на своїх синів, щоб вони краще вчились. І коли вони бачать, що хлопчики можуть провалитися на іспитах, настає час платити ще один хабар, щоб забезпечити навчання на наступному курсі. Але існує певна кількість студентів, яких викладач мусить відсіяти для годиться, і тоді стурбовані матері починають зондувати ґрунт для найбільш відчайдушного і дорогого засобу — хабарів для військового командування. Матері приходять до генералів, стукають у двері військового начальства і ревуть, кричать про звільнення своїх синів від служби (самих грошей ніколи не достатньо, ви мусите заробити емоційне право сплатити хабаря).

Але всі ці варіанти доступні тільки для тих, хто має гроші та зв'язки. Для інших, бідніших, це час для хованок. Солдати хапають усіх, хто виглядає на відповідний вік, і вимагають пред'явити документи та листи звільнення, а якщо їх немає, вони ведуть їх до місцевого військкомату. Тому молоді люди живуть, уникаючи виходів з метро, або ховаються за колонами і швидко пробігають, коли бачать, як солдати залицяються до дівчат або стріляють сигарети в перехожих. Можна побачити підлітків, які тікають довгими, темними, мармуровими коридорами метро, переслідувані поліцейськими. Коли солдати приходять до квартир, потенційні новобранці вдають, що їх немає, барикадуються, затамовуючи подих, поки солдати не підуть. Урешті-решт, солдати втомлюються і йдуть, але відтепер, коли ваші документи перевірятиме поліція, ви переживатимете, що вони можуть подзвонити і перевірити, чи ви не ухиляєтеся від призову. І щоразу, коли ви спускаєтесь у метро, перетинаєте проспект, зустрічаєтесь зі своїми друзями біля кінотеатру, покидаєте своє подвір'я, життя сповнюється трепету. І ви житимете напівлегально доти, доки вам не виповниться 27 років, не будучи у змозі виробити офіційного паспорта, а отже, й виїжджати за межі країни.

У цьому полягає геній системи: навіть якщо вам удасться уникнути призову, ви, ваша матір і ваша родина станете частиною мережі хабарів, страхів і симуляцій. Ви вчитеся бути актором, граючи різні ролі у взаєминах із державою, вже знаючи, що держава — великий колонізатор, якого ви боїтеся і бажаєте уникнути, або обдурити, або підкупити. Ви вже в напівлегальному статусі, переступник. Системі таке до вподоби: поки ви перебуваєте у стані симулянта, ви ніколи й нічого не зробите по-справжньому, ви завжди озиратиметесь на свій компроміс із державою, яка, своєю чергою, підтримуватиме відповідний рівень вашого дискомфорту. Як не крути, ви на гачку. І справді, можна було стверджувати, що якщо рік служби в армії є законним процесом, який формує молодих росіян, набагато міцніший зв'язок із системою твориться за допомогою ритуалів ухиляння від військової служби.

Тих із них, хто надто бідні, надто ледачі або неуспішні у справі ухиляння від призову (або тих, кому армія здається кращим варіантом, ніж усе, що в них було дотепер), збирають, роздягають, голять і відправляють на різні військові бази по всій країні. Наприкінці квітневого та жовтневого призовів вулиці міст забиті великими вантажівками з новобранцями, закритими брезентом і відкритими ззаду. Новобранці сидять, дивляться на рідне місто й чухають голови, немовби звикаючи до легкості своїх щойно поголених черепів. Місце служби залежить від хабаря, який сплатив солдат. Комусь дістанеться Чечня, комусь Осетія — гарячі точки, яких усі бояться. Але якщо ви вчасно заплатили, то не потрапите в ці місця. От тільки ніхто не убезпечить вас від ініціації, відомої в Росії під назвою «*дедовщина*». Щороку десятки новобранців гинуть, сотні вчиняють самогубство, тисячі зазнають насильства (і це тільки офіційна статистика). Ось чому кожна матір хоче врятувати свого сина від армії. Новобранців називають «духами». І коли вкрита брезентом вантажівка проїжджає крізь ворота військових баз, новобранці чують крики старших солдатів, які на них чекають. «*Вешайтесь, духи, вешайтесь*», — кричать вони. І так починається процес великого приборкування.

Комітет солдатських матерів, неурядова організація, яку заснували матері сьогоднішніх і колишніх новобранців, виконує роль притулку для «духів»-утікачів, що залишають свої гарнізони. Його центральний офіс у Санкт-Петербурзі. Я сідаю в «Сапсан» — новий поїзд із ширшими сидіннями, що не поступається своїм класом французькому TGV, і такий дорогий, що його собі не може дозволити ніхто, окрім нового середнього класу, — і прямую до північної столиці. Поїздка до Санкт-Петербурґа «Сапсаном» триває чотири години, тимчасом як звичайним поїздом — вісім. Дехто іронізує, мовляв, «Сапсан» президент побудував спеціально для того, щоб його «команда» могла комфортно пересуватися між двома містами. Нині країною керує «питерская группа» — давні друзі президента, які росли й навчалися разом із ним. Вийшовши на вокзалі, я їду до центру через місто, збудоване як театральна декорація — оригінальний російський фасад європейської цивілізації, як її собі уявляв Пьотр Перший, але майже позбавлений європейської сутності.

В офісі Комітету солдатських матерів стіни обклеєні фотографіями загиблих солдатів. Я прийшов узяти інтерв'ю у чотирьох 18-річних утікачів із гарнізону Камєнка, розташованого неподалік. Я спізнився, але всі вони тихо чекали, і кинулись до мене, коли я ввійшов. Вони одягнені у футболки й шарфи футбольного клубу «*Зенит*» (Санкт-Петербурґ) і відчайдушно намагаються довести, що втекли з гарнізону не через звичну ініціацію, що вони лояльні, круті хлопці. Їх, здається, бентежить те, що вони мусять переховуватися у 50-річних тіток. Вони принципово не вимовляють повної назви Комітету солдатських матерів, а кажуть лише «організація».

— Тебе побили, ну норм. Я сцяв кров'ю, але це мене не злякало, — зізнається один із них, найхудіший.

— Розбивають стілець об твою голову. Ну й не біда, — додає інший.

— Вони одягають тобі протигаз на голову, потім примушують курити сигарету, у той час, як ти качаєш прес. Якщо витримаєш, то ти справжній мужик.

— Я не «*красный*»... — хором повторюють вони.

«*Красный*» — означає «стукач». Це тюремне слівце: у 1940-ві роки Сталін почав заповнювати лави Червоної армії зеками, інфікуючи систему тюремним кодексом та ієрархіями.

— Дисципліна потрібна. Але те, що трапилось у Камєнці, нічого спільного з дисципліною не має.

— «Діди» б'ють, вимагаючи грошей, а не тому, що хочуть з тебе зробити солдата. Призовники більшість свого часу ремонтують та перефарбовують військові машини, які потім командування гарнізону продає наліво. «Духів», по суті, використовують як безплатну робочу силу.

Хлопці втекли звідти після ночі неперервного биття. «Діди» весь день пиячили, а потім уночі почали бити їх палками. Прийшов офіцер, але не зробив нічого. Командирам потрібна допомога «дідів» у своїх важливих корупційних схемах, і тому вони дозволяють їм розважатись. Вони лягають кістьми, щоби прикрити «дідів». Одного тижня, як розповіли мені «солдатські матері», п'ятьом «духам» із Камєнки відбили селезінки. Командири не могли послати «духів» у нормальну лікарню, бо тоді буде забагато питань. Тому вони мали лікувати їх у приватному порядку, заплативши по 40 тисяч рублів (понад 100 доларів) за кожну операцію.

О шостій ранку «діди» сказали «духам», що кожен із них мусить до обіду принести по дві тисячі рублів (близько 50 доларів), або ж вони їх уб'ють. Один із новобранців, Володя, вирішив утекти. Він переліз через паркан і дістався до дороги. Його підібрав батько і привіз до «організації».

Розповідаючи свою історію, Володя бурмоче. Я змушений постійно просити його говорити чіткіше.

— Звичайно, це тому, що командир в армії — чорний із Кавказу. Чорні контролюють гарнізон, це вони винні, — каже він мені. Жінки з «організації» цокають язиками і хитають головами. Вони чують таке щодня, особливо в Санкт-Петербурзі, скінхедській столиці, й особливо в середовищі вболівальників петербурзького «Зеніту», Володиного клубу.

— Чи «дембелі», які вас били, були чорними? — запитують «матері».

— Ні, вони білі, — визнає Володя.

Після його втечі цю історію могли зам'яти. Володя повідомив би, хто брав участь у побиттях. Армія це заперечувала б. І цим би було покладено всьому край.

Але командир запанікував. Він поїхав до міста, схопив Володю на вулиці перед його будинком, запакував до своєї машини і намагався повернути його в гарнізон. Батько Володі переслідував їх на своїй машині і зіткнувся з автомобілем командира, щоб зупинити його. Сталася аварія. З'явилися поліція, камери. «Солдатським матерям» вдалося відбити Володю. Згодом про цю історію дізнався новий міністр оборони. Кремль просто пообіцяв реформувати збройні сили. Міністру потрібен був приклад, щоб продемонструвати всім, що він має на увазі. Камєнка вже потрапляла під розслідування. Під час військових навчань минулого місяця загинуло троє новобранців. Можливо, тому командир і запанікував. Тепер у міністерства було виправдання для розслідування, а телерепортерів заохотили знімати фільми про це (через кілька років того «антикорупціонера» — міністра оборони самого звинуватили в розтраті, у наступній хвилі кремлівських чисток).

Тепер я вчився грати в цю гру, насолоджуючись крихтами свободи, дозволеної системою. Історія Володі змішана з іншими розповідями про цькування: зірки реаліті-шоу, яка вийшла заміж за жорстокого чоловіка, та дитини, з якої знущалися у дворі. І мої продюсерки були щасливі. Вони вирішили, що ці історії про побиття маленької людини державою спрацюють. Це щоденна реальність покоління *ТНТ*. Більшість із них вони замовляли. Ще один режисер знімав фільм про чоловіка з Єкатєрінбурґа, якого мало не до смерті побили даїшники, коли він відмовився заплатити хабаря. Тепер він мститься, ловлячи даїшників на хабарях, знімаючи це на відео та зливаючи в інтернет. Ще один фільм *ТНТ* знімав про молоду жінку, загиблу в аварії за участі голови нафтової компанії. Він виплутався завдяки своїм зв'язкам. У Москві я зняв історію про підлітків, яких побила поліція. Усе було записано на мобільні телефони, але поліція пред'явила звинувачення підліткам у побитті *поліцейських*. Я чув такий самий хор розгубленого відчаю від підлітків, який раніше чув від Яни Яковлєвої: «Таке враження, що вони можуть визначати реальність так, що аж земля вам іде з-під ніг». Кремль оголосив нову кампанію оновлення поліції, і батьки сподівалися, що це допоможе врятувати їхніх дітей (і тому мені й дозволили знімати мій сюжет).

Жертви, з якими я зустрічався, ніколи не говорили про права людини або демократію. Кремль давно навчився використовувати цю мову і пожер увесь простір, у якому будь-яка опозиція могла себе проартикулювати. Незадоволення перебуває в зародковому стані — на рівні ненависті до поліцейських і до армії. Або ж існує певна тенденція в усьому звинувачувати іноземців. Група підлітків, анархістів і художників почала збиратись і протестувати, вибігаючи з метро і перекриваючи дороги та головні площі. Вони називали свої збіговиська «монстраціями» і несли абсурдистські транспаранти:

«Сонце — твій ворог».

«Ми зробимо англійську японською».

«Еяф'ятолокну у президенти».

Єдиною реакцією на абсурд Кремля мав бути абсурд у відповідь. Художня група *Война* були великими трикстерами монстраційного руху: вони бігали вулицями та цілували жінок-поліцейських, розкидали тарганів у залі судових засідань, малювали графіті пеніса на нижній частині одного із петербурзьких мостів, і коли його розводили, пеніс був спрямований на управління місцевої ФСБ, робили проєкції черепа та кісток на будівлю парламенту.

У будь-якій іншій культурі таке могло би здатися легковажним, тимчасом як у цьому суспільстві спектаклю та жорстокості воно сприймається, як кисень. Навіть художник-перформер Владік Мамишев-Монро політизується, позуючи для журналу як гротескна версія президента. Він довго вживався в роль: «Коли я вперше переодягнувся в Путіна, у мене було відчуття, немовби я став якимось колосальним тотемним черв'яком, який зараз лусне від з'їденого гівна. Штука в тому, що я не злодій, а санітар лісу, і повинен якомога скоріше зжерти все, Російську імперію, СРСР, щоби якнайшвидше почалося нове життя… Путін зжере нашу країну. Одного дня ми торкаємося шафи і свого одягу, а вони, з'їдені червами, просто розсипаються в наших руках».

Але не встиг я насолодитися своїм успіхом, як мій невеличкий коридор заблокували.

— Нам дуже прикро, Пітере, — сказали мені продюсерки на *ТНТ*, — але наказали припинити зйомки… нам наказали припинити зйомки «соціальних» фільмів. Розумієте…

Їм було трохи незручно говорити це (серед них була одна рудоволоса, яка прийшла на зміну яскравій брюнетці, що одружилася і виїхала до Лондона). Мені стало незручно від їхнього дискомфорту, і я кивнув. Певна річ, я розумію. Я навчився все схоплювати з пів слова. Я не запитав чому. Я не сперечався, що рейтинги мають бути нашим пріоритетом. Існують негласні бар'єри. Кремлівська хвиля чисток закінчилась. Унаслідок фінансової кризи на Заході знизились ціни на нафту, і тепер у Кремля стало менше грошей на загравання з реформами. Тепер нам потрібен спокій. Економіка входить у кризу.

Коли я ближче до вечора виходжу з *ТНТ*, неонові лампи суші-барів уже освітлюють темні гори брудного кислотного місива: хімікати, які місто викидає у гравій, палять лапи заблудих псів. Можна почути їхнє скиглення, коли вони туляться до теплих труб уздовж будинків. Пара оркоподібних поліцейських, яких москвичі почали називати «перевертнями в погонах», патрулюють дільницю. Я намагаюся не витріщатися і пройти повз них у московському стилі — з опущеною головою та затятим обличчям. Головне — не зловити їхнього погляду, адже одна з багатьох моїх реєстрацій протермінована. Але вони здатні відчути мій страх, виплюнувши фразу, що є знаком їхньої влади: «Документи! Швидко!». Я знаю сценарій. Вони пастимуть мене до темної частини двору. Потім відбудеться звична московська оборудка — непомітне давання хабаря. Купюру в п'ятсот рублів я вже того ранку встромив між сторінок мого паспорта (тариф зростає, коли погіршується економічна ситуація). Але ніколи не пропонуйте грошей безпосередньо. Давання хабаря вимагає певного рівня делікатності. Росіяни мають більше слів на позначення «хабаря», ніж ескімоси для «снігу». Я використовую своє улюблене формулювання: «Чи можу використати цю нагоду, щоб продемонструвати вам свій знак поваги?». «Звісно, можете», —

відповідають перевертні, раптово посміхаючись, і кладуть готівку під свої поліцейні кашкети. Все, що їм завжди потрібно, — це трохи поваги.

І хоча мене постійно б'ють легкі дрижаки, я досягнув на цій ниві значного успіху.

Сни літньої ночі

По всьому місту на великих білбордах висить реклама: пара гарних чоловічих очей визирає з темної кімнати крізь щілину у дверях, водночас шпигуючи за перехожими та благаючи їх звільнити його. Це реклама однієї з компаній Ґріґорія, яка постачає офісні меблі (чорні продаються найкраще) для щойно збудованих офісних центрів нової Москви. У свої тридцять із гаком років Ґріґорій — один із наймолодших московських мультимільйонерів, який сам усього досягнув, один із хлопців, які миттєво збагатилися в 1990-ті роки, коли на коні були підприємці, а не бюрократи.

Ґріґорій найкраще відомий Москві своїми грандіозними вечірками — оазами, де ми ночами уникаємо магнатів і перевертнів. Сьогоднішня ніч присвячена одруженню Ґріґорія. З цієї нагоди він орендував палац, подібний до Версаля в мініатюрі. Перед входом до парку групи художників-гримерів із московських кіностудій одягали гостей у костюми кіногероїв. Тема цього вечора — «Сон літньої ночі». Той самий натовп крутиться навколо Ґріґорія з тижня в тиждень, перевтілюючись для його чергової фантазії. У парку повітряні гімнасти на невидимих канатах літають між деревами, синхронні плавчині, переодягнені в русалок із яскравими срібними хвостами, роблять сальта й пірнають у темне озеро. З води стріляють ґейзери:

Дія друга · Тріщини у кремлівській матриці

краплі, падаючи, потрапляють під промінь світла й утворюють веселку серед ночі. Усім цікаво, де наречений із нареченою? Прожектори підсвічують озеро. Ґріґорій і його наречена, обоє в білому вбранні, з'являються із протилежних боків на окремих човниках, дизайнованих як черепашачий панцир.

Черепашачі панцирі магічно наближались один до одного (їх підштовхували, як я потім дізнався, водолази). Човни зустрілися на середині. Закохані взялися за руки та рушили босоніж по воді, не провалюючись. Підвішені над озером, вони повернулись і пройшли по воді до нас, а їхній шлях освітлювався лазерами. Усі ми, приголомшені цим дивом, зааплодували. Цей ефект було досягнуто за допомогою таємної доріжки, спеціально встановленої під водою, але все одно це виглядало божественно.

Утім настав понеділок і Ґріґорій повернувся до світу корумпованих чиновників, які вимагали хабарів. Світ бізнесменів занепадає. Навіть реклама компанії Ґріґорія немовби свідчить про приховану соціальну гостроту: чи, бува, оце око, що визирає крізь двері, не натяк на «Великий Брат дивиться на тебе»?

Із Ґріґорієм мене познайомила моя давня університетська подруга Карін. На батьківщині я пам'ятав Карін у сандалях і строкатих спідницях, із кучерями, що вічно спадали на очі. Потім вона подалася до Москви і пережила метаморфозу: тепер у неї висока зачіска, оголена спина і дизайнерські туфлі на підборах замість сандалів Birkenstocks. Її змінило знайомство з якимось російським хлопцем. Це був Ґріґорій. Коли я вперше приїхав до Москви, вона нас познайомила. Він мешкав в одному з нових хмарочосів, його пентхаус нависав над містом, що розверзалось унизу. Квартира була спеціально дизайнована для Ґріґорія, її демонстрували у глянцевих архітектурних журналах: відкрите планування, все біле, багато пластику. Видовище майбут-

157

нього або ж психлікарня. Ґріґорій пройшов шлях багатьох московських новобагатьків: упевненою ходою з дивним і різким стривоженим поглядом. Він був маленький і гнучкий, із вічно юним обличчям хлопчика з хору.

Роззирнувшись, я помітив, що у квартирі, схоже, немає жодної ознаки особистої історії — жодних старих книжок, одягу, виробів зі срібла і фотографій. Немовби Ґріґорій з'явився з порожнечі.

Згодом я дізнався про нього більше.

Він виріс у Татарстані. Його батько був звичайним радянським нафтовиком, маленьким гвинтиком у величезній державній енергетичній компанії. Дорослішаючи, молодий Ґріґорій робив успіхи в математиці та фізиці. Це був типаж спокійного хлопчика, який годинами просиджував у туалеті, самозабутньо читаючи шахові книжки і вивчаючи напам'ять партії великих гросмейстерів. (Одного разу я з ним грав і він розбив мене за десять ходів.) Його таланти швидко помітили, і в 1980-ті роки його відправили до спеціалізованої фізико-математичної школи в Москві, у якій викладали лауреати Нобелівської премії, де його та інших учнів перемелювали та перековували на першокласні інтелектуальні війська на славу Радянської імперії. Настала *перестройка*, і Радянський Союз скрипів та погойдувався. На нові чорні ринки почали проникати фільми, книжки та музика із Заходу. У кожного сформувалася власна версія Заходу, свій колаж свободи. Ґріґорій підсів на Фредді Мерк'юрі, пізні фільми Пазоліні та Джармена, дадаїстів і Ґріневея, і все це було настільки далеко від Радянського Татарстану, наскільки можливо уявити. Він закінчив навчання з розпадом Радянського Союзу. Для старшого покоління, для людей на кшталт президента, розпад імперії був трагедією. Але для покоління Ґріґорія, молодих двадцятирічних людей, це означало, що раптом будь-що стало можливим.

Ґріґорій почав із виробництва власних комп'ютерів. Вони продавалися дуже добре. Незабаром він зібрав групу з інших студентів, які працювали з ним. Зв'язався з банками. Потім настав новий світ загроз і особистих охоронців. На вечірках люди перешіптувалися, мовляв, йому пощастило, що він досі живий.

— Найгірше — це коли люди винні тобі гроші, — сказав мені одного разу Ґріґорій, коли ми їхали новим срібним спортивним автомобілем крізь лісові хащі в Підмосков'ї. — Поки ти винен їм, вони тебе ніколи не вб'ють. Але якщо вони винні *тобі*, то швидше вб'ють, аніж заплатять. Я мрію про можливість вийти надвір без особистих охоронців. Мрію про нормальне життя. (Джип охоронців видно було у дзеркальце заднього виду.)

— Що саме тобі потрібно від Москви, Пітере? — запитав він мене іншим разом, коли ми пили яскраво-блакитні коктейлі.

— Ну, знаєш, це місто на підйомі. Постійно росте й росте.

— Лише іноземець може так думати. Це місто пожирає себе.

А потім одного разу, міркуючи про відновлення наукової діяльності, але цього разу в царині політекономії, він сказав:

— Має існувати якийсь спосіб, як змусити Росію запрацювати. Мусить!

Щоразу, коли я зустрічаюся з Ґріґорієм, його супроводжує Сєрґєй, який формує оточення навколо свого шефа: запрошує художників, режисерів, акторів та іноземців, щоб Ґріґорій почувався в центрі богемного життя. Особистий кравець шиє Сєрґєєві одяг: плащі, чоботи до колін, твідові бриджі — витончений стиль некроманта XXI століття. Він знає спосіб, як змусити свої зіниці скорочуватись і збільшуватись, гіпнотично пульсуючи. Він керує зеленим вінтажним яґуаром (одна лише його поява в цьому місті, забитому чорними джипами та хамерами, є чимось на кшталт магії).

Сєрґєй і Ґріґорій навчалися разом у фізико-математичній школі й мешкали в одній кімнаті. Але після школи, поки Ґріґорій заробляв мільйони, Сєрґєй намагався стати художником. Згодом він відмовився від мистецтва і приєднався до містичної секти. Він повернувся, говорячи містичними загадками про «матеріалізацію мрій» і «перерозподіл реальності на сеґменти, якими можна подорожувати».

— Я цілитель Ґріґорія, його чаклун, — полюбляє говорити Сєрґєй. — А вечірки — це драми-містерії.

Іноді Ґріґорій насміхається з Сєрґєєвої одержимості містикою, але, схоже, з кожним тижнем потребує його дедалі більше, сподіваючись, що Сєрґєй візьме його попід руку й забере у кращий світ, просто у фільми, на яких вони виростали.

Одного вечора Сєрґєй прислав запрошення на нову вечірку Ґріґорія. Гостям казали приготуватися до арт-проєкту року. Цього разу неймовірно модні хлопці вбрались у чорне. З'являється Ґріґорій і його придворний фотограф (він затинається і єдиний тут п'є так само багато, як і я) ставить свій коктейль і починає витанцьовувати. Фотографічний бум — це суто московська фішка: всі багатії мають власних фотографів. Вони запрошують їх на святкування, вечірки, родинні зібрання. Ви робите це тільки тоді, коли ваше життя стає журналом.

Ґріґорій бере слово, і ми починаємо вечір.

— Сьогодні ми відкриваємо справжнє обличчя Росії, — каже Ґріґорій. — Знайомтесь, Скляров!

Вмикається світло, освітлюючи сцену в дальньому кінці клубу. На троні сидить чоловік із обличчям, як у ґарґульї, вбраний у царські шати. Погойдуючись, він спльовує і бурмоче. Ґуля на його чолі випирає, неначе невеличка друга голова, заштовхуючи очі у глибину його темних очниць. Очі стрибають по залі, як очі загнаного звіра. Це Скляров. Сєргєй підібрав його в барі вокзалу одного брудного провінційного містечка. Скляров був місцевим божевільним і дивовижним писакою: конспірологічні теорії, абсурдні політичні утопії, божевільні проєкти ідеального міста. Показуючи його тексти Ґріґорію, Сєргєй був у захваті: то був істинний голос нової Росії. Вони доправили Склярова літаком до Москви (досі він ніколи не літав, тож забруднив сидіння), поселили його в найкращому готелі на найвищому поверсі та сказали, що його ідеями зацікавилися люди в найвищих ешелонах влади. Цього вечора вони презентували книжку Склярова — його зливденні візії майбутнього країни. Сєргєй представляє цього жебрака як великого російського пророка, майбутнього лідера країни.

Скляров починає зачитувати фрагменти зі своєї книжки. Тримає її тремтячими руками. І оці його руки, вкриті шарами заводської кіптяви, бруду, крові та шлаками вокзальних туалетів, вражають найдужче. Книжка починається описом життя в його рідному місті, що в царську епоху мало якнайдоречнішу назву — Яма. Спочатку переляканий, Скляров читає швидко:

> *Психологічна ситуація в Ямі стає критичною, дедалі більше актів психологічного насильства. Насильство відбувається на патологічному, матеріальному, політичному, моральному, фінансовому та інших рівнях. Зростає рівень корупції серед чиновників, які мають на меті дестабілізувати психологічний арсенал людей.*

Ці описи нагадують абсурдистську сатиру на Москву. Неймовірно модні хлопці та дівчата розпружуються, аплодують та вітають Ґріґорія з арт-проєктом року. Скляров читає далі. У наступному розділі йдеться про деталі його біографії:

Що ж до історії мого життя з усіма його фактами, цифрами, подіями, судами, тортурами, плюсами, мінусами, злетами, падіннями, складнощами, простотою, реаліями, реалізмами, точками зору, версіями, темними, світлими та кольоровими фазами, почну з того, що народився о 4:20 1972-го року, в місті Яма, Радянський Союз. Я виростав у традиції, порядку та за інструкціями комунізму, хоча моя душа завжди бунтувала проти нього. 28 жовтня 1979 року мене прийняли в жовтенята. Я взяв свій жовтенятський значок і спустив його в унітаз зі словами: «Можливо, тобі, унітазе, годиться бути жовтеням».

Ґріґорій витріщається на ґарґулью. Коли жебрак розповідає історію свого життя, я помічаю, наскільки вони з Ґріґорієм є разючими відображеннями одне одного: народилися в ту саму епоху, обоє — породження системи, в якій зневірились, а тепер — у протистоянні з новою системою під орудою корумпованого чиновництва. Ґріґорій вважає, що живе у психушці, відповідно обладнавши свій пентхаус. Скляров провів усі роки свого становлення у справжніх психлікарнях: щоденник часів перебування у психлікарні — це більша частина його біографії.

Сєрґєй, як завжди, поруч із Ґріґорієм. Він задоволений своїм успіхом. Після акції їхня трійця береться попід руки і позує для фотографії. У цьому місті вони римуються.

Але схоже, що Ґріґорій щотижня потребує ще глибшого переродження. Щоразу я бачу його в новому костюмі: він трансформується для своєї нової костюмованої вечірки. Одного вечора він — ельф, потім — Гітлер, Распутін. Він тікає, змінюється і переживає метаморфози, то обтинаючи волосся, то відрощуючи, то зачісуючи його назад, то вперед. (Тільки охоронці залишаються незмінними. Їхній шеф — дивак, і я не можу зрозуміти, ненавидять вони його за це чи люблять.) Сєргєй радиться з місячним календарем, влаштовує вечірки, звіряючись із зодіакальними принципами. Коли Водолій у небі, він підписує угоду з керівництвом московського зоопарку й орендує на ніч дельфінарій. Тусовщики пірнають і плавають між слизькими вродливими дівчатами та дельфінами. Коли місяць молодий, тема вечірки «Біле». Ґріґорій, виносячи білого кролика у клітці, оголошує: «Сьогодні вечірка присвячена моєму переродженню, новому мені». Одного тижня Ґріґорій працює офіціантом у кав'ярні («Я хочу дізнатися, що означає бути нормальною людиною», — пояснив він мені), наступного — пише п'єси, літаючи настільки швидко, що жодна роль не може прилипнути до нього, а все місто навколо нього нуртує, гойдається куля для знесення і виростають ґотемсько-ґотичні вежі. А тепер наступають нахабні чиновники та чекісти, а в новинах з'являється те саме повідомлення: «Наш великий президент приніс стабільність». Але я бачу тільки те, як зжирають таких яскравих хлопців, як Ґріґорій.

Також зростає вплив телебачення. Спочатку формула успіху *ТНТ* полягала в переробленні таких популярних західних шоу, як «The Apprentice» або «Dragon's Den». Вони здобули успіх у всьому світі, тож чому й тут не спробувати? Але коли *ТНТ* зробив російські версії, вони провалились. Передумовою більшості західних шоу є те, що ми в цій індустрії називаємо «надихаючим»: хтось важко працює і як винагороду отримує прекрасне нове життя. Ці шоу славлять непересічну особистість, яскравого екстраверта. Але в Росії цей тип закінчує тюрмою або вигнанням. Росія винагороджує людину, яка діє крадькома, сірого апаратника, майстра кулуарної політики. Шоу, які спрацьовують тут, ґрунтуються на іншому комплексі принципів. Досі найбільший успіх мало шоу «*Последний герой*» («Останній герой»), версія «Survivor», шоу, що ґрунтується на приниженнях та поневіряннях.

Поволі Ґріґорій, як і тисячі інших росіян, починає непомітно перебиратись у безпечний і спокійний Лондон. Щороку він дедалі менше часу проводить у Москві. Він осів поза межами Росії. Має дітей. Він викладає фотографії свого нового життя на сторінці у Facebook: ось він на фестивалі трансової музики в Аризоні, а ось — серед снігів Ісландії і в горах Шотландії. Тепер Ґріґорій почувається достатньо спокійним, щоб відмовитися від охоронців. І хоча він має всі гроші світу, однак полюбляє проїхатися західним Лондоном у великих червоних рейсових автобусах.

*

Попри весь їхній реставраційний гедонізм, у блискучій веремії грандіозних і веселих московських ночей є щось дуже штучне. Одного разу провели «Путин-party» у Heaven — одному з клубів, куди Альона ходить на полювання. Стриптизерки звиваються навколо пілонів, співаючи: «Я хочу тебе, прем'єр-міністре» (тоді президент на короткий час грав роль прем'єр-міністра, хоча насправді, як і раніше, перебував при владі, як і раніше, був справжнім президентом, хіба переодягнувся у прем'єр-міністра, мов на маскараді). Настрій на «Путін-party» — це суміш феодального схиляння і грайливої, постмодерної іронії: запобігання перед хазяїном цілком щире, але позаяк ми всі вільні люди XXI століття, поціновувачі фільмів братів Коенів, ми запобігатимемо з іронічною посмішкою, хай і визнаючи, що досить швидко розпрощалися б із життям, якби колись стали на його шляху.

Отже, після барокових клубів з їхніми форбсами та дівчатами, десь близько другої ночі, я одягав пальто, в'язав шарфа і, ковзаючи та шпортаючись на чорному льоду, рушав до одного з барів Міті Борісова. Колись я ходив до його маленького бару в підвалі на Потаповській, потім до його однокімнатного закладу на вулиці Герцена. Там можна було зустріти ті самі обличчя, на які я колись натрапляв на більш гламурних вечірках: бари Борісова не є «підпільними» закладами і вони не надто дешеві. Якість їжі коливається між стерпною і гидотною, питво — тепле і часто в неправильних пляшках. Там можна було зустріти й самого Борісова, але він п'яний уже стільки років, що його одутле й змарніле обличчя дивиться крізь тебе, коли ти заходиш, хай одного разу ви й присягалися у вічній дружбі. Він надто скупий, щоб встановити кондиціонер, і в барах стояв такий дим від смердючих російських сигарет, що там міг задихнутись і завзятий курець. Попри це, коли ви заходили туди, дихалося там значно легше, ніж у всіх інших закладах.

Бари Борісова долучилися до єдиної безперервної московської традиції — радянських дисидентів і нонконформістів, традиції, що народилася на радянських кухнях і не мусила перевинаходити себе після 1991 року, тому що раніше ніколи не підлаштовувалася на більшовицький лад. Вона просто продовжила своє існування на кухнях і в барах Борісова. Батько Борісова, професор літератури, відсидів у тюрмі (він розповість тобі свою історію о четвертій ранку), і його першим закладом була стара квартира, куди ви приносили свої пляшки і читали власні вірші. Тепер клієнтура коливається між старшим поколінням шістдесятирічних і поколінням їхніх дітей та онуків. Тут немає фейс-контролю, але Борісов може вигнати вас, якщо ви не зумієте відрізнити вдалу риму від невдалої.

Вночі я переходив з одного борісовського бару до іншого. Він заснував купу закладів на одній вулиці, тому ти не мусив покидати цього світу. «Квартира 44» дизайнована як дисидентська квартира 1970-х років, з тими самими книжками, які ти бачив у квартирах своїх батьків. (Ми знову п'ємо на кухнях, хоча тепер за цей досвід треба платити.) «Жан-Жак» — тематичне французьке бістро, «Джон Донн» — англійський паб. Але вони схожі радше не на порожню стилізацію, натомість на іронічні вияви уявної еміграції, ніби зазирання в білогвардійський еміграційний ресторан у Парижі 1920-х років або в лондонський паб XIX століття, заповнений противниками царизму. Від смеркання до світання всім нам хочеться втекти від президентської Росії.

І якщо наступного дня в мене все ще є настрій, я подамся до великої жовтої концертної зали на вулиці Герцена й замовлю великий вірменський бренді в барі величного пошарпаного мармурового фоє зі скибочкою лимона до нього (завжди вимагайте свіжої). Я проходжу повз прилавки, прямую просто нагору і вмощуюся на гальорці з блідими, вразливими студентами консерваторії і худорлявими старими дівами, зазвичай учительками музики, від яких пахне бренді і які цілком переконані, що ці концерти тільки для них. І коли дістаюся до свого місця і, нарешті, роззираюся, то помічаю дещо незвичне — світло. Більшість концертних зал класичної музики мають лише штучне освітлення. Але тут, на вулиці Герцена — великі, аркові вікна, крізь які видно небеса. Лише небеса. Не видно жодних дахів. І якщо вам пощастить, можна побачити смеркання, і небеса стануть кольору бренді. Коли починається музика, я завжди маю відчуття, що концертна зала трохи піднімається. А якщо дме вітер і швидко пересуваються хмари, у вас з'являється надзвичайне відчуття, ніби летите в дирижаблі, підживленому коньяком, лимоном, вітром, небесами та музикою.

Дія третя

ФОРМИ ДЕЛІРІЮ

Загублені дівчата

Коли Руслану Коршунову в 16-річному віці вперше помітили як потенційну топ-модель, загальну увагу привернули саме її очі. Великі та безжально-блакитні, сяйво її сибірського походження, сяйво далеких країв білого зимового сонця на снігових просторах. Їхню притягальність посилював невеличкий фізичний недолік: під нижньою частиною повік Руслани були невеличкі виїмки, немовби постійно наповнені рідиною, а отже, завжди сяючі, від чого складалось враження, що вона готова розплакатись або щойно плакала. І неможливо було визначити, радість у її очах чи печаль. Решта її обличчя, що різко контрастувала з цими глибокими, світлими, блакитними, складними очима, була суцільною невинністю. Очі тридцятирічної жінки, радше акторки, ніж моделі, на дитячому обличчі.

У 18-річному віці вона стала обличчям кампанії «магічних, чарівних парфумів» Nina Ricci. Можливо, ви навіть пам'ятаєте цю рекламу, зроблену в казковому стилі. Руслана в рожевій бальній сукні з довгими кучерями входить до білої зали палацу. Зала порожня, якщо не зважати на голе та змарніле дерево, на якому нема нічого, окрім флакона духів у формі рожевого яблука, яке звисає з однієї гілки, та величенької гірки темно-червоних яблук біля дерева. Руслана бачить рожеве яблуко, і камера фокусується на тому, як вона задихається від підліткового захвату. Вона спинається на гору яблук, усе вище і вище, аж до верху, і досягає об'єкта бажання.

За два дні до свого 21-річчя вона помирає. Ця новина була в усіх таблоїдах, кабельних каналах і глянцевих журналах: «Російська топ-модель загинула, вистрибнувши з вікна своєї квартири на дев'ятому поверсі в центрі Мангеттена. Попередня версія — самогубство. Записки загиблої не знайдено».

У момент зіткнення її тіла із землею історія обросла катастрофічною кількістю чуток. Чи були це наркотики? А може, кохання? Мафія? Проституція? Вона вибухнула тисячею інших Руслан — наркоманки, повії, покинутої коханки. І через усі ці чутки магічне обличчя дівчини дивилося на мене.

Я мав «доступ» — це магічне слово так обожнюють усі документалісти та телепродюсери. Один мій друг знав друзів Руслани та її родину. Упродовж кількох місяців після її смерті вони уникали документалістів, але для мене зробили виняток. Збуджений, я зателефонував до *ТНТ*. У цій історії було все. Там була Москва, Нью-Йорк, Лондон і Париж. Гламур і трагедія. Це було найлегше замовлення в моєму житті. Мені дали навіть більший аванс, ніж зазвичай для зйомок фільму.

— Але не робіть його надто похмурим, — сказав *ТНТ*. — Пам'ятайте, що нам потрібні позитивні історії.

Вона загинула на Вотер-стрит, на розі з мангеттенською Волл-стрит, де фінансовий квартал переходить в Іст-Ривер. Я приїхав туди холодного й вологого вечора. Протягом робочого дня цей район заповнений офісними працівниками, але після шостої вечора швидко порожніє. Щойно рушають додому останні службовці в жалобних чорних костюмах, зачиняються кав'ярні. Квартира Руслани розташована в єдиному житловому будинку на цій вулиці. Це дванадцятиповерхова бетонна зубчаста споруда, поверхи якої під різними кутами ніяково туляться до рогу. Тут мешкає кілька родин, лише втомлені торговці та комівояжери, піхотинці глобалізації — продавець пакистанської вовни, малайзійський аспірант. Моделі-контрактниці передають квартиру Руслани одна одній.

У поліційному рапорті про її смерть є фотографії орендованої квартири: там немає ні книжок, ні світлин на стіні, ні картин. Двері було зачинено зсередини. А двері на балкон — відчинені. На підлозі валялися недокурки — вона завжди там курила. Балкон був прикритий чорною тонкою сіткою від сусіднього будмайданчика. На балконній підлозі лежав кухонний ніж. Сітку прошив довгий розріз: вочевидь, вона взяла ніж і прорізала отвір. Балкон розташований на тому боці, який не виходить на вулицю. Вона не могла випасти звідти. Будь-яке падіння зупинилося б на нижніх поверхах. Був невеличкий отвір на риштованнях будмайданчика. Він був настільки малий, що крізь нього могла пролізти тільки тендітна дівчина. Коли приїхали поліцейські, ніхто з них не зумів туди пролізти.

Сусідня коробка нового п'ятнадцятиповерхового офісного центру вже була зведена. Бетонна оболонка зі сходовими маршами та стінними перегородками, але без фасаду. У поліційному рапорті не вказано, як довго вона проблукала порожнім будмайданчиком. Кількома рівнями вище поверхи випирають на вулицю, як трампліни. Можливо, це сталося там? У поліційному рапорті не вказано, звідки вона стрибнула.

Тієї суботи, коли дівчина загинула, вулиця була майже порожня. Це був найспекотніший день року, розпал гарячого, до головного болю, нью-йоркського літа. На вихідні банківських працівників не було, і в розпал літа всі, хто міг, покидали фінансові квартали. О 12:45 один муніципальний працівник, який працював на вулиці, почув страшенний гуркіт: «Я подумав, що автомобіль збив людину. Обернувся і побачив дівчину, яка лежала посеред дороги», — розповів він поліції. Вона лежала прямо на роздільній смузі, за 8,5 метра від будинку. 8,5 метра. Топ-модель не зробила кроку і впала. Вона розбіглась і полетіла.

Уночі перед смертю Руслана була з Владою Росляковою, дівчиною Chanel. Мені вдається зловити її у Нью-Йорку: вона збирається знову летіти, кудись до Азії. Ці дівчата зовсім не подібні до самих себе на фотографіях. Знервовані, з розгубленими поглядами, не зовсім упевнені, на чому зосередитись. Припускаю, що тільки позуючи для своєї роботи вони повертаються до норми. Доти вони дивним чином перебувають у перехідному стані. Але обличчя Влади досконало пропорційне: під час інтерв'ю вона дуже чітко тримається в центрі кадру.

— Ми повечеряли в нашому улюбленому бістро на Мангеттені. Планували її можливий приїзд до Парижа на кілька днів. Увечері того ж дня я полетіла до Парижа на зйомки. Вона написала мені есемеску, коли я прилетіла, переконатися, що я добре дісталася. У Нью-Йорку тоді мав бути ранок. А потім, через кілька годин… через кілька годин я побачила в новинах, що вона загинула.

— Ви помітили щось незвичайне?

— Ні. Але більшу частину останнього року вона провела в Москві. Тому ми бачились не часто.

— Чи була вона чимось засмучена?

— Ні.

— Чи була вона під чимось?

— Ні!

— Як ви думаєте, чому вона вкоротила собі віку?

— Я відмовляюся… Я не можу… Я не вірю, що вона це зробила.

Влада характеризує Руслану як «милу», «чесну» та «розумну». «Як дитя». Вона повторювала цю фразу: «Як дитя». Під час усього інтерв'ю в мене за спиною сидить мама

Руслани. Влада погодилася говорити лише тому, що мама її попросила, і я не можу точно сказати, чи розповіла вона все, що знає. Я чув, як її мама ловить повітря, стримуючи сльози впродовж нашої розмови. Коли надходить її черга давати інтерв'ю, вона, плачучи, вибігає з кімнати після всього лише кількох запитань.

— Я не повинна була її відпускати. Не повинна. Вона була дитиною. Вона не була готова до цього світу.

У матері такі самі очі, точно такі самі очі, як і в Руслани, і під час розмови з нею мені здавалося, немовби Руслана тут певним чином присутня. Вона говорила тихим, пронизливим голосом, що трохи різав вухо.

Валєнтіна ненавидить пресу, телебачення, журналістів — усіх, хто наважився і спробував розповісти історію її доньки.

— Чому всі вони говорять, що вона була наркоманкою і повією? Як вони сміють? Як ви можете просто взяти людину й говорити про неї, якщо ви ніколи її не знали? Яке вони мають право?

Я пообіцяв їй, що буду іншим. Зразки органів і крові Руслани зберігаються у сховищі нью-йоркської судмедекспертизи. Валєнтіна дозволяє мені надіслати зразки крові для повного тесту на наявність слідів важких наркотиків. Вона також наполягає, щоб ми перевірили її на вміст руфінолу та хлороформу або будь-яких інших речовин, які могли використати, щоби її заморити.

— Вона б ніколи не змогла вбити себе, — наполягають в один голос Валєнтіна і Влада. — Вона не була *такою*.

*

Руслана росла в казахському місті Алмати. Родина була російська: батько Руслани — офіцер Радянської армії, і Казахстан виявився останнім місцем його служби перед розпадом СРСР. Потім він пішов у приватний бізнес.

— Ми були заможними. Одними з найперших були по-справжньому заможними, — розповіла мені мама під час прогулянки Нью-Йорком. — Але його вбили.

На той час Руслані було лише п'ять років. Вона мала молодшого брата Руслана. Руслан і Руслана.

— Ви дали їм однакові імена?

— Так, і це прекрасно. Правда?

Валєнтіна взялася за пошуки роботи. Вона зайнялася адресними продажами. Американські косметичні компанії саме розширювали свою діяльність у Казахстані. Їхній бізнес занепадав на Заході, але розквітав на Сході.

Валєнтіна записалася на курси, щоб стати зразковою продавчинею. На них проповідували, що кожній людині можна продати будь-що, варто лише повірити в себе. Вони навчали її «таємниць» успіху в торгівлі: варто змусити клієнтку тричі сказати «так» під час першого контакту з нею, наприклад у розмові про погоду, і це налаштує її на те, щоб сказати «так», коли та запропонує помаду або крем проти зморщок. На пострадянському просторі такі компанії були надзвичайно успішними: перспектива збагачення, таємне знання і західна краса — усе в одному пакеті. (Пастка в тому, що торговельних представників насправді обманювали. Вони були змушені купувати косметику гуртом і потім дивитися, чи вдасться її продати. Вони почувалися продавцями, але, по суті, були покупцями.)

— Я була однією з найкращих, — розповідає мені Валєнтіна, і в її словах майже відчувається корпоративна гордість. — Я досягла рівня менеджера середньої ланки.

Валєнтіна віддала Руслану до місцевої німецькомовної школи, яку вважали найкращою в Алмати. Вчитися там було престижно. Руслана носила зубні брекети, отримувала високі оцінки й готувалася до вступу в німецький університет. Її волосся сягало колін.

— Таке прекрасне волосся, — згадує Валєнтіна. — Я допомагала їй мити його. До п'ятнадцятирічного віку вона ніколи не мила волосся сама.

Коли пролунав дзвінок від скаутки модельного аґентства, Валєнтіна розсміялась. Модельний бізнес як прийнятний вони не розглядали. Він попахував проституцією. Руслана ж збирається до університету. Але скаутка і далі надзвонювала. Вона пояснила, що робота моделі — найкращий спосіб заплатити за освіту в університеті, навіть в Англії чи Америці. Руслана одразу ж поїде на Захід, їй не доведеться затримуватись у Москві. Вони спробують її на Лондонському тижні моди.

— Лондон, нарешті я побачу Лондон! — сказала Руслана мамі, коли благала про поїздку.

*

Скаутку звали Татьяна Череднікова. Я знайшов її в Москві. Вона саме збиралася в аеропорт, тож ми говорили на задньому сидінні машини. Я очікував побачити когось у дизайнерському одязі й на підборах. Татьяна була абсолютною протилежністю. Вона носила теплий светр з оленями та зимові чоботи. Ми слухали диск із різдвяними колядками на плеєрі. Наближалося Різдво за григоріанським календарем (російське Різдво — у січні). Татьяна перейшла у протестантизм під час поїздок до Європи й Америки.

— Суть у тому, щоби важко працювати та бути чесним, — сказала вона мені про свою нову віру.

Я спитав про Руслану.

— Звісно, я почуваюся винною. Вона жила собі тут щаслива зі своєю мамою, готуючись до університету, — і раптом з'являюсь я і кажу: «Агов, ласкаво просимо до світу модельного бізнесу, тут прекрасно…» А потім усе воно закінчується так, як сталось… Але я справді думала, що це був би для неї добрий спосіб заробити на навчання в університеті. Для багатьох дівчат це шанс.

Вона говорить це просто, жодних ознак облуди. Я запитав її, як вона знайшла Руслану.

Татьяна проводить половину свого життя в дорозі. Її життя — нескінченна вервечка вилиць, ніг, сідниць, губ. Вона бачить тисячу дівчат за рік. Можливо, троє з них пробивається в топ-моделі. Колишній Радянський Союз — її територія. У часи Холодної війни були шпигуни, які знали цю країну, вивчали її, ретельно досліджували кожну деталь: кожен квартал новобудов, кожну брудну дорогу, кожен завод. Тепер цим займаються скаути. Воронеж, Мінськ, Караганда, Алмати, Ростов — ці великі джерела краси, дівочої сировини для перекачування та перероблення. Чимало людей ніколи й не чуло про ці місця. Татьяна знає їх ізсередини. Радянський Союз займав 20 % світового суходолу. Його колишні республіки видобували 15 % світової нафти. Але понад 50 % моделей на подіумах Парижа й Мілана походять із колишнього СРСР.

У 2004 році Татьяна поїхала до Казахстану. Вона була серед членів журі конкурсу «Міс Алмати». Туди її запросили місцеві бізнесмени. Їм хотілося, щоб вона вибрала одну з їхніх дівчат, чимало з яких були їхніми коханками, і забрала її до Парижа. Але всі дівчата були цицькаті та сракаті. Олігархи сиділи, висолопивши язики. Але нічого, що задовольнило би потреби Парижа та Мілана, в них не було. Вона також пройшла всі тамтешні аґенції. Але ніхто не звернув на себе її увагу. Не поїздка, а суцільне розчарування.

Татьяна летіла назад. Вона закінчила читати якесь чтиво в м'якій обкладинці набагато швидше, ніж думала. Жінка похапцем проглянула розважальний бортовий журнал.

І раптом зупинилась. Десь між рекламою віскі та статтею про казахстанську флору було фото дівчини. Прекрасної. Саме фото було зроблено із сумнівним смаком: напіводягнена худорлявка в етнічному одязі зображала щось середнє між Лолітою та Мауґлі в джунґлях пластикових дерев. Але сама дівчина була прекрасною. У її блакитних очах закарбувалася вічність, так потужно і глибоко, що все — Татьяна, літак, хмари — здавалося поглинутим її поглядом. В очах цієї молодої дівчини все це виглядало іграшковим.

Одразу після приземлення Татьяна зателефонувала до своїх колег з московської модельної аґенції. «Знайдіть цю дівчину, — казала вона. — Знайдіть цю дівчину».

Але Руслана не була моделлю. Жодна аґенція не чула про неї. Зрештою вони знайшли фотографа. Руслана дружила з донькою редактора журналу. Вони зробили фотографії для розваги, для статті про амазонок. Те, що Татьяна знайшла ці фотографії, було чарівною випадковістю. Казковим сюжетом.

— Її одразу ж найняла одна лондонська аґенція. Вона брала участь у шоу в Лондоні, Парижі, Мілані. Лише у свята чи на канікулах. Згодом, уже працюючи на повну силу, вона зателефонувала, щоб подякувати. Нечасто можна почути «дякую» від моделі. Руслана була іншою.

— Як ви думаєте, чому вона вчинила самогубство?

— Вона була найбільш емоційно стабільною моделлю з усіх, кого я знала. Найврівноваженішою. Найосвіченішою. Це просто не тримається купи.

Рух ставав перевантаженим, ми ледь устигли на Татьянин рейс. Вона побігла до зони вильоту.

Але перш ніж піти, вона обернулась і сказала:

— Якщо ви побачите маму Руслани, перекажіть їй від мене сердечне вітання. Скажіть, що я щодня думаю про Руслану. І якщо вам треба буде мене знайти, майже щонеділі я в церкві.

*

Я знаходжу відео першої поїздки Руслани до Лондона, її першої подорожі за межі колишнього Радянського Союзу. Підліток — ні, дитина: у кенгурушці у вітряний лондонський день, що знимкує Таверський міст, то криво усміхаючись, то широко сміючись, намагаючись у цей час приховати свої брекети. Потім вона знімає свою кенгурушку і на плечі спадає важке золоте волосся до самих колін. У модельному світі її прозвали «російською Рапунцель».

Маша була її найкращою подругою в перші дні перебування Руслани в Європі. Ми зустрілися під час Днів моди в Москві. Коли я проходив за лаштунками під час шоу, мене вразило, наскільки молодо ці дівчата виглядають. Навіть не як німфетки, а просто худорляві хлопчики, що ще не досягли статевої зрілості.

Маші двадцять з гаком, але вона досі виглядає на п'ятнадцять. Має карі очі, як в оленятка Бембі. Вона зустріла Руслану в Лондоні на її сімнадцятий день народження. Це був перший сезон Руслани в модельному бізнесі.

— Хто мив їй волосся? — запитав я, щоб почати розмову.

— Усі ми по черзі у квартирі. Коли ми вперше зустрілися, в мене було враження, що Руслана моя дитина. Вона була настільки невинною, — сказала Маша.

Вони разом знімали на шістьох квартири в Лондоні, Парижі й Мілані. У ті дні постійно відбувалися кастинги. Життя стислося до параметрів 90–60–90, розглядання ніг-стегон-грудей одна одної напруженими дівчатами, що відчайдушно прагнуть бути вибраними, адже кожна відмова для них — це удар, який свідчить, що ваше тіло ні до чого не надається і що з вами щось не так. Ми вважаємо моделей ідеальними. А вони думають лише про те, чому вони зовсім не підходять.

— Руслана плакала. Вона сприймала відмову близько до серця. Але потім опановувала себе. Писала вірші, щоби заспокоїтися:

Замість скаржитися на трояндові колючки,
Я радію, що серед колючок росте троянда.

Дівчата часто були голодними: аґенції давали обмаль добових на їжу. І вони швидко закінчувались.

— У Парижі та Мілані відбувалися вечері: заможні чоловіки платили за вхід, а ми мали змогу прийти безкоштовно. Ми з Русланою ходили: це був наш єдиний шанс поїсти.

— І?

— Ці чоловіки бачили, що ми тут не *такі*. Для багатьох дівчат робота моделлю — це просто шанс зустріти заможного чоловіка. Чоловікам не треба було докладати багато зусиль, щоби з кимось переспати. Такі речі постійно відбувалися навколо.

Деякі дівчата, російські дівчата з кінця географії, які росли без водогону, божеволіли, занурюючись у вир шампанського, кокаїну та розпусти. Але не Руслана.

— Ми були дурочками, — розповідає Маша, — які рано лягали спати.

Руслана швидко досягла успіху. Протягом року вона вперше знялася для журналу Officiel. Спрядене, мов морські водорості, довге волосся обплітає її тіло. Її обличчя змінене саме настільки, щоб перетинати межу дитячості і сексуальності. Але радше не лолітоподібне, а казкове. І, звісно ж, погляд: тайга, Байкал, снігові простори.

Потім була реклама, яка взяла й змінила її життя. Nina Ricci. Чарівне дерево. Рожеве яблуко… і слава. Ця реклама катапультувала Руслану до світу обраних. Відомий фінансист Джеффрі Епстін, якого 2008 року запроторили до в'язниці за примус неповнолітніх до проституції, возив її на свій приватний острів у Карибському морі. Нові російські мегабагатії особливо прагнули, щоби їх бачили з новою російською топ-моделлю. Руслана щоразу більше часу проводила в Москві, вчащаючи до VIP-зал усіх найкращих клубів. Вона потрапила до омріяного світу всіх золотошукачок і кар'єристок. Саме в Москву вона закохалась і почувалася там як удома. Її успіх гармоніював із успіхами цього міста.

Руслана познайомилася з Алєксандром у клубі (хоча ніхто не може згадати, у Нью-Йорку чи в Москві). Він був одним із найвродливіших російських багатіїв-тусовщиків, і вона безтямно закохалась.

Люба, колишня міс Челябінськ, спілкувалася з Русланою під час їхніх стосунків. Любина московська квартира заповнена колекцією плюшевих ведмедиків. Наша розмова відбувається під акомпанемент дзявкання малого мопса.

— У дитинстві я зовсім не мала іграшок, — розповідає Люба. — А тепер надолужую. У мене вже понад дві тисячі ведмедиків. Із кожного міста, де я буваю, привожу кількох нових.

Вона розповідає мені про Алєксандра.

— Не такий він уже й молодий, але вродливий. Дівчата падають до його ніг. Він був із багатьма моїми подружками. І всі вони бездоганні.

Подружки, такі ж досвідчені моделі, як Люба, попереджали Руслану, щоб та не закохувалась. Але вона була переконана, що це справжнє почуття. Їй хотілося вийти заміж, народити дітей і жити спокійною родиною.

— У цьому була сутність Руслани, — каже Люба. — У ній було щось дитяче. Вона вірила. І їй подобалося, що він старший. Вона сумувала за батьком.

Руслана розповіла подружкам, що Алєксандр хоче одружитися з нею. Вона познайомила його зі своєю мамою. Вони жили разом.

Коли Алєксандр кинув Руслану, вона почала писати йому, сподіваючись на відповідь. Вона не могла їсти і спати. Втрачала вагу. Вона просила подружок переконати його змінити своє рішення. На своїй фейсбук-сторінці вона вміщувала вірші про нерозділене кохання:

Я дарувала любов і пробачала образи,
В серці своєму ховала біль і чекала на диво [...]

Ти знову йшов, залишаючи взамін
Замок рожевих мрій зі зруйнованих стін.

І ще:

Не мовчи, кохання моє, не мовчи.
Душа моя жадає тебе.
Повернись. Озирнись.
Сонце моє яскраве.
Я не можу дихати без тебе.

Зрештою, із нею зв'язався помічник Алєксандра і сказав, щоб вона його не турбувала.

І так само раптово, як Алєксандр кинув її, Русланина кар'єра зайшла у глухий кут. Дзвінки вщухли.

— Вона не могла зрозуміти, — розповідає Люба. — Раптом вона стала однією з тисяч дівчат. Ніким.

За кілька місяців перед загибеллю вона повернулася до Нью-Йорка в пошуках роботи. З'явився новий хлопець, Марк, російський дилер автомобілів представницького класу в Нью-Йорку, але краще знаний як тип, що розважався з усіма моделями.

— Мабуть, я єдина дівчина, яка не мала з Марком роману, — каже Люба. Руслана захопилась іншим плейбоєм, цього разу набагато біднішим. — Вона вірила.

Єлєна Обухова колись була моделлю. Тепер вона психолог.

— Погляньте на цих дівчат, усі вони розгублені. У Москві їх повно. Я б мала чимало клієнток: це дуже особливий процес. Я зрозуміла б їх набагато краще за звичайного психоаналітика.

Єлєну також відкрили випадково, на вулиці Ташкента, столиці Узбекистану, де, як і Руслана в Казахстані, вона була однією з етнічних росіянок-білявок, яких залишила після краху імперія. Ми гуляли весняною Москвою, і всі чоловіки витріщалися на гігантську білявку поруч зі мною.

Коли ми почали знімати інтерв'ю, стало очевидно, наскільки вона відрізняється від юних дівчат, з якими я вже розмовляв: у неї була поставлена мова, вона дивилася в камеру замість шукати в повітрі слова.

— Мені було п'ятнадцять, і я пам'ятаю, як підслуховувала під дверима в кухню. Скаут намагався переконати моїх батьків відпустити мене до Мілана. Я не могла зрозуміти, чому він вибрав мене, просто так на вулиці. Я думала, що я надто висока, потворна, всі у школі дражнили мене. А тепер я підслуховувала під дверима, як моїх батьків благають сказати «так». Італія! Я ніколи не була в Москві, вже не кажучи про Італію. А мій бідний тато не міг збагнути, що відбувається, бо думав, що модель і модельєр — це те саме.

Зрештою, її батьки дали дозвіл, але тільки після того, як вона закінчить школу. Їй було шістнадцять, ось-ось мало бути сімнадцять, коли вона потрапила до Мілана.

— Ох, я була так збентежена. Люди були приємні й прикрі водночас. Тобто вони гарно говорили, але гидкі речі. Я думала, що всі захоплюватимуться мною і я буду, як кінозірка. Але все вийшло навпаки. Ти особисто нікого не цікавила. Ти стала картинкою. І це було важко, тому що, дорослішаючи, я звикла розповідати про себе, жестикулювати, кричати, сміятись. Перша річ, яку ви засвоюєте в модельному бізнесі, — це те, що треба надягати маску, оволодіти арсеналом поз, гримас і усмішок. І перш ніж ти встигла це зрозуміти, ти вже втратила здатність нормально розмовляти й нормально усміхатись. Але тобі шістнадцять, сімнадцять, вісімнадцять, всередині все нуртує, однак сутність твоєї професії у притлумленні цих речей.

— А чоловіки?

— Ох, чоловіки. Вони товчуться навколо. Ти — приз, але вони сплять із дівчиною на фотографії, а не з тобою, і ти починаєш ставати своїм образом і втрачаєш себе ще більше. А потім ти починаєш зустрічатися з дуже типовим чоловіком, чиє життя присвячене тому, щоб закохувати в себе жінок. Ці псевдоромантики імітують стражденний внутрішній світ, одну за другою ошукуючи моделей романтикою, що, безумовно, додає їм трохи більше самооцінки. Усе здається просто ідеальним — автомобілі, приватні літаки, квіти, і ти починаєш думати, що це справжнє. А от коли ти стикаєшся з реальністю, то просто розбиваєшся на друзки. І ти доходиш до тієї точки, де не можеш збагнути, хто ти, що справжнє, а що фальшиве, і — я усвідомлюю, що це може прозвучати дивно, — ти починаєш відчувати, що єдиний спосіб для тебе знову стати справжньою — це самогубство. Моїм методом було повішання. Я стояла на підвіконні й зіскочила. Мотузка не витримала, і через кілька годин я отямилась — вся в синцях, але жива. Я просто відчувала сором, неймовірний сором.

Але коли я висловив припущення, що любов і кар'єра стали каталізаторами самогубства Руслани, її подруги та мама обернулися до мене і хором сказали:

— Тільки не Руслана!

— Вона не була такою!

— Вона б не вкоротила собі віку через якогось хлопця!

— Вона планувала вступити до університету і її не турбувало, залишиться вона моделлю чи ні. Це для неї зовсім не було важливо!

У Сполучених Штатах тест на наркотики, який ми надіслали, повернувся: в Руслани не знайдено жодних ознак вживання нелегальних наркотичних речовин за останні місяці. Але й інших речовин, які могли б її спонукати до самогубства, також не було.

Але що докладніше родина Руслани та її подруги досліджували поліційний звіт про її загибель, то скептичнішими вони ставали. Чому поліція не оглянула будівлі, з якої вона зістрибнула? Чому вони не визначили справжнього місця, з якого вона зістрибнула? Як вона могла вистрибнути вперед на 8,5 метра? Як? Вона безперестанку писала, але чому не залишила записки? Вона натякнула подружкам, що їй були винні гроші з попередніх контрактів. Чи могло щось подібне призвести до якогось конфлікту?

Я допоміг матері знайти посмертного судмедексперта, щоб перевірити докази. Він попросив зразки з органів Руслани: гістологічний тест мав показати, чи її органи припинили функціонувати до того, як вона впала на землю. Він мав зробити повторний розтин, щоби впевнитись, чи дасть він нові зачіпки.

*

Минає кілька місяців. Телефонний дзвінок. Ще одна модель вкоротила собі віку, цього разу в Києві. Вона була подружкою Руслани. Її звали Анастасія Дроздова. Вона також стрибнула з багатоповерхівки.

Люба добре знала обох дівчат. Вона безперестанку курить за лаштунками фешн-шоу і кусає губи:

— Спочатку Руслана, тепер Анастасія. Цікаво, хто з моїх подруг буде наступною.

Я телефоную на *ТНТ*:

— Сталося ще одне самогубство. Я їду на зустріч із батьками.

Продюсерки *ТНТ* обережні.

— Два самогубства трохи депресивно для нас. Нам потрібні позитивні історії. Будь ласка, майте це на увазі.

Я сидів з Ольгою, матір'ю другої дівчини, в київській кав'ярні. Вона низенька, колишня балерина. Офіціантка приймає замовлення, і це болісний процес: як вирішити, чи бажаєте ви додаткові вершки, якщо ви щойно втратили свою доньку?

— Я пізно повернулася додому. І знайшла записку: «Пробач мені за все. Кремуй мене». Я побігла в міліцію. Міліціонер недбало запитав: «Ви мама тієї дівчини, що викинулася з багатоповерхівки?» Я не знала, що відповісти. Вони показали мені сумку з кросівками. Кросівки належали доньці. Тепер не могло бути жодних сумнівів.

Потім у квартирі матері вона показувала мені домашнє відео Анастасії. Квартира у звичайному панельному будинку 1960-х років, але з гарним інтер'єром — нові підлоги та простора європейська кухня. Анастасія заплатила за нього як подарунок для матері. У дитинстві вони тулилися по гуртожитках, де провінційні театри селили танцівників. Батько покинув їх, коли Анастасія була маленькою. Мама віддала Анастасію до балетної школи.

— Вона принаймні мала би одну професію, яка зможе прогодувати, — сказала вона. — В СРСР балерини стабільно мали роботу. Тепер уже зовсім не так.

На домашньому відео видно, як Анастасія займається балетом у свої чотирнадцять років. Вона вища за решту, незграбна, шпортається під час піруетів. Ольга морщиться від її помилок. Сама вона низенька, кожен рух точний і невимушений.

— У неї координація була не дуже, надто висока й неповоротка для того, щоби бути танцівницею. Її критикували вчителі. Усе це було одним довгим приниженням. Але всі казали, що їй варто спробувати себе моделлю, мовляв, там її довготелесість буде ідеальною. Вона мене діставала: «Дозволь мені спробувати, дозволь мені спробувати». Я змусила її почекати до закінчення школи, а потім не могла втримати.

У Москві Анастасія ввійшла до першої п'ятірки на конкурсі Elite Model Look. Її балетний вишкіл допоміг їй набути ідеальної постави й руху. Вона потрапила на всеєвропейський конкурс у Тунісі, де була вибрана до п'ятнадцятки найкращих.

Коли Ольга бачила, як вона сходила з літака, то знала, що відбулось — тепер її донька була іншою людиною:

—Вона побачила новий світ, яхти, автомобілі й багатство, які я ніколи не могла б їй дати. Що можна сказати дитині, яка заробляє більше за тебе? Чого ти можеш навчити її?

У перші роки Анастасія поверталася додому, переповнена історіями про Європу, про всіх побачених людей і про всі вечірки, на яких вона побувала. Вона вирішила зробити своєю базою Москву. І поволі це здійснила.

—Вона ставала, як би то сказати, усе більшою матеріалісткою, — розповідає Ольга.

Мамині друзі менш поблажливі до її доньки:

—«Мені потрібен чоловік із грішми, з дорогою машиною, який може забезпечити мене будинком і відпочинком» — ось як вона заговорила, — розповідає Рудольф, колишній український чемпіон зі стрибків у висоту та бронзовий призер Олімпійських ігор, який зустрічався з Ольгою. — Вона мала дуже особливі бажання. Але в цьому плані я міг її зрозуміти. Модель схожа на спортсмена. Ти мусиш узяти від життя все, поки молодий.

Анастасія намагалася грати за московськими правилами. Вона крутила романи із заможними одруженими чоловіками, які обіцяли поселити її у престижних будинках на Рубльовці. Анастасія казала подругам, що вона «реалізувалась». Її улюблена фраза звучала так: «Я збираюся зачепитись за Москву, зачепитись!».

Але гра за московськими правилами зовсім їй не вдавалась. Вона закохувалася, хотіла бути єдиним об'єктом уваги для чоловіка. Але перебувала у стосунках, які апріорі ґрунтувалися на інших правилах. А тому вона завжди метушилась і обпікалась. Її взаємини з одруженими чоловіками руйнувались: вона то селилась у якомусь пентхаусі, то потім виїжджала звідти, ночуючи у подруг або винаймаючи квартирки з іншими дівчатами. Її кар'єра моделі рухалась не так, як планувалося. Катастрофою це назвати не можна, але й дівчиною з обкладинки вона не стала. До того часу, коли вона досягла двадцяти чотирьох років, віку її смерті, вона знала, що її модельна кар'єра закінчувалась.

В останній рік життя її поведінка почала докорінно змінюватись. Вона стала агресивною. Під час своїх останніх поїздок до Мілана, навесні перед смертю, дівчина проґавила кастинг, сварилася з іншими дівчатами. Її аґенти отримували дзвінки від італійських партнерів зі скаргами на її поведінку. Вони не могли зрозуміти цього. Вона завжди була професіоналкою.

Коли Анастасія приїхала додому того останнього літа, її неможливо було впізнати. Вона була страшенно худа — стегна лише 80 сантиметрів. Уже не кажучи про виснаженість. Вона виглядала так, немовби знала якусь страшну таємницю, але не могла нікому про неї розповісти. Вона завжди була душею будь-якої вечірки. У ресторанах Анастасія сміялася так голосно, що люди за іншими столиками обертались подивитися. А тепер вона не покидала своєї кімнати. У 40-градусну спеку сиділа, накривпшись ковдрою. Вона скаржилася на спазми в животі й вимкнула телефон. Цілий тиждень не мила волосся. Збираючись на співбесіду з приводу нової роботи, вона зірвалася, коли не змогла вирішити, що вдягнути. Вона ходила по квартирі та дрижала, повторюючи: «Виходу нема».

— Це не була вона, це була якась інша особа, — каже Ольга. Вона завжди розповідала, що відбувається в її житті. А тепер була мовчазною.

Після смерті Анастасії її матір обшукала кімнату доньки. Було дивно перебувати там без неї. Вона насправді не знала, що шукає. Щоденник, зачіпки, будь-що. Вона пройшла повз течку, яку ніколи раніше не бачила. У ній було два «дипломи», що виглядали, як університетські, але назва інституції привабила увагу Ольги: *«Роза Мира»*. Роза світу? Що це за ім'я таке?

Один був за проходження підготовчого курсу, другий — за проходження розширеного. Там були папери із записами Анастасії про те, як вона повинна трансформуватися, змінитися, стати іншою людиною. Там було багато сторінок, на яких вона фіксувала найгірші риси своєї особистості: лінь, відсутність цілей, наркотики, погані чоловіки. А ще там була поштівка із записом, адресованим Анастасії: «Коли ти зрозумієш, ким і чим ти насправді є, тоді всі навколо визнають тебе без жодного слова заперечення. Анастасіє, ти на правильному шляху. Твоя колискова — "кінець зими"».

Що це означає: «Ти на правильному шляху»?

А тепер Ольга пригадала «*Розу Мира*». Півтора року тому Анастасія згадувала, що вона почала відвідувати в Москві те, що вона назвала «психологічними тренінгами».

Коли Ольга запитала, що там відбувається, Анастасія відповіла розпливчасто — щось на кшталт пригадування дитячого досвіду. Виповідання всіх своїх таємниць. Вона пояснила, що підписала контракт із обіцянкою не розповідати нікому про те, що відбувається в «*Розе*». Але пояснила теж, що ці курси змінять її та вдосконалять. Якщо вона їх закінчить, то зможе здійснити все, взагалі все.

Ольга сказала Анастасії, що та здорова дівчина й жодного самовдосконалення не потребує. І що повинна зупинитись.

Ольга тоді не надавала «*Розе Мира*» особливого значення, але тепер їй хотілося дізнатися більше. Після похорону вона відвела подруг Анастасії вбік запитати, чи їм щось відомо.

Вони запитали, чи знає Ольга, що Анастасія провела ще рік у «*Розе Мира*»? Вона закінчила курс за кілька місяців до смерті.

Чи знає Ольга, скільки грошей вона витратила там?

Ні.

Тисячі рублів, багато тисяч рублів. І чи знає Ольга, що Руслана також туди ходила? Вони ходили туди разом. Руслана — три місяці, а Анастасія — протягом року.

— Нам здається, це могла бути секта, — сказали подруги-моделі. — Хоча стверджувати не можемо.

Ольга розпочала пошуки в інтернеті.

«Курси особистісного розвитку» — ось як «*Роза Мира*» описувала себе. «Наші семінари навчать вас, як знайти свою справжню сутність, реалізувати ваші цілі та досягти матеріальних багатств». Її веб-сайт прикрашали фото щасливих, осяйних людей, які стояли на вершині гори, знятими знизу, їхні розкинуті руки обвівав сильний вітер, і це виглядало так, немовби вони майже летять.

«*Роза*» також спеціалізувалася на корпоративних тренінгах.

Ольга проглянула папери Анастасії з «*Розы*». У них згадувались імена двох чоловіків, чиї номери телефонів вона знайшла в телефоні Анастасії (позолоченому Vertu, який подарував їй коханець). Один із номерів не відповідав, чоловік по інший бік другого відповів. Коли він узяв слухавку й Ольга розповіла йому, що трапилося з Анастасією, він був вражений. Але ні, він не думав, що «*Роза*» до цього причетна. Він не міг точно сказати, що там відбувалось, він також підписав якісь документи, але згадав, що там було багато сліз. Перед тим як звідти піти, він прослухав лише перший базовий курс. Анастасія ж залишалася там на довший час.

На інтернет-форумах і в чатах можна було знайти обговорення «*Розы*», хоч і небагато. Кілька людей написали, що вона назавжди змінила їхнє життя і вони пережили трансформацію. Дехто писав, що це шахрайство. А ще інші, що їм здається, ніби вона може бути небезпечною. Всі записи в чатах анонімні.

*

Коли я розповів своїм редакторкам на *ТНТ* про «*Розу*», у захваті вони не були.

— Довідайтеся про все, що необхідно, Пі-і-і-тррре. Але навіщо нашій аудиторії знати про курси особистісного зростання для москвичів? — запитала одна продюсерка.

— Скільки, ви кажете, вони коштують? Сорок тисяч рублів [1000 доларів] за курс? — додала друга.

— Наскільки це стосується провінційної матері-одиначки? Нашої аудиторії? Це не частина її світу і не те, чого вона прагне або що розуміє. Скажіть про це якомога коротше, — сказала третя.

— А що, коли *це* секта? — запитав я у відповідь.

— Російські секти божевільних відморозків живуть у сибірських комунах. Навіщо зосереджуватися на корпоративних тренінгах? Вони зовсім не схожі на відомі нам російські секти. А ще, Пі-і-і-тррре, ми потребуємо більше позитивних історій.

Усі, хто відвідував «*Розу*», підписали зобов'язання зберігати таємницю. Мені потрібна була людина, яка б пішла туди і змішалася з іншими тамтешніми дівчатами, потоваришувала з працівниками і тими, хто тоді там був. Там, мабуть, ширяться чутки, оскільки дві їхні відвідувачки тепер мертві. Мені потрібен був росіянин, бажано того ж віку, що й дівчата.

Я знайшов репортера під прикриттям, Алекса (це не його справжнє ім'я), який був радий мені допомогти. Алекса вважали найкращим у цьому бізнесі: проникав у банди та державні інституції. Ми заплатили майже 1000 доларів за базовий курс. Він мав тривати три дні. Після кожного дня цього курсу Алекс мав зустрітися зі мною та Вітою Холмогоровою, професійним психологом і членом Російської асоціації психотерапевтів, щоб ретельно проаналізувати всі події та його думки. Спираючись на свідчення Алекса, записи та інтерв'ю, які я провів із теперішніми та колишніми адептами, та психотерапевтичний аналіз, я поволі збирав докупи те, що сталося з Русланою й Анастасією в «*Розе*».

«*Роза Мира*» проводить свої «тренінги» в радянсько-ґотичному палаці у Всеросійському виставковому центрі (ВДНХ) на півночі Москви. ВДНХ була сталінським замовленням для вшанування успіхів Радянського Союзу — з великими ґотичними павільйонами і статуями, присвяченими кожній республіці — від Вірменії до України і кожній галузі — від сільського господарства до космонавтики. Тепер її здають в оренду дрібним торговцям, які продають усе — від кітчевого мистецтва до кухонь, хутра і рідкісних квітів. Бездомні собаки полюють зграями між гігантськими статуями дівчат-колгоспниць і списаних ракет. Тренінги «*Розы*» відбуваються у старому Палаці культури.

Коли ми прийшли туди о десятій, там стояв стіл з іменними табличками, щось на кшталт професійної конференції. До головної зали, яка була зачинена, вели сходи. Усі учасники тренінгу, дещо зніяковілі, стояли навколо у фоє. Це очікування тривало вже певний час. Було близько сорока осіб: кілька статечних бізнесменів приблизно сорокарічного віку і чимало молодших, добре доглянутих жінок за двадцять. Раптом із самої зали залунала гучна музика із «Зоряних воєн». Двері розчахнулись. На вході стояла жінка.

— Двері нашої аудиторії відчинено! Заходьте! Заходьте!

Поки ви входите, вона кричить це знову і знов. Всередині вже було темно, і з усіх боків кричали люди: «Швидше, швидше, займайте свої місця, відкладіть свої сумки». Це «група підтримки», волонтери, які пропрацювали тут кілька років. Вони кричать на вас весь час, але самі здаються розчиненими в темряві. Увійшовши, ви почуваєтеся загубленим, дезорієнтованим і дещо приголомшеним.

Ви вмощуєтеся на стільцях, розставлених клиноподібно в кілька рядів навколо сцени. Волонтери сидять на рядах позаду вас так, що вам їх не видно, але їхні голоси кричать вам у потилицю: «Сідайте! Поспішайте! Поспішайте!»

Потім настає тиша.

Сцена яскраво освітлена, з'являється «коуч» з особистісного зростання. Обличчя цього чоловіка схоже на морду плюшевого ведмедика, він носить вушний мікрофон і ледь мішкуватий костюм із яскравою, занадто разючою краваткою. Однією з тих краваток, яку дарують як жарт на Різдво. Він говорить швидко, дуже швидко провінційною російською із граматичними помилками. Його вимова настільки фальшива, і він виглядає так комічно зі своїм мішкуватим костюмом, пухким обличчям і кретинською краваткою, що спочатку все це видається вам смішним. Він не промовляє нічого особливого. Про те, що його мати була швачкою. Що він із забитої глушини. Розповідає кілька історій, як поганий актор. Усі перезираються — на що вони підписались? Хіба це «коуч особистісного зростання»?

Чоловік дуже швидко говорить у мікрофон, налаштований на такий рівень звуку, що ледь ріже вуха. Вам починає трохи боліти голова. Він викочує величезну дошку й заходиться малювати графіки, складні фігури та стрілки, які показують, як ви трансформуєтесь і з чого складається ваша особистість. Ви намагаєтеся збагнути всі ці формули, стрілки і графіки, але в певний момент починаєте плутатись, втрачаєте орієнтацію. І наскільки б розсудливими та уважними ви не були, і як би не концентрувалися на сказаному й намальованому, це все одно не має жодного сенсу, а ви все більше заплутуєтесь. У цьому й полягає суть вступу. Крики, темрява, його жарти і маніакальні малюнки: ваш мозок починає затуманюватись.

Після цього етапу (ви не знаєте, скільки минуло часу) підводиться одна жінка і хоче покинути залу.

—Куди ви йдете? —раптово розлютившись, каже інструктор.

—У туалет.

—Не можна, —каже інструктор.

Усім здається, що він жартує.

—Але мені потрібно, —усміхається жінка.

Інструктор кричить на неї:

—Ви хочете змінити своє життя? І не можете утриматися від походу в туалет? Ви слабачка.

Усі шоковані. Жінка пояснює, що їй насправді треба вийти.

—Тоді йдіть, —каже він, знову добрий, і махає їй рукою.

Що це було?

Він продовжує весело говорити далі. Через кілька хвилин друга жінка проситься в туалет. Коли вона вже на порозі, тренер, знову в масці суворості, каже:

—Якщо ви підете, можете не повертатись.

Вона обертається.

—Чому?

Цього разу він кричить гучніше, довше, розмахуючи руками в неї перед обличчям:

—Чому? Тому що ми прийшли сюди трансформуватись. Змінитись. Я міг би просто погуляти і перекусити. Але ми тут для самовдосконалення. Ви слабка. Ви просто слабка.

—Це смішно, —каже молода жінка, якій хочеться в туалет. Спочатку всі в аудиторії підтримують її. Тренер поводиться, як тиран. Свого часу Руслана була найголоснішою і найяскравішою в цій аудиторії, першою вступала в суперечку з тренером.

Тренер з особистісного розвитку вступає в перемовини з аудиторією. Він стверджує, що їхня трансформація починається тут і тепер, сьогодні, цієї хвилини. Хіба вони не хочуть змінитись? Перемогти всі свої страхи і всіх внутрішніх демонів? Звільнитись? Разом ми можемо цього досягти. І єдина особа, яка тягне їх назад, —жінка, якій хочеться в туалет. Вона зраджує їх. Скільки вони витратили на обговорення цієї проблеми? Десять хвилин? П'ятнадцять? Отже, їй насправді не треба виходити, так? Усе це в її голові.

— Так, їй насправді не треба виходити, — повторюють волонтери з гальорки.

Жінка почувається незручно. А що, коли вони мають рацію?

І ви навіть не помічаєте, як тренер переманює аудиторію на свій бік, і вся аудиторія тепер закликає особу, якій треба в туалет, бути сильною, вона здатна на це, якщо їй вдасться, то це вдасться всім. Вона повертається на своє місце. Усі аплодують. Щойно вони разом перейшли якийсь рубікон. Тренер завоював їхню увагу.

— У наступні дні ви відчуватимете дискомфорт, страх, але це добре, тому що ви змінюєтесь, трансформуєтесь для яскравішого, ефективнішого життя. Ви — немов літак, який увійшов у зону турбулентності, піднімаючись усе вище й вище. Усі ми знаємо, що вирости без дискомфорту неможливо. Чи не так?

Тренер викликає людину, яка готова приєднатися до нього на сцені. Руслана була однією з перших, хто це спробував. Він запитав її, навіщо вона прийшла, якими були її цілі, що заважає їй у житті. Вона відповіла, що проблема — чоловіки: вона нездатна створити жодних нормальних стосунків. І тоді тренер напосівся на неї: мовляв, це її провина, що вона дозволяє чоловікам покидати її, вона відбула «внутрішній монолог», що зробив її жертвою. Руслана пробувала опиратись, пояснюючи, що вона ні в чому не винна. Але тренер обернув її слова проти неї: їй хотілося, щоб усі думали, що вона «хороша дівчинка», і це робило її слабкою. Що більше ви сперечаєтеся з тренером, то сильніше він переконує:

— Той факт, що ви опираєтеся мені, свідчить, наскільки ви боїтесь визнати свою неправоту! Боїтесь змін!

I ви спочатку відчуваєте обурення, а потім повільно киваєте.

Пізніше всі підводяться і хором, як в армії, декламують «Заповіді курсу»:

Я нікому не розповім про те, що відбувається тут.
Я не робитиму жодних записів.
Я не запізнюватимусь.
Я не питиму алкоголю впродовж тривання курсів.

Наказують підвестися курцям. Їх приблизно семеро із сорока. Анастасія та Руслана теж до них належали. Алекс також. Тренер каже курцям, що вони мають шанс змінити своє життя і кинути курити. Той, хто пообіцяє кинути, може сісти. Парочка найупертіших і далі стоїть. I тренер знову напосідається на них. Він говорить десять, двадцять хвилин, поки в них не заболять ноги, і вони постають перед вибором: терпіти цей фізичний біль або здатися перед тренером. Тим часом волонтери й дехто з аудиторії починають кричати на них: «Сідайте швидше, ви крадете наш час».

I, зрештою, усі сідають.

А тепер перерва на обід. Сухий пайок або їжа із собою. Вам не дозволено покидати приміщення. Чимало людей обурені й засмучені тренером, але ніхто не йде. Люди приходять сюди з різних причин: одні фахівці середньої ланки, які очікують від курсів певного імпульсу. Це, властиво, те, що обіцяє тренер: зробити вас «ефективнішим», запозичуючи мову Кремля та політтехнологів. Інших привели сюди друзі або коханці, які самі пройшли ці курси й наполягли, щоб ті також записались.

— Моя дівчина сказала, що вона мене покине, якщо я цього не зроблю, — каже один молодий чоловік.

Після обіду ви повертаєтеся до зали, де грає заспокійлива музика. «Хто достатньо сильний, щоби поділитися своєю найстрашнішою таємницею?» — запитує тренер. Тепер він раптово надягає маску ніжного й турботливого. Усі заприсяглися тримати інформацію в секреті, — повторює він. Це одна спільнота. Якась жінка підводиться і розповідає, як її звільнили з роботи. Якийсь чоловік — про те, як його кинула дівчина. Потім підводиться жінка й розповідає про те, як її ще в дитинстві зґвалтували і потім ґвалтували знову і знову. Потім вона не витримує і заходиться плачем. Волонтери її заспокоюють. Це вперше вона комусь про це зізналась. У кімнаті западає тиша. Тут багато плачу. Коли надійшла черга Руслани, вона розповіла про свого батька і як вона почувалася після його смерті. Анастасія згадала про розлучення своїх батьків, коли вона була маленькою. Вперше моделі знайшли місце, де їх, нарешті, хтось вислухає. Вони вперше відчули, що можуть бути собою. Тут ніхто навіть і не знав, що вони моделі.

А тепер інструктор готовий до наступного удару: всі ці події були вашою провиною. Якщо вас звільнили, це ваша провина. Зґвалтували — ваша провина. Усі ви сповнені жалем до самих себе. Усі ви жертви. А тепер розділіться на пари й розкажіть одне одному про свої найгірші спогади, але перекажіть їх так, немовби ви берете на себе відповідальність, немовби ви — творець свого життя, а не жертва. Це триватиме годинами. І коли ви інтерпретуєте найгірші моменти свого життя так, немовби ви творець, людина, яка до всього цього призвела, ви почуватиметеся по-іншому. Ви полегшите свій тягар і станете сильнішим. Тепер ви дивитеся на інструктора трохи іншими очима. Він знущається з вас, а потім підбадьорює, заплутує і змушує плакати, аж раптом усе починає змінюватись. Не помічаючи, ви пробули в цій залі дванадцять годин, але час збіг непомітно, ви перестали його відчувати.

Тепер ви почуваєтесь м'яким, дещо еластичним. Дуже близьким до інших людей у вашій групі, ближчим, ніж до кого-будь, дотепер вам знаного, немовби ви завжди були створені одне для одного.

«Трансформація», «ефективний», «яскравий»: коли ви йдете додому, ці слова лунають у вашій голові, наче ґонґ. Ви думаєте про завтрашню зустріч з тренером. Вам хочеться догодити йому, хочеться, щоб він знав, що ви не курите, як і пообіцяли. Думаючи про нього, ви відчуваєте хвилю тепла. Він жорсткий, але має добрі наміри.

Ви повертаєтеся додому перед опівніччю. Ваші родичі та сусіди помічають, що ви дещо дивний, але ви не звертаєте на це уваги. Просто вони ніколи не бачили вас за межами вашої зони комфорту. Ви виконуєте домашнє завдання: докладно записуєте, що вам у собі не до вподоби. Все, що ви хочете змінити. Ви засинаєте о першій ночі, а може, о другій.

Вночі вам сниться тренер.

Вранці ви з'являєтеся там заздалегідь. Так само, як і всі решта. Коли двері відчиняються, всі кидаються всередину, намагаючись показати, що прийшли вчасно. Двері зачиняються о 10 ранку і всі зайві стільці виносять. Один хлопець запізнюється, але йому немає де сісти. Тренер кричить на нього:

—Ви обіцяли прийти вчасно. Ви підписали офіційний документ. Чому ви запізнились?

—Я вагався, чи взагалі мені сюди приходити, — каже молодий чоловік.

—Вчора я помітив, що ви не поділилися своїм болісним спогадом. Ви просто дивилися на інших, неначе це якесь шоу. Ось як ви всіх сприймаєте, як розвагу, і тепер вам хочеться накивати п'ятами. Це так?

І якщо ви співчували молодому чоловікові, коли він запізнився, то тепер ловите себе на тому, що на нього кричите:

—Шоу? Ви вважаєте, що ми просто шоу для вашої розваги?

Молодий чоловік сидить навпочіпки в кутку зали, присоромлений.

— Так, — визнає він. — Я просто боявся покинути свою зону комфорту.

Тренер починає малювати ще більше схем-стрілок, що показують, як ви рухаєтеся в одному напрямку, а знайомі вам люди на роботі та вдома — у другому. Ось чому вони можуть не зрозуміти вас після закінчення курсів. Ви змінюєтесь. Вони люблять у вас особу, якою ви були колись, але ви ростете. Це випробування для них: лише ті з них, які по-справжньому люблять вас, будуть спроможні впоратися, полюбити вас нового. А щодо тих, хто не приймає вас, ви повинні запитати себе: чи ці стосунки тягнуть вас назад? Може, від них варто відмовитись?

Дівчина, яка вчора розповідала невимовні речі, що трапилися з нею в дитинстві, бере мікрофон і каже, що тепер шкодує про це зізнання: деякі люди в залі, здається, остерігаються її, стверджує вона. Але замість того, щоб відчути симпатію, вся зала нападає на неї:

— Ви просто жертва, — кричать вони. — Ви насолоджуєтеся демонстрацією своїх почуттів.

Тренер тепер навіть не мусить говорити їм, що вони повинні думати.

Тепер тренер говорить про смерть. Смерть — не така вже й важлива справа. Нещодавно якісь російські туристи загинули під час вибуху автобуса в Єгипті. Добре це чи погано? Ну? Це не добре і не погано. Його друг помер нещодавно. І байдуже. Це просто життєвий факт. Тут усі помруть. Всі ви, всі ви помрете.

— Хто пам'ятає оту дівчину Руслану? — каже тренер. — Модель, яка наклала на себе руки, стрибнувши з хмарочоса? Я добре її знав. Її «внутрішнім монологом» було «самогубство». А ви знаєте, що в неї було п'ять спроб самогубства перед приходом до нас?

(Це щось нове: ніхто з її подруг, колег або членів родини не згадував про спроби самогубства. Навпаки: всі вони розповідають, наскільки врівноваженою вона була.)

— Руслана була типовою жертвою, — каже інструктор.

Після цих його слів одна дівчина підняла руку.

— Але хіба вас не засмучує, коли хтось із ваших слухачів вкорочує собі віку?

— Іноді краще вчинити самогубство, ніж не змінитись. А той факт, що ти відчуваєш жаль за цією дівчиною, означає, що ти також жертва. Цей крок був саме її вибором.

І всі в цій залі погоджуються: цей крок був власним вибором самої Руслани. І хто б наважився із цим не погодитись?

У середині дня ви почуваєте легкість у голові, неначе в ній народжуються бульбашки. Відбуваються рольові ігри й ігри з формування команди. Усі мусять походжати по залі й кричати одне одному: «Ти потрібен мені, ти мені подобаєшся», якщо думають, що людина переживає трансформацію, або «Ти мені не потрібен, ти мені не подобаєшся», якщо думають, що людина не змінюється. Тепер дівчина, яка погано почувалася після того, як усім розповіла про події свого дитинства, бере мікрофон і визнає себе жертвою, оголошуючи про готовність до трансформації. Усі їй аплодують, тренер говорить, наскільки він пишається нею, а ви просто сидите, сподіваючись, що він похвалить вас, і боячись, що цього не станеться.

Під час обідньої перерви вам наказують сидіти пів години тихо. Без жодного звуку. І просто обміркувати всі свої життєві помилки. Усі взаємини, які ви зіпсували, усі невдачі в кар'єрі. Коли ви повертаєтеся до зали, там починаються танці під гучну, ритмічну музику, і ви тепер щасливі й обнімаєтеся з іншими. Потім музику змінюють на спокійну. Вам наказують вишикуватися у два ряди один навпроти одного. Ви дивитеся в очі людини навпроти. Це триває одну, дві, три, чотири хвилини. Ще довше. Некомфортно дивитися в очі тому, кого ви ледве знаєте. Вам здається, ви насправді вперше в житті дивитеся в очі іншої людини. «А тепер відступіть праворуч і подивіться в очі іншої людини, уявіть, що це ваша матір, — говорить інструктор. — Уявіть, як вона виховувала вас, коли ви були маленькими. Як співала колискові. Що вона відчувала, коли носила вас у лоні, як вона дивилася на вас, коли ви були в колисці». Всі заспокоюються. «А тепер уявіть очі людини, яку ви втратили і яку любили». Руслана уявила свого батька, Анастасія — свою найкращу подругу-модель, яка загинула в автомобільній аварії минулого літа на трасі Київ — Москва. Очі кожної людини зволожились. «А тепер відступіть праворуч, погляньте в очі наступної людини й уявіть, що це особа, яку ви втратили, і подумайте про всі слова, які ви не мали змоги їй сказати». Тепер усі плачуть. Волонтери роздають усім паперові серветки. Ви використовуєте десятки серветок і розкладаєте їх по кишенях, ваші ноги мокріють від великої кількості серветок, які ви використали. «А тепер відступіть ліворуч, погляньте в очі людини навпроти й уявіть на мить, що людина, яку ви втратили, знову з вами, вона повернулась. Тепер ви можете обійняти її». У цей момент зриваються всі.

Ви лежите на підлозі. Тренер наказує вам заплющити очі. І глибоко дихати. Його голос проведе вас через густий ліс; ліс — це ваше життя, потім ви знаходите хату, а в хаті — кімнату, а в кімнаті зібралися люди, які вас покинули і зрадили в житті. За цією кімнатою — наступна кімната, де зібралися люди, яких ви покинули в житті. А тепер ви біжите, вільно біжите через ліс, готові змінитись і досягти яскравого, ефективного життя.

Йдучи додому, ви відчуваєте всередині тепло. Усе навколо вас цього вечора здається залитим трохи імлистим світлом. Люди виглядають прекрасними. Інструктор дав вам домашнє завдання: вам наказали пройти містом і обійняти щонайменше десятьох перехожих. І ви це робите. Ви можете все. І почуваєтеся вільно. Вони дивляться на вас радісно й ніхто не проявляє негативу. Ви їм усміхаєтесь. Ми можете подолати всі бар'єри та обмеження, ви можете змінитись. Яскраве, ефектне життя. Ви не будете жертвою. Ви візьмете на себе відповідальність.

Вночі ви лежите, не в змозі заснути від сильного шуму у вухах. Після кількох днів на курсах чимало жінок виявляють, що місячні почалися раніше, ніж зазвичай. Тренер попереджав, що ви страждатимете на шлункові спазми, і вони у вас з'являються. Люди, з якими ви живете, кажуть, що вас не впізнають. Ви усміхаєтесь. Вони кажуть, що ви змінились. Звісно, ви змінились. Озираючись на 48 годин назад, ви навіть не можете пригадати себе таким, яким були перед початком курсів.

Ви приходите наступного ранку на курси аж за пів години до початку. Вам хочеться першим повідомити тренерові, що ви зуміли обійняти десятьох людей, як він вам і наказав. Решта теж уже тут. Ніхто не спав. Усі такі раді бачити одне одного. Коли ви йдете до зали, всі обмінюються історіями про те, як вони обіймали людей на вулиці. Інші дзвонили у двері до своїх сусідів і казали, як їм хочеться подружитися з ними, телефонували до давно втрачених друзів або батьків, з якими заледве розмовляли. Ті, кому не вдалося виконати домашнього завдання, зізнаються в невдачі. Ви нападаєте на них за те, що вони слабкі, жертви і не змінюються. Тренер зрідка щось говорить. Він просто стоїть собі збоку: тепер ви все робите самі. А потім ви граєте в наступну гру. Ви розбиваєтеся на маленькі групи по семеро осіб і кричите одне одному: «Я твоя мета!» або «Я твоя перешкода!», і повинні перекричати свої перешкоди, щоб досягти власних цілей. Кричать усі, але це не болісне переживання, а радше ракетне паливо, а тепер вам наказують стати одне навпроти одного, й ця інша людина кричить до вас: «Чого тобі треба? Чого тобі треба?» І так триває сорок хвилин. Ваші бажання починають вилазити з вас, як кишки: перші машини та будинки й усілякі дрібнички, а потім і несерйозні речі на кшталт фарбування підлоги в жовтий колір або переодягання в казкову принцесу, а потім і важкі речі про те, що ви хочете вдарити свою матір або зарізати колишнього чоловіка, який вас покинув. Зрештою, ви почуваєтеся вільним і вперше можете збагнути, чого вам насправді, насправді, насправді хочеться. Потім виходить інструктор і каже, що якщо ви хочете здійснити свої мрії, які ви нарешті щойно усвідомили, ви можете їх досягти, заплативши наступні 1000 доларів, і пройти розширений курс.

Після всього відбувається консультація з волонтером віч-на-віч. Ви сидите за столом із людиною, яка говорить, що якщо ви запишетесь на розширений курс цього тижня, то зможете отримати 100 доларів знижки. Ви кажете:

— У цей момент у мене з головою відбувається щось дивне, я не можу мислити критично.

А волонтер відповідає:

— Але це добре, що ви не мислите критично, курси призначені не для розвитку мислення, мислення тягне вас назад, ви вчитеся використовувати ваші емоції, ви не згодні?

— Так… Але я не думаю…

— І саме через те, що ви не думаєте, вам варто терміново записатись. Хіба ви не хочете жити яскраво? Трансформуватись? Стати ефективним? Взяти на себе відповідальність?

І щоразу, коли ви чуєте ці слова, ваше тіло починає сіпатись.

Ви трохи зволікаєте, хоча чимало людей уже записалися на наступний курс. Наступного дня лунає телефонний дзвінок. Алекс сидить зі мною та психотерапевткою Вітою в її офісі, коли починаються дзвінки з «*Розы*». Алекс перемикає на гучний зв'язок. На іншому кінці — жінка з «*Розы Мира*».

— Алексе, вам би хотілося жити яскравим життям, сповненим справжніх емоцій?

— Звичайно, хотілося б. Але на цей момент я не маю коштів. Вибачте, я не зможу.

— А це ваш виклик. Знайдіть кошти, щоби показати свою силу.

Алекс сміється із настільки грубого способу маніпуляції. Але слухавку не кладе.

— Давайте, Алексе, — каже волонтерка з «*Розы Мира*». — Хіба вам не хочеться змінитись? Трансформуватись? Взяти на себе відповідальність?

Ці слова провокують в Алексі рефлекс Павлова. Він починає оживляти в пам'яті кілька останніх днів, найінтенсивніших днів свого життя, всі свої найінтенсивніші переживання і найпотаємніші спогади. Він кладе слухавку, і хоча, з одного боку, він абсолютно точно може сказати, що люди «*Розы*» маніпулюють ним, а з другого — все усередині нього досі відчайдушно прагне повернутися туди.

— Покидьки. Вони пролізають у найпотаємніші місця, а потім їх привласнюють.

Він заходиться сміхом, потім плачем. Потім знову сміється, але так, що цей сміх здається дуже вимушеним. Його зіниці розширюються. Він здається розділеним надвоє.

Руслану й Анастасію «*Роза Мира*» діставала дзвінками щодня. Коли вони були з подругами, то могли взяти слухавку, а потім вийти на розмову і не повертатися годинами. Спочатку їхні подруги думали, що дівчата розмовляють зі своїми хлопцями чи батьками. Коли ж вони дізналися, що це дзвінки «*Розы*», то їх це спантеличило. Навіщо розмовляти з ними, коли ти вже з друзями? Одного разу, сидячи в лондонському ресторані з Машею, Руслана розмовляла з «*Розой*», а потім закінчила розмову, вибігла на вулицю і почала зупиняти людей і зав'язувати їм шнурівки. Вона повернулась усміхненою і злегка спітнілою. І річ не в тому, що завдання, яке вона отримала, було аж настільки дивним, а в тому, з якою легкістю вона кинула все: вечерю, розмову — і побігла виконувати їхню волю.

Друзі Алекса мали уважно стежити за ним протягом кількох наступних днів. Вони боялися, що дзвінки «*Розы*» спровокують його повернутись. Протягом наступних тижнів його сон був підірваний. Він почав прокидатися посеред ночі й жадати повернення на курси. Алекс — єдина людина з групи, яка не записалася на розширений курс. Щоразу, коли хтось промовляє слова, які він почув під час курсів, на нього накочує нудота. Йому сниться тренер, він чує його голос.

Справжні проблеми починаються через два або три місяці. Алекс втрачає апетит. Він починає пропускати терміни здачі матеріалів і забивати на роботу, кричить на свого редактора. Усе болить. Він починає без жодної причини плакати посеред дня.

— Я просто не можу віднайти шлях до себе, — каже Алекс під час нашої зустрічі. Він поголив волосся і втратив вагу.

На роботі Алексові сказали, що йому потрібна медична допомога. Коли Алекс іде на прийом до лікаря, той кидає на нього один погляд і прописує курс антидепресантів, масажі й акупунктуру.

Алекс відбув лише один курс у «*Розе*». Натомість Анастасія та Руслана ходили туди набагато довше. Кожен курс коштує трохи більше за попередній, і кожен наступний стає набагато інтенсивнішим. Волонтери та тренери «*Розы*» втовкмачують людям, що вони стають кращими, сильнішими.

З першого погляду Анастасія здавалася щасливішою, ніж завжди. «Тепер я здатна на все, все», — казала вона своїм друзям. Коли вони ходили розважатись у клуби, то казала: «Просто лови собі хлопця, якого вподобала, просто лови і бери».

З усе глибшим проникненням у «Розу» моделям давали завдання рекрутувати нових учнів. Ось як «Роза» отримує нових клієнтів: від адептів сподіваються, що вони приводитимуть більше людей. Руслана намагалася підмовити Машу. Вона так переконливо наполягала, що Маша нарешті погодилась. Потім вона не змогла відвідати курси з сімейних причин. Руслана розлютилась. Маша ніколи не бачила її злою. Руслана сварилась. Руслана матюкалась. Досі вона ніколи не вживала лайливих слів. Вона перестала бути ніжною дівчиною Русланою, якою її знали досі. Маша сумувала за колишньою Русланою.

Незабаром Руслана повернулася працювати до Нью-Йорка. А Анастасія і далі відвідувала курси *Розы Мира*. Вона записалася на курси магістрів. Пробувала переконувати друзів приєднатися до *Рози*. Багатьом слухачам кажуть, що це випробування, яке вони мусять пройти, щоб продемонструвати власну трансформацію. Якщо це був її «іспит», то вона його не склала. Хоч як старалася, вона не могла привабити людей. Їй сказали, що вона всіх підвела. Вона віддалилася від організації. Це було в лютому. Вже у травні вона виявляла всі ознаки депресії, яка вбила її. «Мені не вдалося», — казала вона. Вона була жертвою. І не була здатна на трансформацію.

Найжорстокішим було те, що в останнє півріччя життя вона зустріла чоловіка, про якого завжди мріяла.

Костя підбирає мене своїм новим мазераті. Він колишній олімпійський чемпіон із дзюдо, який тепер «працює з нафтою».

— Її ці срані курси і звели в могилу, — каже він. — Щоразу, коли вона їх відвідувала, поверталася роздратованою та ошалілою. Вона обіцяла це припинити...

Йому хотілося, щоб вона переїхала до нього, він був готовий загніздитись. Але тепер, знайшовши свого ідеального чоловіка, Анастасія не могла бути щасливою з ним. Її свідомість почала буксувати та заплутуватись. Коли вони з Костею виходили до міста, її охоплювали жахливі напади ревнощів, вона плакала, спостерігаючи за тим, що він забагато уваги приділяє розмовам з іншими жінками. За місяць перед її смертю він залишив дівчину у своєму домі й поїхав у відрядження. Коли він повернувся, її не було. Вона мала такі часті напади паніки, що її не можна було залишати саму. Анастасія сказала подругам, що чує голос своєї товаришки, яка померла рік тому. Вона повернулася до матері у Київ. Вона постійно скаржилася на шлункові спазми. Останніми днями перед загибеллю Костя постійно телефонував їй. Телефон дівчини був вимкнений.

— Її ці срані курси і звели в могилу, — повторює він, випускаючи мене з мазераті. — Я дам завдання своїм хлопцям перевірити їх.

Це лише слова. Він так цього і не зробив.

— Ми справді дали Анастасії шанс змінитись. Але деяких людей змінити неможливо. Вона не дозволила себе трансформувати. І будьмо чесними — я чув, що вона вживала наркотики. Звинувачуйте модельний бізнес. Її спосіб життя. А не нас.

Я витратив якийсь час, щоб знайти Володю — єдину особу з *«Розы Мира»*, що погодилася зі мною спілкуватись. Він був «лідером» групи волонтерів під час навчання дівчат. Тепер він відколовся, щоби почати власні курси. Володя хлопчакуватий, йому лише за двадцять. Носить куртку від білого спортивного костюма та джинси. У нього ледь скляний погляд справжнього віруючого. Коли Руслана ходила до *«Розы»*, у них був короткий роман. Я запитав, чи це нормально.

— Ох, це нормально. Трапляється на кожному кроці. Тренінги інтенсивні. Люди відкриваються.

— Чи завжди люди впадають у депресію після курсів «*Розы*»?

— Це нормально. У нас це називається відкатом. І в Руслани він трапився. Ночами вона плакала. Вешталася містом без жодної мети. Заради зростання ти мусиш через таке пройти. Як літак потрапляє в зону турбулентності під час злітання. Але на час повернення Руслани до Нью-Йорка з нею все було гаразд.

Володині твердження суперечать тому, що сказав про Руслану його начальник-тренер: на курсах він стверджував, що вона — «типова жертва». Коли я порушую цю тему в розмові з Володею, він просто каже, що тренер щось плутає. Він вважає, що Руслана не була суїцидальним типом.

— Отже, чи хтось коли-небудь мав якісь серйозні медичні проблеми після відвідання «*Розы*»? — запитую я Володю.

— Так, звісно. Це нормально. Іноді в досить важкій формі. Не кожному дано трансформуватись. Але Руслана була іншою. Вона сказала мені, що хоче стягнути гроші, які їй були, на її думку, винні за різними контрактами. Вона була новою. Розумієте, коли я вперше пішов на курси, то залишив свою роботу та покинув дівчину. Я сварився з усіма, кого знав. Мої батьки досі думають, що я в секті. Але я щасливий. Я справжній. Але люди навколо вас можуть образитися через вашу силу. Я переконаний, що Руслану вбили. Переконаний.

Прийшли останні результати Русланиного розтину. У них засвідчено, що немає жодних нових доказів, які б вказували на її смерть до падіння. На шийних м'язах слідів пошкоджень нема, на щитовидній залозі та під'язичній кістці — теж. Склери очей білі, без крововиливів, що виключає удушення. Тим часом я перевірив історії «*Розы Мира*». У невеличкому кутку їхнього веб-сайту, за кількома вкладками, які ви ніколи не додумалися б відкрити, є невеличка інформація, в якій сказано, що ці курси ґрунтуються на практиці Lifespring, популярній свого часу у Сполучених Штатах. На цьому сайті, щоправда, не згадано про позови проти Lifespring від колишніх адептів за завдавання психологічної шкоди. Ці справи призвели до банкрутства американської частини цієї організації, хоча дочірні гілки швидко відновилися під іншими назвами. У Росії Lifespring у моді, мало хто чув про її минуле. Коли я сконтактувався з Ріком Россом, директором The Cult Education Institute* і визнаним у світі авторитетом щодо Lifespring, і розповів йому про те, що сталося з Алексом, Анастасією та Русланою, він відповів, що спостерігав цю схему десятки разів: «Ці організації ніколи не визнають своєї провини. Вони завжди кажуть так: "Це провина самої жертви". Вони діють, як наркотики: отримуючи екстремальний досвід, їхні адепти завжди повертаються за ще більшою дозою. Серйозні проблеми починаються тоді, коли люди йдуть. Ці тренінги стають їхнім життям, вони повертаються в порожнечу. І так само, як і з наркотиками, дехто з них живе собі далі. Але чутливі натури або ті, хто має будь-яку форму притлумленої психічної хвороби, ламаються».

Якою мірою курси в Lifespring відповідальні за самогубства моделей? Коли мама Анастасії зустрілася з адвокатами у справі можливості відкрити справу проти «*Розы*», їй сказали, що доказати в суді доведення до самогубства вже мертвої людини майже неможливо. Але очевидно те, що в рекламі «*Розы*» не вказано інформації про ризики, пов'язані з Lifespring, і організація полює на вразливих членів суспільства — молодих, розгублених жінок. Дівчата з колишнього Радянського Союзу особливо вразливі. Шість із семи

---

* Неприбуткова дослідницька організація, яка займається, зокрема, дослідженнями деструктивних культів. — *Прим. ред.*

країн із найвищим рівнем самогубств серед молодих жінок — це колишні радянські республіки. Росія — друга в цьому списку, а Казахстан — третій. Кількість самогубств серед дорослих знижується відповідно до рівня добробуту, але кількість самогубств серед молодих людей і надалі висока. Еміль Дюркгайм колись стверджував, що віруси самогубства поширюються на цивілізаційних зламах, коли батьки не мають ні традицій, ні системи цінностей, які можна передати своїм дітям. А отже, не існує жодної глибинної ідеології для їхньої підтримки, коли вони перебувають у ситуації емоційного стресу. Зворотним боком всепереможного цинізму, ідеології нескінченної зміни форм є відчай.

— Коли ви востаннє розмовляли з Русланою? — запитую Володю.

Він робить паузу, намагаючись пригадати.

— Дайте подумати... Це був день її загибелі. У Москві було пізно, я був у барі. Запитав, чи вона телефонує у справі і чи не могла б передзвонити пізніше. Вона сказала, що насправді не у справі — їй просто хотілося поговорити. Вона зателефонує пізніше. Я не пам'ятаю точного часу, але, вочевидь, це було приблизно в межах останньої години її життя. Думаю, я був останнім, хто з нею розмовляв. Я не помітив нічого ненормального.

У березні Руслана повернулася до Нью-Йорка в пошуках роботи. Відтоді її пости в соціальних мережах були сумішшю легкості та веселості з повідомленнями, сповненими розгубленості та ненависті до себе: «Моя провина в тому, що дозволила. Моя провина в тому, що закохалась. Моя провина в тому, що дозволила розбити собі серце. Моя провина».

А потім: «Життя дуже крихке і його потік легко можна перекрити. Я така загублена: чи знайду я себе колись?»

За день до своєї смерті Руслана знялась у фотосесії на даху в серці Нью-Йорка. Дивний день: перший дощ, а потім така сильна спека, що фотоапарат палає. Ім'я фотографа — Ерік Гек. Під час своєї останньої поїздки до Нью-Йорка я відвідав його в гарлемській квартирі, і він показав мені зернисте восьмиміліметрове відео останнього дня Руслани. Руслана, яку я побачив на цих кадрах, цілковито відрізнялася від її попередніх робіт. Це була доросла жінка, а не казкова принцеса. Я вперше в ній мигцем побачив реальну людину.

— Їй завжди казали грати різні ролі. Я бачив у ній більше, ніж ролі, — непідвладну часові красу, — каже Гек. — Я знімав її, коли вона не дивилась і не мала часу позувати. Саме тоді виходили найкращі фотографії. Вона була вільною.

Через день її не стало, за три дні до її 21-річчя. Її матір досі переконана, що це було вбивство. Кожне нове лабораторне дослідження не доводить нічого нового, але залишає чимало простору для спекуляцій.

Минуло понад два роки після її смерті, але рекламу Nina Ricci з Русланою досі використовують у Росії, її обличчя висить над Москвою з «обіцянкою чарівності». Ці парфуми — хіт у дівчат-підлітків. Він пахне спокусливим, дорослим мускусом, змішаним із дитинними ароматами ірису, яблук і ванілі.

Коротка історія сект у пострадянській Росії

«Роза Мира» — не перша секта, з якою я познайомився в Росії. Із крахом Радянського Союзу на поверхні вирувало чимало сект. Насправді ж саме Кремль дав їм поштовх за допомогою *Останкино*. У 1989 році на радянському телебаченні з'явилося нове шоу. Замість звичного балету та художніх

фільмів аудиторія раптом побачила великим планом чоловіка, який виглядав, як порнозірка 1970-х років — з чорним волоссям і ще чорнішими очима. Його голос був дуже глибоким. Поволі, поступово й безперестанку він наказував глядачам глибоко дихати, розпружуватись і глибоко дихати. «Заплющіть очі. Ви можете вилікувати рак або алкоголізм чи будь-яку іншу хворобу силою думки», — промовляв він.

Це був Анатолій Кашпіровський, професійний гіпнотерапевт, який готував радянську збірну з важкої атлетики до Олімпійських ігор. Його покликали на пізньорадянське телебачення допомогти країні заспокоїтись і вмиротворитись. Змусити людей дивитися телевізор, поки все сходило на пси.

У його найвідомішій лекції міститься прохання до телеаудиторії поставити склянку з водою перед екраном телевізора. І мільйони людей виконали це. Наприкінці програми Кашпіровський сказав аудиторії, що вода «заряджена цілющою енергією» за допомогою його впливу через екран. І мільйони людей клюнули на це.

Але Кашпіровський був лише початком. З'явився Ґрабовой, який мав шоу на телебаченні, де оголосив, що може воскресити жертв чеченських терактів. З'явився Бронніков, який стверджував, що винайшов спосіб прозріння сліпих за допомогою внутрішнього бачення. Сектою, яку згадували працівники *ТНТ*, розповідаючи про «громади в Сибіру», була секта Віссаріона — колишнього поштового працівника, який почав проповідувати, що він — Христос, який повернувся на землю. У 1990-ті роки він заснував колонію в горах неподалік кордону з Монголією: *«Обитель Рассвета»* («Притулок світанку»). Вона досі там. Ще студентом кінематографії я допомагав знімати британський документальний фільм про неї.

Ми полетіли до Абакана й рушили в гори, що виглядають, як заморожені гігантські хвилі. Віссаріон і його чотири з половиною тисячі послідовників збудували своє поселення на вершинах. Туди потрібно сходити пішки дві години. Там нема доріг. Члени секти живуть у дерев'яних будинках, які самі звели, рубаючи й розпилюючи дерева. Вони вирощують собі їжу. Вони не п'ють алкоголю та не їдять м'яса. І в них чисті, кришталево-блакитні очі й сильні плечі, а виглядають ці люди на десять років молодшими за свій реальний вік. Спочатку я захоплювався ними. Потім вони сказали мені, що живуть тут, очікуючи на Апокаліпсис. Лише їхня гора вціліє, коли моря затоплять землю.

— Вам пощастило, що ви приїхали на Різдво, — сказали вони мені.

І західне, і православне Різдво вже минуло.

— Різдво? — перепитав я.

— Так, Різдво тепер на день народження Віссаріона.

Чимало його послідовників були колишньою богемою, акторами, рок-музикантами та художниками. Вони були освіченими, але тепер переважно читали твори Віссаріона. Віссаріон написав Новий Новий Заповіт, у якому поєднав різні релігії (буддизм, християнство, індуїзм і юдаїзм) в один метанаратив. Так само, як Сурков зібрав воєдино всі політичні моделі заради творення великого пастишу, або московська архітектура, що намагалася вмістити всі стилі будівництва в один, Віссаріон створив колаж з усіх релігій. Його послідовники вивчали трансцендентну медитацію вранці, а пополудні крутилися, як дервіші. Віссаріон також запропонував їм навчальні рисунки для пояснення всього від реінкарнації до зла (див. схему).

На Різдво Віссаріон вийшов зі свого будинку і вмостився на найвищій горі, щоб зустрітися зі своїми послідовниками. Він був одягнений у вільні оксамитові шати, немов зображав «Ісуса Христа — суперзірку» в самодіяльному театрі. Він сидів посеред величезної дерев'яної зали й відповідав

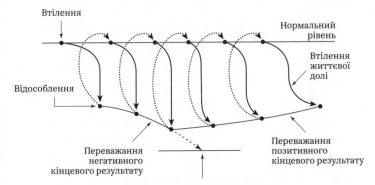

Нормальний рівень

Втілення

Відособлення

Втілення життєвої долі

Переважання негативного кінцевого результату

Переважання позитивного кінцевого результату

Коли душа досягає критичної лінії, вона цілковито втрачає необхідність нового втілення

на запитання. Хтось мав проблеми із дружиною. Віссаріон наказав йому більше дослухатися до неї. Чи не пробували вони розмовляти про своє дитинство одне з одним?

— Хіба ви не бачите його мудрості? Хіба він не спадкоємець нової свідомості? — запитували мене його послідовники.

Ми не були першими й останніми, хто знімав Віссаріона. Знімальні групи з усього світу регулярно приїжджали в ці гори неподалік Абакана. Раз на кілька років Віссаріон оголошував прихід Апокаліпсису. Коли Апокаліпсис не наставав, він казав своїм послідовникам, що так сталося завдяки його молитвам і старанням. Ніхто із «Притулку світанку» не протестував проти цього. Вони раділи. А знімальні групи, що приїжджали в гори, лише підтверджували почуття власної значущості.

Сєрґєй, «шаман» Ґріґорія, повіз мене на зустріч із Борісом Золотовим, його ґуру й актором «Золотого шляху» неподалік Москви. Ми виїхали на десятки кілометрів з Москви в шелест російського лісу. На місце прибули аж уночі.

«Золотий шлях» був позначений (англійською) на дорозі, підсвіченій нашими протитуманними фарами. Стрілка вказувала шлях до занедбаного санаторію для працівників радянських заводів: кілька низьких, модульних споруд, обнесених бетонними стінами та колючим дротом. Ми наблизилися до найбільшої будівлі. Посеред зеленого коридору лежала велика купа взуття: брудних кросівок, туфель на високих підборах, зимових чобіт і сандалів. Ми також зняли своє взуття. Крізь подвійні двері можна було почути сміх і слабкі крики.

Всередині була покинута спортзала. Більшість людей лежала в яскраво освітленій залі, всюди смерділо немитими ногами. Люди довгими днями не виходили звідси. Вони лежали у формі півмісяця навколо сцени, де на поворотному кріслі сидів круглий сивий чоловік. Він був одягнений у жовтий спортивний костюм. Це був учитель — Боріс Золотов. Він промовляв, а люди в залі повторювали його слова: «Енергія часу й матерії містилась у земному ядрі, формуючи дорогу енергії в базовій матриці планети, створюючи шлях обставин до стану світла».

Якщо Віссаріон розмовляв простою, майже дитинною російською мовою (своїх послідовників він вважав дітьми), то ідея Золотова полягає в переробленні мови заради перетворення свідомості. У СРСР він був фізиком-теоретиком і, поєднуючи науку та містицизм, висловлював ідеї про «матеріалізацію мрій» і «перерозподіл реальності на сеґменти, якими можна подорожувати».

«Метод» Золотова полягав у сценічних експериментах, де його послідовники переходили на новий рівень свідомості, беручи участь у бурхливих оргіях. Там старі, потворні, молоді, вродливі обнімались, цілувались і пестили одне одного в колективному екстазі. Вони проводили цілі дні, спілкуючись одне з одним за допомогою гарчання, виття, нявкання і зригування. І завжди Золотов сидів посередині, диригуючи цим спітнілим хаосом. Чимало його учнів були з ним від початку 1990-х років. Коли під ногами провалилася земля, мільйони росіян переживали падіння, деконструюючи реальність тією мірою, коли, на їхню думку, вже можна було побачити саме осердя всесвіту.

— Нова свідомість може народитися лише тут, — проповідував Золотов, — у країні, що є цвинтарем усіх ідеологій.

Ця ідея об'єднувала всі пострадянські секти: усі страждання, увесь шок, через який Росія пройшла, перетворили її на місце, де може народитися нова людина і нове майбутнє. Ці секти також звернулися до ще глибшого міфа: ідеї того, що Росія стане місцем народження нової месіанської свідомості. У XV столітті, коли це місто було столицею утворення, що згодом стане російською державою, воно проголосило себе останнім бастіоном православного християнства, істинної віри Христової: Європа загрузла в єресі католицизму, Візантію захопили турки, а Московія Івана III мала стати «Третім і останнім Римом», спадкоємцем святості Риму Святого Петра та Візантії. Російська література та філософія були наповнені месіанськими ідеями. Персонажі Достоєвського заявляють, що росіяни — єдиний народ-богоносець і що друге пришестя Ісуса Христа відбудеться в Росії. Бердяєв стверджував, що Росія є носієм «енергійної месіанської свідомості», яка може змагатися лише з єврейським месіанством. Міжнародний комунізм був найамбітнішим у геополітичному плані вираженням цієї ідеї: Москва як сяюче місто на пагорбі соціалізму, буремна кузня нової епохи, яка завершує всі попередні епохи. Сталін побудував сім великих ґотемських хмарочосів, що домінують і визначають межі центру міста, подібно до семи пагорбів Рима.

Будь-яка ідея, необов'язково релігійна, тут розбухає до плакатного екстремуму. Російський расист-шовініст бачить Росію як останню твердиню білої раси у світі. Російський нігіліст буде *справжнім* нігілістом. Переможний сурковський цинік-містик стає пострадянським суперменом, політтехнологом, здатним дивитися крізь усі ідеї з «вершини світобудови».

*

Утім, якщо Москва — це місце, куди має повернутися новий месія, тоді, звісно, туди ж прийде і диявол, щоб кинути йому виклик. Булґаков намалював у своїй уяві диявола, який з'являється у сталінській Москві, походжаючи її бульварами так, немовби вони належать йому. Так, немовби єдиний спосіб, за допомогою якого місто може осмислити себе, полягає в месіанстві. Воно має явити себе, як місце великої битви добра і зла.

Я знову побачив втілення саме цієї ідеї під час перегляду театральної постановки сурковського роману «Близько-нуля» в Московському театрі ім. Станіславського. Майже неможливо було знайти квиток. На чорному ринку ціна однієї контрамарки сягала кількох тисяч доларів. Зрештою, мені вдалося знайти квиток за дві пляшки шампанського та обіцянку одній із провідних діячок цього театру дати їй у безплатне користування лондонську квартиру моїх батьків. З'ясувалося, що ця плата навіть не покрила нормального місця. Контролери запустили мене після того, як згасло світло. Вони дали мені подушки й наказали сісти на підлогу перед першим рядом. Цілий вечір я стукався головою об напахчене стегно якоїсь моделі, і її лисий партнер, схоже, був з цього дуже незадоволений. Серед публіки було повно таких персонажів: жорстких, розумних чоловіків, які керують країною, та їхніх приголомшливих супутниць. Зазвичай їх не побачиш у театрі, але вони прийшли туди, тому що вистава зобов'язувала. Якщо колись їм доведеться зустрітись із Сурковим, то вони мусять сказати йому, наскільки їм сподобалася його захоплива вистава. Але незабаром стало очевидним, що постановка «Близьконуля» видозмінила роман. У доданих фрагментах актори безпосередньо зверталися до публіки, звинувачуючи її в комфортному житті у світі вбивств і корупції. (Жорсткі чоловіки та їхні супутниці, не кліпаючи очима, дивилися на сцену, немовби ці провокації не мають нічого спільного з ними. Чимало з них пішли в антракті.) А Єґор з вистави не мав нічого спільного із Суперменом із книги, будучи радше людиною, зламаною відразою до самого себе, нещасною в цьому блискучому світі з його щоденними приниженнями. Людиною в пеклі.

— Хіба не очевидно, що Москва — це Третій Рим? Священне місто? — запитує Рустам Рахматуллін.

Я сиджу навпроти Рустама в кав'ярні — невеличкій дерев'яній будівлі з неоновою рекламою безалкогольних напоїв, що відбивалася в нашому чаї Lipton і Рустамових окулярах. Я замовив курячий суп, але принесли холодний бульйон, і я його відставив. Крізь вікна видно кільце двох автомагістралей, настільки насичене рухом, що чорний дим висів над автомобілями. Над невеличкою дерев'яною кав'ярнею нависають житлові будинки 1970-х років із голого бетону, немовби хтось почав будувати їх і, втомившись на середині, покинув цей замір. Рустам виглядає, як комаха, у своїх окулярах з тонкою оправою. А розмовляє, як комп'ютер.

— Якщо поглянути на мапу, то видно, що Москва — це досконала мережа, — розповідає він. — Оберніть її, і ви побачите, наскільки ідеально вона збігається з Єрусалимом. Візьміть мапу Рима, і Москва накладеться на неї. Це місто — вияв Божої думки.

Рустам — не міський божевільний. Він дослідник, колумніст у газеті істеблішменту*. Ми розмовляємо про його

---

* Ідеться про газету «Известия». — Прим. ред.

нову книжку «Метафізика Москви», яка претендує на статус бестселера та здобуття престижних літературних премій. Пізніше він вестиме шоу на телебаченні. Він викладає «метафізику міста» в місцевому університеті. Ця книжка — кабала московських вулиць, де немає нічого випадкового: подвір'я, де у XVIII столітті одна бояриня замордувала п'ятдесятьох своїх кріпаків, через двісті років стало домом праведного тюремного лікаря, який присвятив себе поліпшенню життя ув'язнених, таким чином «очищуючись» від первородного гріха. І таке інше на п'ятистах сторінках.

Рустам — один із позитивних персонажів. Разом із Можаєвим він займається порятунком старих будинків, кампаніями проти корупції в міському уряді. Проте він вхоплює дух часу в цілому, сферу асоціативного, ірраціонального й магічного. Бо ж якщо персонажі на кшталт Золотова і Віссаріона були провінційними диваками, то тепер, коли Москва стає ще дужче впевненою у власній унікальності, вдивляється у своє перетворення під впливом нових грошей, настільки швидке та дивне, що наче спостерігати, як плоть твого тіла миттєво, просто на очах, перетворюється на золото, і центр столиці також починає вирувати в містичних і месіанських хмарах.

У штабі «*Ночных волков*», російського відповідника «Ангелів пекла», шатуни кораблів перероблені на хрести заввишки три метри. Деталі розбитих літаків пригвинчені до двигунів вантажівок для гігантської сцени. Розбиті гарлідевідсони прикручені до барної стійки. Фрагменти корпусу човнів перетворені на стільці, а деталі поїздів — на столи калібру Валгалли. І всюди хрести: «*Ночные волки*» — байкери, що знайшли російського Бога.

— У нас є лише кілька років для порятунку душі Святої Русі, — каже Алєксєй Вайц. — Лише кілька років.

Вайц — один із лідерів «*Ночных волков*». У країні їх налічують п'ять тисяч, п'ять тисяч беовульфоподібних бороданів у шкірянках верхи на гарлеях. Саме Вайц найбільше доклався до того, щоб перетворити злочинців на релігійних патріотів, які їздять Москвою з іконами Богородиці, Ісуса Христа і Сталіна.

— Чому Сталін? — запитую я. — Хіба він не винищив сотні тисяч священників?

— Ми не знаємо, навіщо його послав Господь. Можливо, він мусив їх убити, щоб випробувати віру. Не нам про це судити. Коли ви вирізаєте нарив, також маєте вирізати здорову плоть.

Під час нашої розмови Вайц змінює свій офісний одяг на шкіряний. Байкерський рух в СРСР виник наприкінці 1980-х років як абсолютно антирадянський, свободолюбний. Його послідовники любили групу Steppenwolf, а отже, й Америку. У 1990-ті роки байкери залишалися марґінальною субкультурою, хоч і пов'язаною з байкерськими клубами в Європі та за її межами. Патріотичне зрушення відбулося пізніше. Легенда свідчить, що Алєксандр Залдостанов, або Хірург, лідер *«Ночных волков»*, зустрів на дорозі священника, який сказав йому, що варто змінити своє життя і допомогти в порятунку Святої Русі. Вайц, який у робочий час очолює створену Кремлем політичну партію *«Правое дело»*, допоміг надати форму цьому імпульсу. «Ночные волки» — ієрархічно організована структура: якщо Хірург і Вайц кажуть, що відтепер вони православні, то всі підкоряються цьому рішенню.

Вайц кидає шість кубиків цукру в горнятко і розповідає мені свою історію.

— Я вчився на актора. Здобув класичну акторську освіту за системою Станіславського. Мій викладач казав, що я водночас можу виступити в обох амплуа — трагічному та комічному. Це рідкісний дар.

Він перериває розмову, щоб процитувати кілька рядків із російської кіноверсії «Вишневого саду», що досконало відтворює оригінал. Він робить паузу, чекаючи на мої оплески.

— Мій розрив із театром відбувся 1994 року. Я грав у «Вишневому саду», ми мали гастролі в Лондоні, де мешкали в готелі Seven Sisters. Знаєте такий? Гарний район. І я просто більше не зміг це тягти далі. Виявилося, що доводиться грати занадто багато ролей. Перевтілюватись у велику кількість «я».

— Ви маєте на увазі, занадто багато театральних ролей?

— О ні, з цим проблем не було. Я професіонал. Ідеться про інше. Іноді я бачив видіння, релігійні видіння. Я бачив демонів і ангелів на людських плечах. Я бачив змій, що звивалися навколо людей, коли вони говорили, їхні справжні душі. Я бачив чимало речей, недоступних іншим. Людські аури, кольори навколо них... Ви дивитеся на мене, як на божевільного. А я просто маю дар. Я шукав свій шлях до істинної віри. І не міг одночасно бути актором і людиною Господа.

Повернувшись із Лондона, Вайц покинув акторську діяльність. Він став побожнішим. Але йому все одно потрібна була робота, тож один друг знайшов йому посаду в новій політтехнологічній фірмі. Використовуючи систему Станіславського, він почав навчати політиків «маніпулювати людською свідомістю» за допомогою «вербальних і невербальних форм впливу».

— Я застосував принципи акторського методу. По-перше, вони мали вирішити, куди прямують. Чого їм треба... Куди ви прямуєте, Пітере? — раптом запитав він.

Я не знаю.

— Ви прямуєте до смерті. Усі ми прямуємо до смерті. Це найперше, що я намагався їм втовкмачити... Це наша байкерська сутність. Ми стикаємося зі смертю щодня. Ми — культ смерті. Ми знаємо, куди ми прямуємо. Росія — це останній бастіон істинної релігії, — веде далі Вайц. — Станіславський говорив: «Або ви для мистецтва, або мистецтво для вас»*. У цьому полягає відмінність між Заходом і Росією. Ви імперіалісти, ви вважаєте, що все мистецтво створене для вас, а ми вважаємо, що ми існуємо для мистецтва. Ми даємо, а ви берете. Ось чому ми можемо поєднати Сталіна та Бога. Ми можемо вмістити в собі все — українців і грузинів, німців, естонців і литовців. Захід знищує малі народи, а в Росії вони процвітають. Ви хочете, щоб усе було таким, як у вас. Захід відряджає до нас своїх аґентів розтління. Росіянин, навчений у західній компанії, починає мислити по-іншому: самолюбство лежить в основі західної раціональності. Це не наш шлях. Ви нав'язали нам свою культуру споживання. Я не думаю, що за це відповідальні Вашинґтон чи Лондон. Ними керує Диявол. Ви мусите навчитися бачити цю священну війну в повсякденному житті. Демократія — це занепадницьке явище. Розділення «лівого» та «правого» означає розкол. У Царстві Господньому є лише верх і низ. І всі єдині. Ось тому російська душа і священна. Вона здатна поєднати все. Як на іконі. Сталіна та Господа. Як усе, що ви бачите тут, у *«Ночных волках»*, — ми беремо фрагменти зламаних машин і скручуємо їх воєдино.

Якоїсь миті він зупиняється. Мабуть, я дивився на нього якось дивно, моє горнятко з чаєм зависло в повітрі. Перехід від Станіславського до Царства Господнього відбувся так плавно, що я не мав часу опанувати обличчя.

— Або принаймні я намагаюся зібрати все воєдино, — промовляє спокійніше Вайц. — Це незавершена робота. Можливо, ми не зможемо впоратися з нею.

Але існує також дуже практична сторона діяльності *«Ночных волков»* — поєднання політики з релігією. У 2000-ні роки міжнародні байкерські групи почали намірятися роз-

---

*   Напевно, йдеться про класичну фразу Станіславського «Любіть мистецтво в собі, а не себе в мистецтві».

ширити свій вплив у Росії. Найвідомішою з них була спочатку американська, а тепер глобальна група Bandidos, яка запропонувала «*Ночным волкам*» стати їхнім місцевим відділенням. «*Ночные волки*» хочуть керувати самі собою і тримати власних байкерів у межах необхідної їм віри. Тому вони почали формувати психологію обложеної націоналістичної фортеці. Вони змінили свої емблеми на російські й ширили історії, мовляв, Bandidos хочуть заповнити Росію наркотиками. Важко зрозуміти, наскільки реальною є зовнішня загроза для «*Ночных волков*». Їх тут тисячі, тимчасом як Bandidos у Росії — кілька десятків. Але Вайц говорить про те, що «*Ночные волки*» оточені.

Сурков відкриває для себе «*Ночных волков*», і він у захваті. Країна потребує нових зірок-патріотів, велике кремлівське реаліті-шоу відкрите до експериментів, а «*Ночные волки*» — саме той тип, який потрібен для допомоги Кремлю в переписуванні наративу протестувальників від політичної несправедливості та корупції до наративу Свята Русь проти Закордонного Диявола, відволікаючи увагу від економічного спаду і того, як від 15 до 50 % зріс рівень хабарів, що їх вимагають чиновники за будь-яку оборудку. Вони отримають підтримку Кремля на щорічне байк-шоу і рок-концерт у Криму, колишній діамант у короні імперії, що в радянські часи став частиною України, і де «*Ночные волки*» використовують грандіозні шоу для закликів забрати півострів в України та відновити землі Великоросії. Позування з президентом на фотографіях, де він носить окуляри Ray-Ban і шкірянку та водить триколісний гарлей (він просто не здатен впоратись із двоколісним). Участь у мегаконцертах на 250 тисяч фанів, що святкують перемогу в Сталінградській битві Другої світової та у вічній війні, яку Росія приречена вести проти Заходу, — із цирковими шоу калібру Cirque du Soleil, реконструкціями битви масштабу Стівена Спілберґа, релігійними іконами і священним екстазом, посеред якого лунають промови Сталіна про святість радянського воїна, читані вголос для 250 тисяч. Після чого з'являється ще більше танцівниць і гімн «*Ночных волков*» «*Небо славян*»:

> Нас точит семя орды,
> Нас гнет ярмо басурман,
> Но в наших венах кипит
> Небо славян […]
> Но инородцам кольчугой звенит
> Русская речь.
> И от перелеска до звезд
> Высится Белая рать.

Працюючи над фільмом про моделей і «*Розу Мира*», я почав помічати, як цей новий містицизм пронизує все на телебаченні.

На останкінських каналах особистий духівник Президента, архімандрит Тіхон, вбраний у довгу чорну рясу, походжає Стамбулом, розповідаючи у прайм-таймі історію падіння Константинополя і про те, як велика православна імперія (спадкоємицею якої є Росія) була виснажена олігархами та Заходом. Професійні історики висловили протест проти цієї псевдоісторії, але Кремль починає використовувати релігію і надприродне зі своєю метою. Візантія та Московія могли процвітати лише під владою одного великого автократа, стверджує архімандрит. Ось чому нам потрібен Президент, який був би, як цар.

Навіть нібито науково обґрунтовані програми не застраховані. Є низка документальних фільмів у прайм-таймі про «психологічну зброю». Один із них — «Поклик безодні» («*Зов бездны*»). У ньому показують працівників спецслужб, які інформують телевізійну аудиторію про психологічну зброю, яку вони розробляють. Російська армія має «сталкерів» —

екстрасенсів, які здатні ввійти у транс і проникнути в колективне несвідоме світу, глибини його душі, а звідти проникнути у свідомість високопосадовців іноземних держав і викрити їхні мерзенні наміри. Один сталкер проник у свідомість президента США, а потім перелаштував наміри одного з його радників так, що провалюється будь-який підступний план, що таємно підготували Сполучені Штати. Висновок очевидний: якщо спеціальні служби здатні проникнути у свідомість президента США, то, безумовно, можуть проникнути й у вашу свідомість. Держава — повсюди і спостерігає за кожною твоєю думкою. Найдорожчий документальний фільм, показаний колись на російському телебаченні, називається «Пліснява» («*Плесень*»). У ньому стверджується, що пліснява захоплює землю, і це відбувається ще від часів Мойсея. Це зброя диявола, згадана у давніх містичних текстах, невидимий, але скрізь присутній ворог, чиї зловорожі спори вторгаються в наші життя, сіючи смерть і хвороби. Фільм закінчується кадрами, де великі юрби переляканих людей ідуть, щоб придбати «машини для очищення від плісняви» — їх рекламують у фільмі. Їхні виробники були серед продюсерів фільму. Обложена психічними шпигунами та повітряно-десантними грибами, аудиторія перебуває в постійній паніці та середньовічному екстазі. Що дужче раціональнішу, критичну мову витискають з телебачення, що менше знімають критичних фільмів про минуле та сучасне, то сильніше приживаються містичні наративи.

— Фінансова криза налякала Кремль, — сказала мені Анна, подруга, яка працювала на *ТНТ*, а тепер знімає розважальні шоу на *Останкино*. Ми зустрілися з нею випити в барі Courvoisier. — Духовність — завжди добрий метод для відволікання людей. І рейтинги будуть високі: коли погано, наші люди люблять вдаритись у містику. Згадай 1990-ті роки.

Зрештою, навіть Кашпіровський повернувся на центральне телебачення як ведучий документального серіалу про безсмертя, привидів і «стиснений час». А редагуючи свій матеріал про «*Розу*», я виявив, що рух Lifespring у Росії набирає сил. Найбільші канали *Останкино* знімали пілотний випуск з іще одним інструктором з особистісного розвитку (набагато успішнішим і спритнішим за «*Розу Мира*»), у якому приниження і трансформації з курсів перетворюються на шоу. Очільник *Останкино* полюбляє цей формат. Усі сльози та конфлікти сприяють величі телебачення.

ПОКЛИК БЕЗОДНІ

— Ви виглядаєте втомленим, Пі-і-і-тррре.

— Вам треба взяти відпустку.

— Ви також… Як би це вам сказати…

— Ви занадто *емоційно перейняті* цією історією.

Я прийшов на *ТНТ* поговорити про монтаж фільму про моделей, і розмова явно не клеїлась. Кучерява, руда та прямоволоса продюсерки надто тактовні, щоби казати це вголос, але, гадаю, вони думають, що я почав божеволіти. І всі вони трохи мають рацію. Я вбив так багато часу, розв'язуючи загадку того, що відбувається в «*Розе Мира*», що це стало головною темою мого життя. Коли я проходив повз висотний будинок, я думав про тих дівчат і про те, що вони думали перед тим, як розбігтись і вистрибнути.

Я настільки запізнився з цим проєктом, що ніхто більше навіть і не згадував про терміни.

— Ми казали, що нам не потрібно занадто багато негативних історій.

— Ви ж знаєте, що нам потрібні щасливі фінали.

— Де позитивні історії?

—Коли ви їх знайдете?

Я сказав, що зроблю все можливе.

—Скільки ти ще збираєшся знімати фільми для *ТНТ*? — запитує Анна, подруга, яка перейшла з відділу виробництва шоу на *ТНТ* у вищі сфери *Останкино*. — Це все дитячі забавки. Якщо хочеш робити справжні фільмі, тобі треба перейти на роботу до *Останкино*. Коли ти зміг би прийти на співбесіду?

Успіх *ТНТ* означав, що багато його працівників були бажаними на Першому каналі: колючі коміки, ведучі та «креативні продюсери» — усі отримували контракти.

Від часу мого першого візиту майже десятиліття тому, коли я зустрічався з політтехнологами, які визначали реальність на вищих поверхах, в *Останкино* я був нечасто. Але високий шпиль телевізійної вежі завжди був для мене компасом, вказуючи шлях, коли я губився в місті. Вежа завжди стояла строго на півночі, будучи острівцем стабільності серед несподіваних бань щойно збудованих соборів, подібних до полум'я свічки, сяючих червоних зірок ґотичних веж сталінської епохи, споруджених хмарочосів, поворотних кранів і куль для знесення, що дають відчуття нескінченного руху до горизонту.

Моя зустріч була запланована на пізній час, після десятої вечора, але коли я приїхав, пласкі й широкі технічні споруди досі сяяли світлом. У країні з дев'ятьма часовими поясами, що простягається від Балтійського моря до Тихого океану і займає шосту частину світового суходолу, телебачення — це єдина сила, яка здатна об'єднати, керувати та обмежувати. А отже, великий таран пропаганди не міг зупинятись ні на хвилину.

Вестибюль відремонтували, тепер він сяяв кахлями та склом. Зник старий брудний кафетерій, замість якого з'явилася кав'ярня з широким асортиментом напоїв: зелений чай із жасмином, капучино і коньяк зі скибкою лимона. Ліворуч від вхідних дверей долинав стукіт: там, як сказали мені, облаштовано нову православну капличку.

Мене зустрів помічник, і поки ми піднімалися ліфтом, відчинялися двері, і кожен поверх був іншою цивілізацією. Двері роз'їжджались, і ви опинялися на поверсі з чорно-жовтою новинною студією, новенькою, як приватний літак. Двері знову роз'їжджалися, і ви поверталися у глибокі 1970-ті роки з бежевими коридорами та зрілими жінками з вибіленим волоссям, зібраним у хвостики. Наступний поверх був на стадії реконструкції, ще один — яскраво-блакитним. *Останкино* ремонтують фрагментарно: велика цілість розділена на тисячі невеличких феодальних володінь, кожне з яких перебуває на власній стадії історичного розвитку.

А ось і наш поверх. Ідемо коридором. Повертаємо ліворуч, праворуч, ліворуч, кілька сходинок униз. Ідучи, я усвідомлюю, що ніколи не знайду звідси виходу. Усі ці двері. Усе таке однакове.

Зустріч призначено у студії Red Square Productions. Вона отримує замовлення на великі інформативно-розважальні шоу для Першого каналу й належить дружині його очільника. Перед входом до кабінету креативного директора Red Square — невеличкий передпокій. Там мене просять почекати. У руках тримаю DVD з моїми останніми програмами і їх перетасовую. Чекаю понад годину. Мене це чекання дістає, я хочу вийти на перекур, але боюсь, що не знайду шляху назад. Близько опівночі я нарешті заходжу.

Двері важкі, а в кабінеті — дерев'яні полиці з безліччю книжок і довгий стіл, а за всім цим — широкі вікна з панорамою на московську ніч. На протилежному боці столу сидить худорлявий, засмаглий і молодий чоловік у світлому костюмі з розкуйовдженим чорним волоссям. Він не припиняє усміхатись. Це доктор Курпатов, перший ро-

сійський телевізійний психолог-порадник. Він заробив
статки на своєму шоу, куди люди приходять поплакати
та почути рецепти, щоб змінити своє життя. Він може на-
вчити вас усього — від подолання страхів до порад щодо до-
брого сексу, любові до дітей і збагачення. Він майстер ней-
ролінгвістичного програмування та гіпнозу, порад людям,
які втратили близьких, філософії. Усі стіни його кабінету
заповнені книжками з популярної психології. А тепер він
не просто телезірка із власним шоу, а й креативний дирек-
тор продакшн-студії, найближчої до найважливішого те-
леканалу. Тепер він має вибирати програми, які будуть за-
спокоювати всю країну, розважати її і долати страхи.

Він запрошує мене сісти й розповідає, як сильно йому
подобається моя робота. Я знаю, що він бреше, але він та-
кий люб'язний, киваючи, погоджуючись в усіх відповідних
місцях і демонструючи свою перейнятість, що цього доста
для того, щоб я відчув його щире зацікавлення. Він каже,
що, мабуть, для лондонця доволі дивним є вибір працюва-
ти в Росії. «О так!» — відповідаю я, і розповідаю йому стіль-
ки своїх пригод і поневірянь, що навіть не помічаю, як ми-
нають пів години, а весь мій дискомфорт від перебування
в *Останкино* щезає.

Наступного дня його помічниця телефонує мені по-
відомити, що докторові Курпатову я насправді сподо-
бався й *Останкино* хоче зробити мені пропозицію. Хай
чим була та співбесіда, я пройшов. Чи не хотілося б мені
знімати історичні документальні фільми? Зі справжнім,
майже як для кіно, бюджетом на акторів, реконструкції
та художників-декораторів? На Заході такі речі доступні
вам лише тоді, коли ви на самому вершечку телевізійно-
го дерева, а на *ТНТ* про таке ви навіть ніколи й помріяти б
не могли. Для Росії цей жанр новий, і лише тепер, коли
Останкино процвітає, воно може до нього братися. Я дав-
но хотів на якийсь час втекти від звичайних документаль-

них фільмів-спостережень, більше думати про костюми та ракурси камери і менше про похорони, секти та самогубства.

Планувався фільм про адмірала часів Другої світової війни, який знехтував наказами Сталіна й пішов в атаку на німців, тимчасом як Кремль усе ще заперечував наміри Гітлера та сподівався на мир. Згодом адмірал був репресований і забутий. Це добра історія. Це насправді добра історія. Це проєкт-мрія.

Я кажу їй, що мені потрібен час подумати.

Вона каже, що поспіх зайвий.

Проєкт про моделей тривав так довго, я так перевищив бюджет і так затягнув процес, що просив для продовження виробництва гроші у своєї родини. Із закінченням нафтового буму в таких місцях, як *Сноб*, давно перестали платити. Я був змушений переїхати зі своєї старої квартири із чудовою панорамою на Москву-ріку в меншу, бруднішу та нижчу квартиру. Вона прямо біля одного з тих ринків, де торговці з Північного Кавказу продають погані підробки дизайнерських костюмів і крадені телефони. Уночі вони влаштовують бійки з футбольними фанатами-расистами просто під моїми вікнами. Люди в цій частині міста взувають пластикові китайські шльопки й носять свої речі в целофанових пакетах. У тісних задушливих крамницях продають оселедці з відкритих бочок з плівкою бруду. Настояний на спеці сморід від оселедців стелиться вулицею.

Одного ранку я прокидаюся із присмаком паленого в роті. Усюди дим. Я біжу на кухню перевірити, чи не залишив вогонь на плиті, але виявляється, що ні. Відтак визираю у вікно й бачу, що дим також назовні. Густий і ядучий, зелений і жовтуватий, він треться об зачинене вікно, повільно прослизає крізь відчинене, що його я ніколи не зачиняю влітку. Здається, горить уся вулиця. Я вибігаю на невеличкий балкон і бачу, що горить не лише вулиця, а й усе місто. Будівлі та миршаві дерева й естакада Третього транспортного кільця наполовину губляться в тумані. Дим виїдає очі. Він пахне вогнем, сосною і лісами, але цей запах змішався з бензином, автомобільними заторами, парфумами й чимось промисловим. А ще це запах торфу. Повертаються торф'яні пожежі.

Це іноді трапляється влітку. Підмосковні торф'яники охоплює вогонь, і дим проникає в місто. Дим такий густий, що ним можна загортатися, наче плащем. Астматики, люди похилого віку й діти виїжджають до родичів на села. Але потім дим доходить і туди. І їм доводиться мандрувати все далі й далі, до Санкт-Петербурґа, Брянська або Монако.

На вулиці місто здається покинутим. Ви майже пробиваєте собі шлях крізь дим. Першою ознакою іншої форми життя є звук чийогось наближення: цок-цок-цок. Спочатку цей звук вражає. Потім розумієш, що це підбори. Це йде дівчина в туфельках на шпильці, бікіні та респіраторі. В таку спеку. А потім з'являється і зникає в диму все більше людей: на весільній вечірці конфеті розкидають в імлі, де воно, здається, губиться назавжди. Поліцейський виглядає розгубленим. Цілуються парочки.

Я купую пиво й повертаюся до квартири. Стара побита камера Z-1 із металевим корпусом, у роздільної здатності якої з появою HD вийшов термін придатності, лежить на моєму ліжку. Навколо неї розкидані плівки із пробами і зразками моїх пошуків для позитивних історій на *ТНТ*. Чимало цих плівок про Алєксандра — сліпого футболіста, зірку першої російської футбольної команди сліпих. Я сподівався, що його історія буде оптимістичною. Адже він — людина, яка подолала важкі проблеми: сліпий із дитинства, він став тепер потенційним параолімпійцем.

На плівках він виглядає, як скандинавський бог з довгим рудим волоссям. Він голосно розмовляє і всюди ходить зі своєю подругою, тихою дівчиною, яка викладає музику малим дітям. Вона ніжно проводить його попід лікоть між стовпами та через пороги. Вона сама наполовину сліпа, в окулярах зі скельцями, завтовшки як дно пляшки, але бачить вона більше, ніж Алєксандр.

Сліпі хлопці зазвичай виходять із частково зрячими дівчатами. Хлопчики, особливо футболісти, поводяться грубо, але дівчата головні. Вони можуть бачити. Сліпі хлопці часто переживають, що їхні дівчата дивляться на когось іншого. Або й навіть цілуються й обнімаються з кимось іншим у тій самій кімнаті.

Алєксандр уболіває за динамівців Москви. Щотижня він займає своє місце на фанатській трибуні за воротами. Він не слухає радіокоментар, як робить більшість сліпих уболівальників: він розповідає мені, що відчуває події на полі внутрішнім футбольним зором.

Московське «Динамо» відоме своїми вболівальниками-расистами, і незабаром я дізнаюсь, що й Алєксандр — не виняток.

— Я чую цих чурок на вулицях. Я чую їхню мову в метро. У моєму дворі зазвичай лунала російська мова… коли я чую цих чурок, я просто підходжу і б'ю отак.

Коли він б'є, то широко і незграбно розмахується. Але голи він забиває сильним ударом.

— Ми вважаємо, що Росія — велика імперія, яку інші держави хочуть роздерти на шматки. Нам потрібно відновити свою велич, окупувати наші втрачені землі, забрати Крим в українців, — кажуть футбольні вболівальники, а потім в один голос:

— Нам потрібна Росія для росіян, а всі ці чорні з Кавказу та Середньої Азії повинні забратися геть.

Завжди існував цей парадокс сучасного російського націоналізму: з одного боку, бажання захопити всі регіони навколо, з другого — прагнення етнічно чистої великої держави. А наслідком цієї плутанини є наростання гніву. Збираються сотні тисяч фанатів і скінхедів на марші, освітлюючи площу навпроти Кремля своїми фаєрами, співаючи: *«Кто не прыгает, тот хач»*. І коли вони всі разом стрибають, здригається тротуар.

Здається, усі позитивні історії, які я зачіпаю, обертаються негативними. На моєму ліжку лежать записи про дівчину на ім'я Катя, яка розповіла мені, що припинила колотися амфетамінами після ледь не клінічної смерті. Але коли я починаю знімати її, з'ясовується, що вона брехала мені й курить морфіни, випаровані з рецептурних знеболювальних (їх нелегально купують в аптеках, що сплачують долю аґентам ФСКН). Катя завжди випрошує в мене гроші, стверджуючи, що її щойно пограбували або що її хтось переслідує і треба відкупитись.

Група дівчат із Києва, які називають себе FEMEN і протестують проти секс-туризму за допомогою роздягання і бігають голими на державних заходах, щоби наголосити на сексистській сутності системи, ідеально пасує для *ТНТ*. Але раптом вони починають протестувати проти президента. Коли я телефоную до них, вони кажуть: «Політика — патріархальна». Тепер *ТНТ* за них нізащо не візьметься.

У мене закінчуються гроші. І я думаю погодитись на пропозицію *Останкино*.

Окрім усіх цих «Покликів безодні» або відверто пропагандистських шоу, *Останкино* теж знімає і гострореалістичні фільми та саркастичні комедії. Ви можете сміятися, ігноруючи пропаганду, і дивитися якісні фільми, саме так роблять люди, яких я знаю. У фільмі, який захотів мені замовити Перший канал, не було нічого поганого. Це добра історія. А ще я усвідомив, що хоча мій фільм може бути чесним, його легко поставлять поряд із якимись панегіриками Сталіну про Другу світову війну та Путіну як його найновішому втіленню. Чи буде мій фільм «доброю» програмою, що легалізує все, частиною чого я бути не бажаю? Спочатку завойовуєш довіру, щоб цією довірою наступної миті зманіпулювали?

Але знову-таки — ну, і що з того, що інші шоу на Першому каналі є пропагандою? Чимало гідних людей роблять великі шоу та фільми для *Останкино*, і ніхто проти них нічого не має. Усі ми мусимо викроювати свою маленьку територію. Ти робиш власний проєкт, «руки у тебе чисті», як тут усі люблять говорити, — а решта вже не твій клопіт. Це просто робота. Це не ти.

У дитинстві я так направді ніколи й не замислювався про життя моїх батьків у Радянському Союзі і не цікавився, чому вони еміґрували. Просто СРСР був місцем, звідки виїжджали люди. Мого батька заарештували за розповсюдження копій книжок Набокова та Солженіцина. Хто б не хотів вивільнитися з такої задушливої атмосфери?

Але чим саме було те, що вони відкидали? Я завжди лише здогадувався, що таке «диктатура», але ніколи не замислювався, як ця система направді працює. Тепер я згадав історію своєї мами, яку вона мені одного разу розповіла.

Їй було п'ятнадцять років. Це був 1971 рік. Їхня вчителька в дуже звичайній середній школі на краю Києва оголосила, що сьогодні вони приймають дуже особливого гостя. Він був працівником радіо «*Коминтерн*» — однієї з елітних пропагандистських служб, яка поширює радянські ідеї на Заході.

Цьому чоловікові було близько тридцяти, він був одягнений у джинси та шкіряну куртку. Лише найбільш круті, непокірні та з великими зв'язками (лише люди з великими зв'язками й могли собі дозволити бути непокірними) могли дістати джинси та шкіряні куртки, адже їх привозили тільки із Заходу, а поїхати туди або й навіть знати людей, які туди їздять, було тоді привілеєм. Цей чоловік був зовсім несхожий на їхніх консервативних учителів. Він сидів на краєчку вчительського столу й посміхався тією зухвалою посмішкою, яку згодом моя мама визначить як характерну рису каґебістських хлопчиків і яку я тепер спостерігаю на президентові та його оточенні. Посмішки чоловіків, які знають, що здатні розкусити кожного.

Спеціальний гість розповів дітям, наскільки Росія оточена ворогами і як їм треба бути обережними із західними аґентами й західними впливами.

Потім він вийшов у коридор перекурити. Діти вийшли за ним. Він дав їм сигарети, які вони з трепетом прикурили, але вчителі були в такому захваті від спеціального гостя, що не наважилися завадити їхньому спільному перекуру. Він розповів про записи Beatles у себе вдома (моя мама завжди боялася навіть вимовляти слово Beatles на людях). Він розповів їм, що навіть був за кордоном (ніхто у школі моєї мами ніколи не бував за кордоном). У 1968 році він потрапив до Праги в числі радянського військового контингенту, що «визволяв» Чехословаччину від контрреволюції. Він розповів дітям, що вони ходили випивати в бари старого міста (моя мама намагалась уявити «бари старого міста», але не могла сформувати картинку у своїй голові).

А ще він розповів, як одного разу, коли вони сиділи в барі, прибігли якісь чехи й почали кричати: «Росіяни, геть додому! Росіяни, геть додому!»

Це вразило мою маму. Вона завжди вірила в те, що Радянський Союз «визволив» Чехословаччину. Вона вірила, що Радянський Союз виступав за соціальну справедливість у всьому світі.

— Ви маєте на увазі, що вони були незадоволені бачити вас? — запитала вона.

Він подивився на неї як на ідіотку.

У кожного, хто ріс у Радянському Союзі, був момент прозрівання. Так сталось і з моєю матір'ю. Коли вона почала роззиратися на довколишній світ, стала помічати, як усі фальшивлять, симулюють переконання, уранці кажучи одне, удень — інше. І також бояться. Іронія та страх поєднані. І безліч голосів одночасно. Уранці в комсомолі ти одна. Інша ти вдень читаєш Солженіцина. На роботі ти переконана соціалістка, а на своїй кухні крадькома слухаєш ВВС, і при цьому всі знають, що ти слухаєш, тому що всі також слухають.

Коли я запитую своїх російських начальників, старших телевізійних продюсерів і медійників, які керують цією системою, що означало рости в пізньорадянську епоху, чи вірили вони в комуністичну ідеологію, яка їх оточувала, вони завжди відповідають сміхом.

— Не кажи дурниць, — відповідала більшість із них.

— Але чи ви співали пісні? Чи були хорошими комсомольцями?

— Звісно, співали, і з задоволенням. А одразу після цього слухали Deep Purple і ВВС.

— То ви були дисидентами? Ви вірили у крах СРСР?

— Ні. Усе було не так. Ти просто одночасно розмовляєш кількома мовами — і так увесь час. Існувало нібито кілька твоїх особистостей.

З цього погляду, велика драма Росії — це не «перехід» від комунізму до капіталізму, від одного завзято сповідуваного набору переконань до іншого, а те, що протягом останніх десятиліть СРСР ніхто не вірив у комунізм, але всі й далі поводилися так, немовби вірили, а тепер вони лише й можуть створювати суспільство симуляції. Тому це залишається поширеною, щоденною психологією. Останкінські продюсери, які вдень створюють новини, де вихваляють президента, а потім, тільки-но йдуть із роботи, перемикаються на опозиційне радіо. Політтехнологи, що з неабиякою легкістю змінюються від ролі до ролі — націоналісти-автократи в один момент, а наступного вже ліберали-естети. «Православні» олігархи, що співають гімни російському релігійному консерватизму і тримають свої гроші та родини в Лондоні. В усіх культурах існують відмінності між «публічною» та «приватною» іпостассю людини, але в Росії суперечність між ними сягає таких крайнощів.

І йдучи Москвою, що задихається від диму, я бачу, як топографія міста артикулює ці поділи: агресивні проспекти з їхніми баронами-чиновниками, хабарями і перевертнями в погонах, де єдиний спосіб виживання — стати такими ж корумпованими, як і вони, а за кілька метрів від них — тихі дворики з майже буколічним настроєм і провінційними уявленнями про порядність. Раніше я думав, що ці два світи конфліктують, але правда в тому, що вони перебувають у симбіозі. Майже так, немовби однієї миті вас спонукають мати одну ідентичність, а наступної — другу. Таким чином ви завжди розщеплені на невеличкі фрагменти, і ніяк не здатні справді взятися і щось змінити. Як наслідок, ви дедалі частіше спостерігаєте тут дещо агресивну апатію. Цей базовий світогляд тримав СРСР і тепер тримає нову Росію, навіть попри те, що СРСР уже давно офіційно не існує. Але це розщеплення також надзвичайно зручне: ви всю свою провину можете списати на свою «публічну» іпостась. І це не ви розкрадаєте бюджет, створюєте пропагандистські шоу, схиляєте свої коліна перед президентом, натомість це просто роль, яку ви граєте. Насправді ж ви добра людина. І тут не йдеться про самозречення. І навіть не про притлумлювання страшних таємниць. Усе, що ви робите, на виду, усі ваші гріхи. Ви просто реорганізовуєте своє емоційне життя так, щоб не турбуватись про це.

І знову ж таки будівлі є відображенням цього світогляду. У тумані над моєю головою стирчать балкони, немовби підвішені в небі. Росіяни викладають усе своє лайно на балкони для загального огляду. Сателітарні антени, банки з огірками, зламані іграшки, проколоті шини — все опиняється на балконах. Англійці нагромаджують своє сентиментальне сміття і страшні таємниці в садових сараях. Німці мають Keller — підвал, глибоке підземелля для приховування всіх своїх лихих спогадів. А в Росії ви просто викидаєте все на балкон. А оскільки це вже не квартира, то яка різниця, чи побачать усе це сусіди? Ми розберемося з усім цим сміттям якось принагідно. Воно навіть не є частиною нас.

Проте не всі можуть або хочуть вдаватися до цієї психологічної акробатики саморозщеплення. Якогось дня посеред 1970-х, десь наприкінці свого підліткового віку, моя мама лежала на ліжку й думала, що вона божеволіє. Усі ці люди, однією з яких їй судилося стати, вони без жодного стрижня. Вона почувалася розламаною на маленькі частини. Потім почалася її виправа в пошуках невеличких груп радянських дисидентів. Вони мали власний лексикон. Вони говорили про «*порядочность*» — порядність, яка на практиці означала, що людина не стукач. Про «*достоинство*» — гідність, яка на практиці означала, що людина не знімає фільмів або не пише книжок, або не ретранслює речей, бажаних для Кремля, але ненависних для неї. І для багатьох людей у 1970-ті роки єдиним виходом була тюрма або еміграція. А подекуди й досі так.

Я зачинив вікна від торф'яного смоґу, але він усе одно проникав крізь усі шпарини. Мій одяг, волосся, окуляри та камера просмерділися його запахом. Я постійно прав свій одяг, але ніяк не міг витравити цього запаху. Я зістриг волосся. Але запах був у моєму скальпі, моїх пальцях. У країні оголосили надзвичайний стан. У газетах показали, як група прокремлівської молоді «*Наши*» гасить пожежу великим шлангом. Хоча згодом з'ясувалося, що ці кадри також підроблені. У новинах останкінських каналів сказали, що президент тримає цю ситуацію під контролем, але аварійні служби постійно зазнавали невдач: пожежні машини не ремонтували роками, і вони ламались. Люди почали гасити пожежі самостійно: добровільні дружини з відрами проти небезпечного вогню в сухих лісах європейської частини Росії.

Я повідомив співробітникам на *ТНТ*, що не здатен знайти позитивних історій. У мене закінчилися гроші. Можливо, я міг би попросити в них більше грошей, але правда в тому, що я не хотів. Прийде інший режисер і закінчить роботу, змонтувавши позитивні історії. Їм це вдається набагато краще, ніж мені, і зроблять вони це набагато швидше, ніж я. Я облажався. Я програв. Три продюсерки — кучерява, рудоволоса та прямоволоса — спочатку розсердилися на мене, а потім пожаліли.

Маленький острівець теентешного радісного неону зменшувався. Тепер у їхній сітці ставало щоразу менше документальних проєктів, навіть «документально-розважальних». Тепер у моді ситкоми. Вони блискучі, але нічого спільного з Росією, з якою я стикався, не мали. Комедія про лікарню знята в такій бездоганній і блискучій лікарні, що могла б і роздратувати глядачів. І завжди цей закадровий сміх. Що задушливіше стає у країні, то більше цього закадрового сміху на *ТНТ*.

Я сказав людям з *Останкино*, що не прийму їхньої пропозиції. «*Останкино* дає вам цей шанс лише раз», — сказали вони мені. Вони так усім кажуть.

Мені просто слід було виїхати. Мені треба було повернутися до розміреного Лондона. Де ти не мусиш розпадатися на невеличкі фрагменти. Де слова означають речі. Озирнувшись, я помітив, скільки моїх друзів виїхали. Ґріґорій. Мій перший продюсер на *ТНТ*. Навіть художник-перформер Владік тепер живе на Балі. Перед своїм від'їздом він написав публічного листа з вимогою відставки президента: «Настав час рятувати мільйони людей від цього симулякра влади». Яку роль можна було придумати для художникаперформера там, де для того, щоб побачити приклад ґротескного перформенсу, вам просто достатньо ввімкнути телевізор? Владіку втерли носа.

ОФШОР

Лондон. Ченсері Лейн. Апеляційний суд: присадкувата нова споруда зі скла і сталі якраз за сірими шпилями Олд-Бейлі*. Судова зала номер 26. У сусідньому приміщенні розглядають банальний позов Plenty of Fish Media до Plenty More LLP. Через залу розглядають справу про патент на туалетний папір. Зали засідань із флюоресцентними лампами й ікеївськими столами. Але судова зала номер 26 ущерть заповнена олігархами, політтехнологами, чеченськими міністрами в екзилі, революціонерами-кар'єристами і бозна-якою кількістю охоронців. Озираючись на всі боки, заходять приголомшливі невідомі жінки: золотошукачки забігають до суду зустріти потенційних форбсів. Схоже, що вся Росія, з якою я провів десятиліття, набилась у цю невеличку англійську залу судових засідань. Я засік Ґріґорія, молодого московського мільйонера, який влаштовував вечірки «Літньої ночі». Він вбраний у помаранчеві штани і яскравосиній кардиган.

— Захотілося зайти подивитися на них усіх тут, — сказав він. — Ніколи не вдалося б опинитися поруч із багатьма цими бонзами в Москві. Лише в Лондоні.

Це найбільший приватний процес в історії — на три з половиною мільярди фунтів стерлінгів. Борис Бєрєзовський, «Хрещений батько Кремля», — перший олігарх, людина, яка

---

* Центрального кримінального суду Англії та Вельсу.

створила російську систему й виліпила президента, поки сама не опинилась в екзилі з вини свого виплодка і не втекла до Лондона, — проти свого протеже, Романа Абрамовіча, «тихого олігарха», який перевершив старого майстра, ставши одним із нових фаворитів президента, і який також переїхав до Лондона, хоч і не в пошуках притулку, а щоб стати однією з найбагатших осіб Британії: боязкий, неголений провісник Росії XXI століття в мішкуватому костюмі, який купує спортивні клуби, замки, колишніх німецьких канцлерів і газети. Абрамовіч володіє футбольним клубом Chelsea. Він є власником найбільшої приватної яхти у світі. Його статки оцінюють у 5,4 мільярда фунтів стерлінгів.

Бєрєзовський вручив судову повістку на Слоун-стрит, Найтсбридж. Він робив закупи в Dolce and Gabbana і побачив Абрамовіча в сусідньому бутику Hermes. Він підбіг до свого майбаха, схопив позов, прослизнув поміж охоронцями Абрамовіча і кинув його, за свідченням продавця-консультанта, Абрамовічу зі словами: «Це тобі від мене». Тепер, коли Бєрєзовський з'являється на Ченсері Лейн, він підстрибує і козириться в суді, голосно жартує та жестикулює, завжди в оточенні гарних жінок, серйозних радників та ізраїльських охоронців-велетнів. Уранці перед тим, як дати свідчення, помітивши, як поліцейський біля суду виписує штраф для його майбаха, він кричить йому зі сміхом: «Зупиніться, ми можемо разом робити бізнес!»

— Це дуже російська історія, — каже Бєрєзовський, займаючи місце, щоб свідчити, — з багатьма вбивцями, де сам президент майже вбивця.

Офіційний привід скарги — нафтова компанія «*Сибнефть*». Її 1996 року приватизували за 60 мільйонів фунтів, а 2005-го вона коштувала вісім мільярдів. Бєрєзовський стверджує, що вони з Абрамовічем були співвласниками доти, доки Абрамовіч не «повівся, як бандит» і не вкрав частку Бєрєзовського, коли той перебував у політично безпорадному стані, погрожуючи ув'язненням одному з друзів Бєрєзовського, якщо він не віддасть йому частини компанії. Певна річ, на папері не існує жодних доказів, що компанія належала Бєрєзовському, але хіба всі не знають, що в них була усна домовленість? Хіба преса завжди не називала Бєрєзовського співвласником? (Авжеж, називала, я провів так багато часу в Росії, що, думаю, це цілком нормально для справжнього бенефіціара — ніколи не з'явитись у документах.)

— Я знаю, що вам важко уявити світ, де двоє чоловіків тиснуть одне одному руки і по всьому, — терпляче пояснює Бєрєзовський судді Елізабет Ґлостер, — але це Росія.

Бєрєзовський захоплено пояснює, як він отримав спірну нафтову компанію, використовуючи свої впливи у Кремлі, на приватизаційному аукціоні, ведучи завзяті перемовини в кулуарах, переконуючи одного суперника послабити свої амбіції в обмін на покровительство, а іншого — взагалі відмовитись, якщо він заплатить його борги.

Адвокат Абрамовіча Джонатан Сампшен, який у вільний від роботи час пише історичні книжки про середньовічні війни і якого називають у газетах «найрозумнішою людиною Англії» (за цю справу йому начебто заплатили сім мільйонів фунтів стерлінгів), погойдуючись туди-сюди, готується до останнього удару:

— Ви ввійшли у змову з одним із претендентів і відкупилися від другого: то чи не було би справедливо стверджувати, що цей аукціон від початку був сфальсифікованим?

— Це не зафіксовано, — наполягає Бєрєзовський. — Я просто знайшов спосіб! У моїй термінології це не зафіксовано.

Абрамовіч, приклавши пляшку холодної води до скроні від головного болю, пояснює, що це не він, а Бєрєзовський був бандитом, політичним хрещеним батьком, якому довелося платити данину, коли Бєрєзовський був сірим кардиналом Кремля в 1990-ті роки. Але тільки-но Бєрєзовський втратив свою впливовість, він втратив і доступ до грошей. А отже, президентові та його команді тепер важко покинути Кремль. Зі своєю відставкою він може втратити все. У цій системі не існує західного підходу до прав власності, лише рівні наближеності до Кремля, ритуали хабарництва та підлабузництва й звичне насильство. І з затягуванням судового процесу, коли судові асистенти закотили штабелі з теками, заввишки два метри, зі свідченнями очевидців, поки вони не заповнили всіх проходів між столами, коли історики, викликані обома сторонами, пояснили значення слів «*крыша*» (протекція) та «*кидало*» (підступна людина в бізнесі), стало очевидним, якими непридатними є мова та раціональні категорії англійського права для оцінювання плинної маси схем, корупції та недомовленостей, що визначають життя в Росії, — невловних, але впізнаваних для їхніх учасників. Спостерігаючи за ходом цього процесу зі свого тісного кутка серед публіки, я невиразно відчув важливість цього моменту: це був не лише конфлікт між двома чоловіками, а й вирок усій епосі.

— Я був першою жертвою режиму президента Путіна, — звертається до суду Бєрєзовський. — А потім крок за кроком збільшувалася кількість його жертв.

І усе пристрасніше він перелічує імена всіх ув'язнених бізнесменів і бізнесменок, убитих журналістів і мертвих юристів.

А потім Абрамовіч тихим голосом пояснює, як у 1990-ті роки він продавав нафту за базовою ціною своїм компаніям на Кіпрі, а потім перепродував за ринковою.

— Якщо в 1990-ті роки Росія була корумпована за шкалою чотири з десяти, — стверджує Бєрєзовський, — то тепер вона корумпована за шкалою десять із десяти. Вона корумпована тотально!

*

Сьогодні з Росії виводять 30 мільярдів фунтів стерлінгів щороку (іноді більше). Протягом десятиліть трюки вдосконалюються: одна державна енергетична компанія, яку очолював друг президента, купує матеріали за завищеними цінами в компанії-ширми, як згодом з'ясували, вона належить менеджментові державної компанії. Державні банки інвестують пенсійні фонди в компанії, які потім загадково банкрутують. (Гроші просто зникають! А банки заперечують будь-які факти про незаконні оборудки.) Найостанніша економічна модель полягає у створенні «мегапроєктів», покликаних слугувати способом для викачування грошей із бюджету. Вартість Зимових олімпійських ігор у Сочі — 50 мільярдів доларів — перевищує вартість попередніх Олімпійських ігор у Лондоні на 30 мільярдів доларів і уп'ятеро вища за будь-які інші зимові олімпійські ігри. За деякими даними, близько 30 мільярдів доларів було «освоєно». Є також «мегаміст» над Тихим океаном, що з'єднує Владивосток із Південним Сахаліном. На Південному Сахаліні нічого нема, реальні економічні вигоди практично нульові, але можливості для хабарництва — невичерпні. СРСР будував «мегапроєкти», що не мали жодного макроекономічного сенсу, але пасували до галюцинацій планової економіки. Нові мегапроєкти не мають макроекономічного сенсу, але є засобами збагачення людей, чия лояльність до Кремля потребує швидкої винагороди.

Проте саме влада, а не гроші, завжди була головним інтересом Бєрєзовського. Нафтова компанія, за яку боролися два олігархи, завжди була для Бєрєзовського не більше як засобом для досягнення мети, лише для фінансування контролю над телебаченням. У 1994 році він першим у Росії зрозумів, що телебачення може дати йому цю владу. Саме Бєрєзовський запровадив «сфабриковані документальні фільми» на *Останкино*, вигадуючи малодостовірні скандали про політичних опонентів тодішнього президента, його ведучі розмахували перед камерою нібито копіями документів, які «доводили» корупцію. У 1999 році саме телеканал Бєрєзовського створив нового президента, підтримуючи його війну в Чечні та перетворивши його з сірої «молі» на лідера-мачо. Саме Бєрєзовський винайшов фальшиві політичні партії, телевізійних маріонеток, оболонки без жодного політичного наповнення, єдиною метою яких була підтримка президента. Сповзання Росії від представницької демократії до суспільства чистого спектаклю найбільший імпульс отримало саме від Бєрєзовського. Він створив театр, у якому я згодом працював і який після його вигнання призначив його на роль вічного бабая: останкінський канал, що колись підкорявся Бєрєзовському, звинувачував його в усьому — від спонсорування тероризму до політичних убивств. А Бєрєзовський і собі вписався в роль суперзлочинця, який уже після майже повної втрати своєї впливовості стверджував, що спонсорував спроби революцій в Україні та Росії.

Під час судового засідання, якраз у Прощену неділю — неділю перед Великим постом, Бєрєзовський опублікував зізнання на своїй сторінці у Facebook: «Народе Росії, я прошу твого вибачення… за знищення свободи слова та демократичних цінностей… Я зізнаюся, що привів президента до влади. Я розумію, що щиросердне зізнання — це не слова, а вчинки, і вони не забаряться».

Російські журналісти, які висвітлювали хід процесу, у відповідь хихотіли. Ніхто не вірив жодному слову, яке він сказав. Бєрєзовський не опонент кремлівської системи, а радше її попередник, що обернувся абсурдним відображенням. Перевертень дійшов до свого трагікомічного хитросплетіння.

— Я вважаю, що містер Бєрєзовський — посередній і, по суті, ненадійний свідок, який вважав правду тимчасовою, гнучкою концепцією, яку можна ліпити на догоду досягненню поточних цілей, — каже пані суддя Ґлостер у своєму остаточному вердикті. — У мене склалося враження, що він не конче був навмисно нечесним, натомість увів себе в оману вірою у власну версію подій.

Бєрєзовський сидить просто навпроти мене і, слухаючи слова судді, починає трястись і заходиться сміхом. Це задушливий сміх. У холі біля зали судових засідань він ходить вгору і вниз, а потім якийсь час кружляє колами. Виходячи на спілкування з пресою назовні, він не припиняє сміятись.

Наступними місяцями він зникає з поля зору, цього разу відмовляючись давати інтерв'ю.

Ходять чутки, що він без засобів до існування. Суд обійшовся йому в понад 60 мільйонів фунтів. Через шість місяців він продав роботу Воргола на аукціоні Christie's — одну зі 120 шовкографій «Червоного Лєніна» (Red Lenin), на якій жовтогаряче обличчя радянського лідера виринало (або було занурене) з полотна криваво-червоного кольору. Вона пішла за 121 тисячу фунтів.

Через три дні Бєрєзовський помер, повісившись у ванній будинку своєї колишньої дружини в Ескоті. Я припустив, що останкінські канали зловтішатимуться. Натомість атмосфера була скорботною. Такий тон задав прес-секретар президента, оголосивши, що смерть кожної людини — це трагедія. Едуард Лімонов, колишній еміграційний письменник-дисидент, який перетворився на лідера націонал-більшовиків — руху, що розпочався як мистецький проєкт і став антиолігархічною революційною партією, яка поєднувала троцькізм і фашизм, а потім знову перетворився на союзника Кремля, писав: «Я завжди любив його. Він був великим, як герої Шекспіра». Слова Владіміра Жиріновського, ультранаціоналістичного жупела, якого Кремль використовує, щоб залякувати електорат, який зазвичай бризкає слиною і робить страшне лице, говорячи про ворогів Росії, звучать майже ніжно: «Я бачив його кілька місяців тому в Ізраїлі. Він був втомлений, розчарований». На останкінському каналі показали чорно-білі фотографії Бєрєзовського під акомпанемент зворушливої музики. «Після всього, що було, і після всіх ролей, які він зіграв, ми так і не дізналися, ким він був насправді», — сказав ведучий. Виглядало на те, що великий фарс російської політики раптово зупинився й усі актори розвернулися до публіки, щоб поаплодувати загиблому гравцеві, віддаючи шану його трупу.

Утім, хоча старий майстер уже мертвий, породжена ним система нині зростає, видозмінюється і виходить поза межі Москви, сягаючи офшорних, безподаткових архіпелагів Кіпру, Британських Віргінських островів і Монако з анонімними отримувачами платежів, а звідти — до Мейфера, Белґравії, Слоун-стрит, Вайтголл і Сентрал-Парк-Вест*. Для людей президента і тих, хто його боїться, для злодіїв-чиновників і нафтотрейдерів з числа колишніх бандитів, для реальних підприємців і росіян, яким захотілося виборсатися і пожити нормальним життям. Для всіх існує єдина схема. Заробити, вкрасти й вивести гроші з Росії. А ховати їх у Нью-Йорку, Парижі, Женеві й особливо в Лондоні. Тут і приземлилася моя Москва.

Я працюю на телешоу. Дев'ятирічне перебування в Росії є чимось на кшталт чорної діри в моєму резюме, і я знову повернувся до низу ієрархічної драбини: формально я «продюсер» (це слово втратило весь свій сенс), але насправді я працюю асистентом без жодного редакційного контролю над гламурним, низькопробним документально-

---

* Престижні житлові квартали й осередки ділової активності Лондона.

розважальним серіалом для американсько-британського кабельного телеканалу «Зустрічайте росіян» («Meet the Russians») — про нових пострадянських багатіїв у Лондоні. До нього додавалися рекламні обіцянки показати глядачам «світ багатіїв, яких ви ще не бачили».

Наприклад, поп-зірка вийшла заміж за сталевого магната, який витратив 1,2 мільйона фунтів на її кар'єру, зокрема альбоми, перемогу на конкурсі «Міс світу» (чоловік викупив права на цей конкурс за рік перед її перемогою) і зйомки в голлівудському фільмі класу В зі Стівеном Дорффом (чоловік проспонсорував фільм). Вона тримає в їхньому домі сокола. Будинок облаштований як копія семизіркового готелю в Дубаї, де вона колись зупинялась. Вона приймає ванни з шампанським, щоб зберегти гладкість шкіри.

Або, наприклад, дружина футболіста, яка витратила понад сто штук баксів на «лабутени» («Я не можу ходити в чомусь меншому за п'ятидюймові підбори») і вважає англійських жінок недоглянутими («Вони навіть не виглядають, як жінки!»).

Або, наприклад, дружина підприємця, чий партнер потрапив у немилість до президента й тепер не може повернутися до Росії. Вона позувала для нас у своїй шубі за 110 тисяч фунтів стерлінгів.

У міру розгортання дев'яти серій фільму, ми бачимо, як люди, що довше пожили в Англії, навчилися добрих манер, навчилися витрачати гроші в належний спосіб, не вульгарно, навчилися доброчинності й переваг взуття на низькому ходу. Набули — здається, я постійно чую це слово під час зйомок програми — «класу».

Шоу має добрий рейтинг і підживлює апетити. Місцева публіка отримує об'єкт для насмішок і відчуває приємну вищість над новобагатьками, які по шматках скуповують їхню країну: «Зустрічайте найвульгарніших телевізійних героїв в історії», — пояснює газета Daily Mail. Але крім цього ще комфортнішою є думка, що хоча нові російські багатії можуть бути багатшими, ніж будь-який британський громадянин сміє мріяти, хоча список багатіїв Sunday Times уже очолює не королева, а Абрамовіч, Усманов і Блаватнік, ці глобальні нувориші таки намагаються вписатися в «наш спосіб життя». Інстинктивно, за звичкою, продюсери програми «Зустрічайте росіян» прагнуть якогось варіанта «Ярмарку суєти» Вільяма Теккерея, «Моєї прекрасної леді» Бернарда Шоу — міфів, на яких виростали британці. Вікторіанського компромісу, традиційного шлюбу нових грошей зі старим класом, екстрапольованого на епоху глобалізації. Нові глобальні багатії, каже цей міф, прагнуть нашої культури, законів і шкіл. Цивілізації.

От тільки я зовсім не маю певності, що саме це відбувається насправді.

*

Сєргєй — герой у «Зустрічайте росіян». Він виріс у російській родині в Естонії. У 1999 році, коли йому було тринадцять, його батьки взяли його на канікули до Лондона. Доти він ніколи не був за кордоном. Вони сіли на пором і замовили номер у тризірковому готелі Earls Court. Сєргєй був баскетбольним фанатом і ще ніколи не бачив справжніх чорношкірих людей. Усі вони носили Nike Air Jordans, що були його мрією, і його голову розпирало від усього цього тієї миті, коли батьки посадили його на край ліжка.

Це не були канікули, пояснили вони. Вони просили про притулок як росіяни, яких дискримінують в Естонії. Це було його нове життя.

Вони переїхали до Кенту — графства, відомого як «Сад Англії». Його батько став водієм-експедитором алкогольних напоїв. Він важко працював. Купив автопричіп. На вихідні Сєргєй потай вибирався до Лондона. Спочатку він організував підпільні рейв-вечірки в Північному Лондоні. Коли йому виповнилося вісімнадцять, саме накочувалася хвиля російських грошей: Абрамович купував Chelsea, а Лєбєдєв — Standard і Independent. Англійці поступались, відмовлялися від престижних місць проживання, продаючи квартири в Мейфері, Белґравії та Найтсбриджі й переїжджаючи до Оксфордширу, Тоскани або Норфолку, покидаючи благородні потиньковані стіни й огороджені сади, залишаючи їх раптово розбагатілим новим героям із Казахстану, Азербайджану, Індії, Красноярська, Катару, Донецька.

Сєрґєй знайшов свою нішу.

Він — вправний пройда в цьому світі. Майстер на всі руки. Вам потрібен пентхауз у Мейфері? Воргол? Живий фламінґо на вашій вечірці? Сєрґєй — ваша людина. У нього різні візитівки для своїх різних ролей, але його головна роль — «клубний промоутер». Але це просто означає, що він знає всіх у золотому трикутнику між Нью-Бонд-стрит на сході, Слоун-стрит на заході та Берклі-сквер на його вершечку.

Ми вперше зустрілися, коли він організовував вечірки в Baku — азербайджанському закладі на Слоун-стрит, який, за чутками, належав дочці президента Азербайджану Гейдара Алієва, де танцмайданчик був декорований винними пляшками на 30 тисяч фунтів, що їх охороняли вишибали. Потім був Kitsch на Олд-Берлінґтон-стрит, куди, як любить хвалитися Сєрґєй, прийшли двоє росіян і спустили 120 тисяч фунтів за один вечір після підписання якоїсь доленосної оборудки. Тепер ми обідаємо в Selfridges, через кілька днів після зустрічі Нового року, коли англійці досі сонні, а заклад заповнений арабами, китайцями та росіянами. Якраз вони і приносять прибутки.

— Коли мої мама і тато попросили про притулок тут, вони, імовірно, подумали, що я стану англійцем. Британцем, чи щось таке, — розповідає Сєрґєй. — Але у світі, де я працюю, в Мейфері, Найтсбриджі, Белґравії, я частіше розмовляю російською, ніж англійською. Англійців більше не вважають людьми з реальними грішми. Вони досі можуть керувати по той бік Слоун-сквер, у Челсі, але Мейфер їм уже не втримати. Гарна клубна вечірка тут приносить 110 тисяч фунтів. Це втричі більше, ніж деінде.

На самому вершечку Лондона місто проривається і вилітає з Англії назовні, у простір, який не є ані Європою, ані Близьким Сходом, ані Азією, ані Америкою, а є деінде, в офшорі.

Головними клієнтами Сєргєя є «золота молодь». Дітей російських (українських, казахських і азербайджанських) чиновників-бізнесменів (ці ролі пишуть через дефіс) відправляють на навчання у престижні школи-пансіони, а потім у міжнародні бізнес-школи Європи й Америки. Улюблені — Веллінґтон і Стоу з їхніми портиками та ігровими майданчиками. Що патріотичнішими стають російські еліти, що голосніше співають гімни «Православію, Самодержавству і Народності», що завзятіше проклинають Захід, то більше дітей відправляють навчатися до Англії.

У минулу епоху, коли англійці були клубом, до якого ви прагнули приєднатись, деякі нові іммігранти змінювали свої прізвища: з «Віноґрадова» на «Ґрейда», з «Міронова» на «Міррена», з «Броковіча» на «Брука». Але це незнане «золотій молоді»: навіщо перейматися, якщо найбагатші люди в місті все одно мають неанглійські прізвища? Батьки «золотої молоді» відправляють своїх дітей до шкіл-пансіонів не тому, що хочуть, щоб ті стали англійцями, а тому, що це елемент статусу, як-от будинок у Сан-Тропе чи банківський рахунок у Швейцарії. «Золота молодь», яку я зустрічав, так само прив'язана до Росії. Вони не заперечують свого коріння. Але їхніми точками опертя є Гонконг, Женева, П'ята авеню, Лондон, Південне узбережжя Франції, а звідти — приватні яхти та приватні літаки. Офшор. Мати одне громадянство — американське, російське або британське — вже здається старомодним, пережитком XX століття.

— Тож ким ти є? — запитую доньку російської поп-зірки (дитинство в підмосковному котеджному селищі, школа-інтернат у Швейцарії, а тепер — коледж і клубне життя на Слоун-стрит). — До кого ви почуваєте свою належність? — запитав я двох сестер, які ходили до школи неподалік Кембриджа і чий батько з Оренбурга купив їм бутик у Мейфері, де вони продають оздоблені коштовностями угґі.

І вони беруть паузу й відповідають:

— А ми, типу, ін-тер-на-ціо-наль-ні.

Це перегукується з поглядом Сєрґєя:

— Мої клієнти інтернаціональні (хоча на його вечірках переважна більшість клієнтури — колишні радянські люди).

Але коли ти намагаєшся з'ясувати, що означає «інтернаціональний», ніхто не здатен відповісти.

Вечори починаються в ресторані Novikov на Берклі-стрит. Цей самий Новіков створив усі ті актуальні московські ресторани для форбсів і дівчат, де Альона ходила на свої полювання (а може, й досі ходить). Це перший заклад, якому було надано його справжнє прізвище, прізвище, яке стало символом нової Москви. А нова Москва, як з'ясувалось, тепер є чимсь, чого варто прагнути.

Проминаєш викидайл назовні й дівчат, які курять довгі тонкі сигарети, проминаєш двері з тонованого скла й нефритовий камінь, який Новіков встановив біля входу на щастя. Всередині Novikov облаштовано так, що в будь-який момент усім видно майже кожного — тут використано той самий театральний принцип, що й у його московських закладах. Але лондонський Novikov — набагато більший. У ньому три рівні. Один рівень — «Азійський» із чорними стінами й тарілками. Другий рівень — «Італійський» з підлогою вилинялого білого кольору, деревами і репродукціями класиків живопису. На нижньому поверсі — клуб-бар у стилі бібліотеки в сільському англійському будинку, з дерев'яними

книжковими стелажами й рядами книжок у твердій палі-
турці. Це московський ресторан *Новиков* у кубі: серія цитат,
посилань, загорнутих у порожнечу тонованих вікон, позбав-
лених своїх первісних спогадів і значень (але набагато прохо-
лодніших і віддаленіших, ніж доступний барвистий пастіш,
наприклад, десь у Лас-Веґасі). Таким завжди був стиль і на-
стрій в «елітних» VIP-закладах Москви на Рубльовці й у ме-
жах Садового кільця, де щойно збагатілі люди існують у ве-
ликій порожнечі, в якій вони можуть купити будь-що, але
все це нічого не означає, оскільки старий порядок значень
зник. Предмети тут втрачають будь-які внутрішні зв'язки.
Старі майстри, англійські пансіони та яйця Фаберже плава-
ють, зависають у культурі з нульовою силою тяжіння.

Однак тепер Москва більше не єдине місце, де резонує
цей стиль. У готелі Берні Арно Bulgari на розі Гайд-пар-
ку, найдорожчому готелі в Лондоні (номери від 725 фунтів
за ніч; пентхауз — 16 600 фунтів), підлоги з чорного граніту,
а стіни — з чорного скла, де старші чоловіки з молодшими
жінками в цій чорноті — суворі, похмурі та осяйні. Зануре-
ний у нове багатство московський світ підноситься і рап-
тово змішується з глобальним капіталом із нових перспек-
тивних економік. І росіяни тут задають тон і моду. Просто
тому, що вони вправляються в цьому на кілька років довше,
тому що накопичення досвіду було набагато важчим і швид-
шим — коли зник їхній радянський світ і їх викинуло в хо-
лодний простір. Вони стали пострадянськими на подих ра-
ніше, ніж увесь світ став постусіляком. Постнаціональним
і постзахідним, постбреттонвудським і пост-будь-яким-ін-
шим. Юрії Ґаґаріни культури невагомості.

Просто на південь від Пікаділлі, у Сент-Джеймс*, ще від-
чувається запах Англії, у Reform Club або Brooks's із їхні-

---

* Стара аристократична дільниця Лондона, осердя чоловічих клубів
у XIX ст. — *Прим. ред.*

ми зношеними килимами, тонкими натяками та подихом століть. Але доступ «туди» просто більше не потрібен. Мені переповідають, що партнер Новікова купує будинок у Сент-Джеймсі для свого приватного лондонського джентльменського клубу. Його планують зробити більш закритим, приватним та ексклюзивним. А сам ресторан Novikov щовечора забитий клієнтами. Ходять чутки, що він приносить понад 780 тисяч фунтів на тиждень за рахунок вихованих у Парижі катарців і зареєстрованих у Монако нігерійців, американських менеджерів інвестиційних фондів, «золотої молоді» та аґентів футбольної Прем’єр-ліги, «супутниць» із Бразилії та Молдови та швейцарських «юристів» з офісами в Москві та Гонконгу, що голосно скаржаться, перекрикуючи музику у стилі хаус, що їхній бізнес зійде на пси, бо швейцарський парламент вимагає, щоб іноземці з рахунками у швейцарських банках оприлюднювали свої справжні імена.

— Весь сенс рахунку у швейцарському банку полягає в його, блядь, секретності! — викрикують вони в барі, зробленому у стилі бібліотеки англійського сільського дому. — Я так втрачу весь свій московський бізнес! Це кінець Швейцарії!

Скіннерс Холл збудовано 1670 року неподалік Кеннон-стрит, у «серці Міста». Велика їдальня, оздоблена дубовими панелями та обвішана гобеленами й гербами, освітлюється прожекторами кислотно-рожевого кольору і темнокобальтової сині, що в поєднанні створює ефект неонових сутінків. Сьогодні тут вечір для російських важливих персон, які спонсорували щорічний «Російський тиждень»: тиждень балетних вистав у театрі Coliseum і слов’янських рок-концертів на Трафальґарській площі на честь російського напливу.

Чоловіки в чорних краватках і жінки, вбрані в незручні сукні, які виглядають, ніби щойно з манекена. Квінтет грає щось класичне. Потім черга «*Бурановских бабушек*» — тріо бабусь, які представляли Росію на пісенному конкурсі «Євробачення», виконуючи народні пісні в ритмі євробіту. Одна російська дружина влаштовує щось на кшталт показів моди. Тут немає подіуму для моделей, а тому вони змушені рухатись між столами. Оксамитовий одяг зі спадистим низом, італійсько-аристократичні сукні цитують Ґрейс Келлі — «вічна класика». Але неможливо розгледіти кольори через рожеве та кобальтове освітлення.

— Погляньте, — шепоче мені модна дружина, — там Т. Я востаннє бачила його в Монте-Карло. Цей чоловік не зможе ніколи повернутися до Росії, він такий шахрай. Хто він тут? Філантроп? Це все одно, щоб він зробив собі пластичну операцію і начепив нове обличчя.

— А це А.? — запитує хтось іще. — Та, хто втовкмачила собі, ніби вона аристократка? Ох. Я пам'ятаю її по Москві. Нічогенька вона тоді була аристократка. Знаєте, як вона познайомилася зі своїм першим чоловіком-мільярдером? Вона була «моделькою».

Оригінальні ідентичності стають такими ж неясними, як й істинне право власності на кошти, що перетікають між колишнім Радянським Союзом і Заходом. Особливо відколи президент підписав закон, що забороняє державним чиновникам і очільникам державних компаній (а тепер більшість компаній — державні) мати банківські рахунки або цінні папери за кордоном, попри те, що сам сенс просування в системі полягає у привілеї піднімати гроші там і перекачувати їх сюди. А отже, Кремль водночас регулює статус, що підтверджує привілей, і тримає всіх у страху. І поки всі перелякані, вони зберігають лояльність. Тепер у Лондоні, можливо, більше аґентів ФСБ, аніж будь-коли в історії, але їхня мета — не ядерні секрети, а більшою мірою інші росіяни і люди, яких ви можете знайти. Паранойя пронизує кожну зустріч і розмову.

— Бачите Б., — нахиляється до мене модний російський автор і каже, — оцю в діамантах? Із чоловіками навколо? Вона з'явилася нізвідки й відкрила власну мережеву аґенцію. Усі думають, що вона із ФСБ. Бо навіщо б їй потрібні були контакти всіх наших людей? Навіщо знати, хто тут є і кого немає?

І все це робить розмову за межами вузького кола вірних друзів важкою. Звичайні формальності — «Чим займаєтесь?» або «Як вам ці політики?» — заводять у глухий кут. Весь час єдиною нейтральною темою, на яку люди, здається, здатні розмовляти, є мистецтво.

— Я провела чимало часу в Лондоні, коли вчилася. Я любила музеї, особливо Tate Modern. Тому подумала, що чудово було б створити схожий простір у російському контексті, — розповідає Даша Жукова зі щирою простотою, на яку здатні лише реально, по-справжньому заможні люди: коли ми розмовляємо, вона саме будує новий музей сучасного мистецтва в Москві. Вона є донькою одного російського олігарха і тривалий час — нареченою другого, Романа Абрамовіча. Я беру в неї інтерв'ю перед відкриттям проєкту Art Basel, який вона спонсорує. (Коли з'являються перерви в роботі на телебаченні, я трохи підробляю як газетний журналіст.) Домовитися про зустріч реально складно. За кілька годин місце зустрічі змінюється з Лондона до півдня Франції, Москви і Нью-Йорка. Зрештою, ми зустрічаємось у Лос-Анджелесі, де вона виросла. Я лечу економ-класом заради годинної розмови.

Її батько заробив свої статки, торгуючи нафтою. Також була якась історія про торгівлю російською зброєю під час війни, і він провів через це певний час в італійській тюрмі (його, зрештою, звільнили від звинувачень). Востаннє я бачив Абрамовіча, коли в англійському суді той боязко пояснював походження своїх перших капіталів.

Але всі ці дрібниці, схоже, зовсім не відіграють жодної ролі під час моєї розмови з Дашею.

Вона красива якоюсь неагресивною красою. Вона киває і слухає. У неї неповторний акцент — щось середнє між вимовою корінної москвички та безжурної каліфорнійки з лондонськими нотками. Їй було дев'ять, коли вона виїхала з Москви, живучи зі своєю мамою-вченою спочатку в Техасі, а потім у Лос-Анджелесі. Щоразу, коли я намагаюся перевести розмову на політику, вона просто це ігнорує. Ми обговорюємо мистецтво. Прохолоду простору у проміжках між скульптурами Дональда Джадда. Чесність модернізму 1960-х років. Про невиразність ідентичності.

Ідентичності розмиваються, перероджуються в чистих, чітких, простих лініях абстрактного мистецтва.

Щоразу, коли я зустрічаюся із кандидатом на роль у телешоу, вони кажуть мені прийти до Arts Club на Дейвіс-стрит. Це найбільш «інтернаціональний» з усіх клубних закладів. Коли ви піднімаєтеся сходами, бачите люстру з блискучими пластмасовими кульками, а коли дістаєтеся на перший поверх, незабаром на вас чекає скупчення російських дружин. Їхні чоловіки досі переважно в Москві або Тюмені — качають нафту та готівку. А жінки тут, турбуються або змирилися, з ким *він* спить десь там (стюардеси приватних літаків завжди під підозрою). Сидячи в Лондоні, вони спостерігають за грошовими потоками, тримають напоготові запасні виходи, обідають невеличкими групами у La Durée в Harrods*. Ідеально вбрані в Hermes або щось із таким «класом» і стримані аж до вимушеності, вони ходять на приватні шоу до Fabergé, а потім зустрічаються з дилером в Arts Club. Багатші жінки керують га-

---

* «Harrods» — один із найбільших у світі універсальних магазинів, розташований у Лондоні на Бромптон Роуд у королівському бюро Кенсінгтон і Челсі на заході міста неподалік станції метро «Найтсбридж».

лереями. На навколишніх вулицях, на північ від Пікаділлі — Альбермарл-стрит і Берлінгтон-стрит — нові галереї належать представникам пострадянських еліт: Eratra, St Petersburg, Most 26.

Ті, хто може собі це дозволити, стають меценатами.

Дружина колишнього мера Москви, яка заробила частину своїх мільярдів, перемагаючи в будівельних тендерах московського уряду під час мерства свого чоловіка (вона заперечує, що ці факти пов'язані), приїжджає однією з найостанніших. Удома Можаєв і його друзі, захисники історичної архітектури Москви, звинувачують мера та його дружину в «культурному геноциді» московських будинків, знищенні цілих масивів старого міста заради спорудження зловісних імітацій диснеївських веж і дубайських готелів. Шедеври російського конструктивізму, на які з'їжджаються подивитися поціновувачі з усього світу, приречені на знищення. Живучи тепер у Лондоні, мерова дружина заснувала фундацію Be Open, започаткувавши нагороду для молодих талантів на Міланському тижні дизайну та нову програму на Лондонському тижні дизайну, присвячену «інноваційним проєктам, які звертаються до шостого чуття, чи то пак інтуїції».

Мене запросили на російську вечірку в рамках Frieze Art Fair. Під час останньої фінансової кризи багато хто думав, що Frieze настане кінець: чоловіки з Волл-стрит і хлопці з Сіті були розорені. Але з'ясувалося, що росіянин (і українець, і вірменин) досі довіряє охорону своїх статків не Москві або Києву, а Лондону. Можуть заморозити ваш банківський рахунок, але ніхто не дістанеться до вашого фамільного Джеффа Кунса і не захопить особняка вашої дружини в Найтсбриджі. Тому Frieze не занепав, а розрісся. (У самій Москві ринок сучасного західного мистецтва занепав. Не тому, що немає грошей — російських мільярдерів щороку стає більше, а тому, що Кремль сформував

новий попит на патріотизм. Тому тепер для своєї москов-
ської квартири ти купуєш соцреалістів, а для лондонської
та нью-йоркської — роботи Ротко.)

Вечірка відбувається в одному з особняків Неша*
на розі навпроти Реґентс-парку: такі будинки продають-
ся за 30 мільйонів фунтів стерлінгів. Лондонські росіяни
об'єдналися, щоби показати картини зі своїх колекцій: ро-
боти Ван Ґоґа недбало розвішені на стінах сходового май-
данчика та в невеличких закутках поряд зі студентськи-
ми роботами дружин і коханок, які навчаються на курсах
Центрального коледжу мистецтва та дизайну Saint Martins,
щоб чимось заповнити час перебування в Лондоні. Біль-
шість відвідувачів — росіяни. Навколо них кишать англій-
ські арт-дилери зі злегка протертими ліктями, шукаючи
нагоди заговорити про якусь оборудку. Нещодавно виникла
мода на російський авангард — той короткий момент на по-
чатку XX століття, коли Росія не просто йшла в ногу зі сві-
том, а й визначала його. А отже, той, хто купує російський
авангард, є водночас і патріотом, і космополітом. Але штука
в тому, що таке мистецтво найлегше підробити. Хто може
відрізнити один чорний квадрат від іншого? Більша части-
на авангардного мистецтва на ринку — підробка. Сфаль-
шоване на фабриках в Ізраїлі та Німеччині під орудою ро-
сійських кримінальних синдикатів, а потім підтверджене
західними мистецтвознавцями. Без них ці підробки ніко-
ли б не вийшли на ринок. Вони відіграють таку ж роль, що
й швейцарські та англійські юристи, які виступають «но-
мінальними бенефіціарами» фіктивних компаній для від-
мивання грошей, ставлячи свої підписи для перетворення
імітації на реальність, і, подібно до тих юристів, вони хіба

---

* Ідеться про англійського архітектора Джона Неша (1752–1835),
автора багатьох знакових лондонських будівель, зокрема Букін-
ґемського палацу. — *Прим. ред.*

раді дивитися крізь пальці, бо ж є дилери, які продають усі ці підробки довірливішим новим багатіям.

Росіяни ухиляються від дилерів і проходять до VIP-зони на третьому поверсі.

У барі внизу, на першому поверсі, вештаються аґенти з нерухомості. Чимало з них закінчили приватні школи. Виглядають щасливими. Бізнес іде добре: три чверті будинків вартістю понад шість мільйонів фунтів у золотому трикутнику продано глобальним багатіям.

Аґенти з нерухомості розповідають цікаві історії. Про нового олігарха, вигнаного з Росії, який так сильно скучив за дачею свого дитинства, що наказав архітекторові злітати до Москви, а потім відтворити те місце, панель за панеллю, з тими самими шпалерами 1980-х років на стінах і диванами в англійській сільській місцевості. Дібрати старі радянські шпалери було нелегко: у Росії існує лише один завод, де їх можна придбати. А ще про одного магната, якому захотілося новий будинок у Белґравії. Це було неважко. Але потім він попросив про шість квартир однакового розміру в десяти хвилинах ходьби по периметру цього будинку. Їх планували для коханок так, щоб він міг вийти в будь-якому напрямку і потрапляв до однієї з них. А ви чули про одного злодія, якого нещодавно схопила поліція? Він підробив акцент і приходив на перегляди особняків, кажучи, що він російський олігарх, а потім крав коштовності зі спалень, які обходив? Насправді це був злодюжка з Тотнема. Але його акцент був настільки добрий, що всі велися на нього.

Наливають дармове шампанське.

Дехто з них пам'ятав спокійні дні, коли *«новые русские»* ще були шмаркачами. У 1990-ті роки аґентові в Женеві вдалося продати очільникові російської залізниці нерухомість на схилі, що не виходив на озеро, за ціною нерухомості з виходом на озеро, тобто за подвійною ціною. Більше таких лохів не знайдеш. Тепер ви зрідка зустрічається з власниками: вони посилають англійських юристів. Усі справи ведуть від імені певної компанії в офшорі володінь Королівства. Аґенти з нерухомості не ставлять забагато запитань.

Чекаючи на інтерв'ю з Вільямом Браудером для програми «Зустрічайте росіян», я переглядаю газетні вирізки, наклеєні на стінах його офісу на Ґолден-сквер: «Хрестовий похід однієї людини проти Кремля», «Людина, яка кинула виклик Владіміру Путіну». Браудер був одним із найпублічніших прихильників Президента, ще коли був найбільшим іноземним інвестором у Росії. Він приїхав до цієї країни в 1990-ті роки, коли більшість західних фінансистів вважали божевіллям навіть будь-які спроби інвестування. Він довів їхню неправоту. Згодом, 2006 року, цей чоловік розсердив неправильних людей у Росії і його вислали з країни. Потім справи пішли ще гірше: під час рейду поліції було вилучено документи його старих інвестиційних структур. Браудер залучив російського аудитора Сєргєя Маґнітського, який працював у московському офісі юридичної компанії Firestone and Duncan, щоби той пішов по сліду. З'ясувалося, що поліція нелегально переписала інвестиційні компанії на дрібних злочинців, які згодом попросили про податкові пільги на компанії, вартістю мільйони фунтів, що надали корумповані податківці, залучені тими ж поліцейськими, які на початку вилучили документи, і перераховані двом банкам, що були у власності засудженого шахрая — старого приятеля згаданих вище поліцейських і податківців. Офіційно податківці та поліцейські заробляли лише кілька тисяч на рік, але їхня власність обраховувалась сотнями тисяч, вони їздили на порше й літали за покупками в лондонський Harrods. І це відбувалося з року в рік. Найбільша схема податкового шахрайства в історії. Маґнітський подумав, що він упіймав кількох негідників.

Маґнітський дав інтерв'ю Bloomberg Business Week. Через дванадять днів його заарештували. Його тортурува-

ли і, зрештою, через рік він помер. Ця справа стосувалася
не кількох негідників. Анонімне джерело однієї з росій-
ських газет описує, як механізм із податковими пільга-
ми, відомий як «чорна каса Кремля», систематично вико-
ристовують для різних речей — від особистого збагачення
до фінансування таємних військових операцій або вибо-
рів в інших країнах.

— День, коли я довідався про смерть Сєрґєя, був най-
гіршим днем мого життя, — каже Браудер на початку ін-
терв'ю. — Його вбили, щоб дістатися до мене.

Браудер — високий і лисуватий, в окулярах, прямолі-
нійний, але емоційно врівноважений (цікаво, скільки ра-
зів йому доводилося давати однакове інтерв'ю?). Він аме-
риканець, але з лондонською пропискою.

— Я заприсягся домогтися справедливості. Путінський
режим має кров на руках. Колись я був інвестиційним бан-
кіром, але тепер я активіст у царині прав людини.

Ми знімаємо інтерв'ю, йдучи Белґравією.

— Ваш глядач, імовірно, вважає, що Маґнітського вбили
й викрали гроші ґанґстери із золотими ланцюгами. Але
це чиновники, які гарно одягаються, мають чудові будин-
ки і відправляють своїх дітей до добрих шкіл, — веде далі
Браудер.

Ми опиняємося біля парламенту. Браудер домовився
про зустріч із депутатом парламенту в одному з кабіне-
тів Порткалліс-хаус із панорамою на Темзу. Після смерті
Маґнітського він дослідив, куди були спрямовані вкраде-
ні кошти. Усі вони пішли за кордон через Молдову, Лат-
вію та Кіпр, а звідти — на банківські рахунки у Швейцарії
та на нерухомість у Дубаї і на Мангеттені. Один російський
бізнесмен, який допоміг виявити ці грошові потоки, помер
від раптового серцевого нападу після пробіжки неподалік
свого огородженого маєтку у графстві Суррей. Йому було
44 роки і жодних ознак хвороби він не мав. Але мав чима-

ло ворогів. Два розтини не допомогли визначити причини його смерті.

Браудер виймає кілька документів: списки британських компаній, які допомогли відмити частину грошей Маґнітського. (Ми робимо кілька дублів, щоб зняти якісні кадри. Браудер і депутат звикли до такого.)

— Я подав скарги до влади, але немає жодної реакції. Чи не могли б ви довідатися, що відбувається?

Депутат обіцяє спробувати. Британські фінансові органи, як відомо, повільно беруться за гроші, які відмивають через їхню країну. Лондон — ідеальне місце для відмивання грошей: ваші крадені активи захищають чудові юристи, їх переміщують великі банкіри, а кволі поліцейські не запитують, звідки вони прийшли.

Незабаром мене знову запрошують до парламенту на презентацію «Чому Європі потрібен Закон Маґнітського». Американський варіант цього закону — найбільший здобуток Браудера, що забороняє російським порушникам прав людини й корумпованим чиновникам в'їзд, інвестування в економіку і володіння нерухомістю у США. Білий Дім та бізнес-середовище спочатку опиралися цьому законові, стверджуючи, що права людина та фінанси змішувати не варто. Браудер проштовхував його, хоча більшість вважала, що це неможливо. Але тепер у Європі не існує жодного парламенту, який би був готовий прийняти цей закон: він може зупинити надходження грошей. Браудер сподівається спровокувати референдум.

На презентацію в невеличкій залі наприкінці довгого коридору у спокійній частині парламенту з'явилося лише кількадесят осіб. Я бачу кількох рядових депутатів, лівого журналіста і редактора неоконсервативного журналу. Жодної людини з уряду. Також тут Джеймісон Фаєрстоун. Він виглядає десь під сорок, хоча насправді йому під п'ятдесят і він має в собі щось від вічного хлопчика. Фаєрстоун — американський юрист, у якого Маґнітський працював у юридичній фірмі Firestone and Duncan, і московський офіс якої найняв Браудер. Хоч Маґнітський і знав Браудера, ближчим був до Фаєрстоуна. Усе це дуже не схоже на Фаєрстоуна. Він, здається, корчиться від болю щоразу, коли говорить про свого померлого колегу. Я регулярно бачу його на кожній вечірці, і кожній конференції, бізнес-зустрічі, лекції про Росію, де він говорить про відмивання грошей, убивць і повторює прізвище «Маґнітський! Маґнітський!», поки воно не в'їлося в мозок усіх людей навколо. Мов канарка в шахті, провісник небезпеки горлає, що в Мейфері справи кепські.

Трохи пізніше ми зустрічаємось у кафе на Мейда-Вейл. Під час розмови голос Фаєрстоуна іноді підвищується, а люди злякано озираються на нас. Коли я поглядаю на них знову, то помічаю, як вони тихо прислухаються. За вікном сильна злива, а за прогнозами Темза незабаром вийде з берегів. Фаєрстоун називає Маґнітського на ім'я — Сєрґєєм.

— Сєрґєй був найкращим юристом, якого мені доводилося знати. Я ніколи не бачив, щоб він програв справу. Ніколи. Ми мали клієнтів, обтяжених податками, яких вони не мусили сплачувати, і щоразу він оскаржував це в судах і перемагав. Він був оптимістом. Він виявляв емоції тільки щодо класичної музики. Навіть коли його заарештували. Він зателефонував мені з машини на шляху до поліцейського відділку і випромінював спокій: він був упевнений, що все владнається.

Після арешту Сєрґєя поліція прийшла до інших юристів Фаєрстоуна. Він мусив знімати одну колегу з пожежної драбини її дому, коли в неї на порозі стояла поліція, а потім вони сіли в нічний поїзд і перетнули російсько-український кордон. Інші вилетіли прямим рейсом до Лондона.

— Я провів вісімнадцять років у Росії, але для моїх колег вона була всім їхнім життям. Ми разом винайняли трикім-

натну квартиру. Мої колеги сиділи у своїх кімнатах і плака-
ли. Їхні рідні хворіли, страждали, але вони не могли з ними
побачитись. Проте ніхто з нас насправді не міг нічого ска-
зати, адже те, що трапилося з Сєрґєєм, було набагато гір-
шим.

Коли Сєрґєй просидів у тюрмі дев'ять місяців, дев'ять мі-
сяців, упродовж яких нікому не дозволяли прийти до ньо-
го на побачення, його дружині вдалося роздобути його
тюремний щоденник.

— Я отримав його електронною поштою, — продовжує
Фаєрстоун. — Просто сторінка за сторінкою стоїчного,
докладного опису. Як годиться юристові, він просто все
спокійно каталогізував. Як у камері прорвало каналіза-
цію і як вони кілька днів із цим жили. Як йому доводилося
писати стоячи, оскільки в камері було так багато ув'язне-
них, що бракувало місця. Як у кожній камері йому ставало
гірше через його відмову зізнатись і покласти відповідаль-
ність на інших. Як бракувало шибки у вікні камери взим-
ку і було холодно. Улітку переповнені камери й вантажівки
для перевезення в'язнів були немовби нескінченні сауни.
Як йому не надали медичної допомоги, коли біль у живо-
ті ставав нестерпним... Найгіршим був спокій, із яким він
усе це каталогізував. Я чув його голос. Такий, як завжди.

Голос Фаєрстоуна знову підвищується. Він ніколи не ду-
мав, що, зрештою, кине виклик Кремлю.

— Я прекрасно собі жив, мої колеги прекрасно жили. І для
того, щоб жити так і далі, нам треба було просто сидіти тихо
і не звертати на це уваги. Але ж людину вбили.

Він розповідає, що все ще бажає повернутися до Ро-
сії. Він мав вид на проживання і збирався подати заявку
на отримання другого громадянства, планував провести
там своє життя. Уперше він приїхав до Москви 1991 року,
одразу ж після закінчення коледжу. Саме батько порадив
йому вчити російську мову у школі. У 1980-ті роки він уже

сказав Джеймісону, що одного дня СРСР зазнає краху, і в Росії будуть гроші. Батько Фаєрстоуна був серійним підприємцем, який заробив і втратив статки в каліфорнійській нерухомості, створив єдиний порносайт, який став збитковим, а потім заробив 12 мільйонів доларів, створивши інший сайт, який допомагав дітям робити домашнє завдання. Коли Фаєрстоун вирушив до Росії, його батько сидів у тюрмі за продаж фальшивої податкової гавані.

— Мій тато полюбляв зависати з ґанґстерами так само, як Френк Синатра полюбляв зависати з ґанґстерами. Коли його звільнили, він приїхав до Росії і намагався залучити рекет для охорони мого першого бізнесу — імпорту автомобілів до Росії. Він сказав, що кожному в Росії потрібна охорона, але мені не хотілося залучати мафію до свого бізнесу, і тоді він поламав ноги моєму другові та діловому партнерові. «Якщо я поламаю тобі ноги, ти це проігноруєш, тому що ти сильний. А якщо ти побачиш свого друга з поламаними ногами, тоді ти зрозумієш ціну своєї незгоди зі мною», — сказав мені мій батько. Я відмовився і тоді рекет, який найняв мій батько, вкрав мої машини. Це стало кінцем його перебування в Росії. Тато завжди був моїм моральним компасом: хай що б він пропонував, я робив протилежне.

У Фаєрстоуна було чимало моментів у Росії, коли він згадував про свого тата: весь час його просили «поганяти трохи грошей», партнер у його аудиторській компанії сказав йому, що їм треба сфальшувати відомості про податки їхньої фірми. (Фаєрстоун вигнав його з будинку з допомогою охоронців-автоматників і повідомив про нього в поліцію.) Потім була епоха російського міністра розвитку (того самого, для якого працював Бенедикт), який запитав Фаєрстоуна, що він думає про необхідні зміни для захисту приватної власності в Росії. Міністр очікував ввічливої відповіді, але Фаєрстоун публічно відповів йому, що коли міністри та олігархи вище від закону, країна зійде на пси. У той час

Фаєрстоун був членом правління та головою малого бізнес-комітету Американської торговельної палати. Один його колега з правління, очільник компанії, що входить до Fortune 100, розкритикував його за відвертість: «Нам подобається те, що ви кажете, Джеймісоне, але чи не могли б ви це казати спокійніше?».

— Усі ми заробляли великі гроші, — каже Фаєрстоун, — але можна сказати, що справи ставали кепськими.

Проте я чув у його голосі також і трепет, коли він розповідав про свої московські пригоди.

— Я носив капелюх адвоката, — розповідає Фаєрстоун, — але був по-справжньому вмілим вуличним бійцем. Двічі від імені своїх клієнтів я звільняв бандитів. Мафія, як і поліція, реагує лише на дві відповіді: «так, сер» або «ні, сер» (після останнього вас убивають). Одного разу у мого клієнта викрало базу даних саме те мафіозне угруповання, яке повинне було його захищати: вони перекинулися до конкурентів. Тому ми пішли на зустріч із цими хлопцями до готелю на Пєтровці і повідомили їм російською, та ще й моїм найлюб'язнішим корпоративним голосом: «Мій клієнт платить вам сто тисяч на місяць за пакет послуг, що включає, за вашими словами, охорону. Ми не розуміємо, як ви можете також працювати з іншими клієнтами, забезпечуючи їхнє право обкрадати мого клієнта, який водночас є вашим клієнтом. Я, приміром, адвокат, і не можу захищати дві сторони».

— Тим то ми й відрізняємося від вас, адвокатів, — відповіли бандити. — Ви, хлопці, постійно сваритесь, а ми працюємо з усіма й забезпечуємо мир для всіх сторін.

— Ви абсолютно маєте рацію. Ми не зрозуміли. І я переконаний, що це наша провина. Але тепер, коли ми розуміємо, ми більше не потребуємо пропонованих вами послуг.

Ми покинули кімнату із шокованими бандитами. Інші платили їм лише 30 тисяч. Наступного тижня рекет повернувся з усіма комп'ютерами від конкурентів.

Фаєрстоуну досі смішно, коли він згадує про це, розігруючи кожну роль діалогу американізованою, але майже ідеальною російською. І він розповідає мені про час, коли ховався від корумпованих поліцейських в урядовій лікарні (вони могли схопити вас де завгодно, крім лікарні, повної міністрів), і коли на його перший офіс напали бандити, що працювали на його ж сусіда, а працівників Фаєрстона прикували наручниками до меблів, погрожуючи ножем, або коли він мав летіти до Нью-Йорка і скупив усе обладнання для підслуховування в магазині Spy для передачі групі борців проти шахрайства, щоб за її допомогою влаштувати засідку на інших корумпованих поліцейських, які намагалися вимагати в нього гроші.

— Знаєте, одна з проблем під час мого перебування в Лондоні в тому, що якщо я насправді розповідаю правду про свою історію, люди просто вважають, що я брешу. Вони ніколи не запрошують мене вдруге. Я навчився казати суцільні приємності. Або ж якщо хтось таки зацікавлений у правді, я повідомляю про існування однієї умови: «Перед початком розмови ви даєте мені свій мейл, і я розповідаю вам свою історію, а потім надсилаю вам певні посилання, і ви зможете побачити мене на BBC або прочитати статті про мене. І тоді, можливо, ви мені передзвоните. Тому що в іншому випадку ви мені не передзвоните. Це просто занадто дивні історії…»

Росія — це місце, яке підштовхує до крайнощів, примушує перевіряти кожне ваше рішення і кожну дію, де вибір між добром і злом стає квінтесенцією. Чи не це якраз і робить її такою привабливою? Ще одна іпостась Москви як Третього Риму. Усіх нас, зрештою, засмоктують міфи цього міста, що стають виявами єдиної історії, яку тільки воно здатне розповісти. Схожа трагедія може відбутись у багатьох місцях, але в Росії вона набуває знакової інтенсивності.

Коли я зосереджуюся на історії Джеймісона, його голос знову підвищується.

— Лондон мене вразив. Уся система збудована навколо бажання отримувати гроші. Нам потрібні їхні гроші. Нам потрібна їхня торгівля. І ось сьогодні колишні німецький канцлер Ґерхард Шрьодер, і лорд Мендельсон, і лорд Такий-і-Сякий працюють для цих державних російських компаній, і знаєте, я вважаю, що їм варто проявити чесність і сказати: «Одна кремлівська компанія запропонувала мені п'ятсот тисяч за членство в її раді, і я нічого не роблю, не знаю нічого про діяльність цієї компанії, але іноді вони просять мене відчиняти для них деякі двері». Натомість я постійно чую від усіх такий аргумент: «Гаразд, якщо гроші не опиняться тут, вони опиняться деінде». Ну якщо ви пристаєте на таку позицію, «тут» більше не буде «тут», «тут» тоді стане «деінде». Ми звикли до цієї егоїстичної ідеї, мовляв, західні демократії — це кінцевий пункт еволюції, а тому ведемо справи з позиції сили і люди стають такими, як ми. Це не так. Тому якщо ви вважаєте, що речі, які нас тут оточують, — тривкі, то ви обманюєте самих себе. Оце все, — на цих словах Джеймісон набирає повітря й махає рукою, маючи на увазі Мейда-Вейл, Лондон і всю західну цивілізацію, — оце все нетривке.

І я бачу, як Джеймісон крокує парламентом і приходить на кожну зустріч аналітичних центрів і кожен світський захід у Лондоні, агітуючи і викрикуючи, сповнений свого американського запалу й отого болю, що, здається, фізично скручує його, коли він говорить про Сєргєя Маґнітського. І біль його навіть сильніший, тому що він відчував, що люди, відповідальні за вбивство Сєргєя, також тут, живуть у своїх тинькованих віллах і вчащають до Harrods. А ще вони абсолютно недоторканні.

Але те, що говорить Джеймісон, викликає не велику сенсацію в золотому трикутнику, а радше усвідомлення того, що все і всюди перебуває в жахливому стані. І хоча більшість людей згодна, що в Мейфері, Белґравії та Найтсбриджі сьогодні встановлено інші порядки, що вони є частиною великого офшору, і цілком природно, що ми б ніколи не схвалили, якби наші міністри робили те саме, що й російський (або азербайджанський, або нігерійський) віце-прем'єр-міністр, який щойно придбав пентхауз біля Сент-Джеймса за гроші, зароблені на урядових контрактах із корупційною складовою. Але загалом ми почуватимемось добре, тому що весь негатив ми складаємо у вільній кімнаті нашої культури, і це нас не змінить. І горопашному Джеймісону довелося багато пережити. Він має добрі наміри і певним чином правий, але не варто захоплюватися: світ завжди був так влаштований. А решта скрушно зітхають і кажуть, що тут усе одно все вже змінилось і Заходу більше не існує: тож хто ми такі, щоб учити когось добрих манер?

І, зрештою, продюсери програми вирізали історію про Сєрґєя Маґнітського із «Зустрічайте росіян», включно з усіма сценами, які ми зняли в Белґравії та парламенті, тому що хоч як вони старалися, не могли узгодити її із принципами оригінальної концепції: програма планувалася як оптимістичне шоу.

НІЧОГО ПРАВДИВОГО
Й УСЕ МОЖЛИВО

Я приїхав в аеропорт і готовий вилетіти московським рейсом. Моя донька зі мною. Її матір і моя дружина — москвичка. Ми познайомилися під час мого майже десятилітнього перебування в Росії. Моя донька народилася, коли я ще працював у Москві. Тепер усі ми живемо в Лондоні. Я подорожую до Росії щоразу рідше як тележурналіст, частіше як батько. Я більше не подорожую зі своєю камерою. Здається, я створюю незначну кількість таких телевізійних проєктів, у яких втручаєшся в людські життя, намагаючись якомога ближче дістатися до суті. Попри всі наші претензії на відтворення дійсності, реальний режисер — завжди маніпулятор, мініатюрний візир, який спокушає, обмежує, спотворює своїх героїв, ставить одне запитання, а очікує на черговий хибний крок, завжди думає, як кожна знята сцена пов'язана не зі своїм безпосереднім середовищем, а з остаточним монтажем. І коли ми починаємо монтувати, відеорепрезентація наших героїв конфліктує із самим життям, голограму монтують, насичують, повертають, скорочують і ріжуть по-різному для США, Великої Британії, інтернету й рекламних матеріалів. Тому майже нікому з героїв не подобається їхній образ на екрані, навіть якщо ми доклали всіх зусиль, щоб зробити їх «позитивними», тому що герой або героїня ніколи не виходять такими, якими себе вважають. Утім, ось проблема. Голограми, які ми створили, потім переслідують нас. Емоції, які одного разу наші герої вилили на нас, залишаються з нами. І ми починаємо жити в паралельній реальності відеопривидів. Батьки загиблих модельок у глибокій скорботі, золотошукачки, солдат, який служить у Чечні, Джамбік, доярка, жертви тероризму — всі, кого я коли-небудь знімав: вони час до часу провідують мене.

— Повертайся, — вигукує моя дружина, коли бачить мене з таким розсіяним поглядом. — Поглянь на свою доньку. Це реальний світ. Ми тут.

Аеропорт переповнений. Я беру свою доньку на літні канікули, і вона чекає на подорож. Вона почала вчитися в лондонській школі, і це може бути важко для неї. Я їздив на зйомки так часто, що її російська досі краща за англійську. Одного дня вона прийшла додому зі школи у сльозах: «Я не можу зрозуміти, що інші діти кажуть про мене, а що, коли це щось жахливе?». Росія в неї асоціюється з люблячими родичами. Коли ми приземлимось у Домодєдово, мої теща з тестем вітатимуть її в декораціях, узятих просто із «Привіт / Бувай». Вони заберуть її на свою невеличку сімейну дачу. Фасад дачі виходить на м'які пагорби з невеличкою церквою на горизонті. Задній ґанок виходить на дикий ліс. Вона проведе літо, блукаючи серед пагорбів і дерев, слухаючи російські народні казки й уявляючи себе в них, вдивляючись у джерела, збираючи суниці в напружено-легкій чарівності російського літа — такого короткого, а тому такого особливого.

Уявляю, як, приземлившись, я з тестем і тещею розмовлятиму про погоду. Чи будуть цього року торф'яні пожежі? Чи дійдуть ці пожежі до дачі? Ми подумаємо про найкращий спосіб виїзду з міста; рух лише погіршується. Можливо, вони порекомендують концерт, який я мушу відвідати в консерваторії, і ми будемо вести розмову приємними завулками наших стосунків. Немовби все нормально. Немовби немає війни. І з першого погляду місто здаватиметься таким, як воно завжди було: куленепробивні бентлі, як і раніше, будуть тісно припарковані навпроти монастиря з червоної цегли; зграї підйомних кранів, як і раніше, погойдуватимуться на горизонті в режимі прискореного перемотування. І все буде гаразд, поки хтось (таксист, старий друг, хтось у барі) мимохідь не згадає, як мантру:

— Росія знову сильна, ми підводимося з колін!
— Увесь світ боїться нас!
— Захід хоче нас поневолити!
— Всюди зрадники!

А потім я перемикатиму канали телебачення. На екрані — тижневий випуск новин. Добре одягнений ведучий походжає в гарних декораціях студії і заходить у кадр, швидко підсумовуючи події тижня, і все начебто цілком нормально. Потім він раптово переходить на другу камеру — і ти не встигаєш спам'ятатись, як він починає говорити про те, що Захід занурений у вир гомосексуалізму, і лише Свята Росія здатна врятувати світ від Ґейропи, і що серед нас завелася п'ята колона, таємні західні шпигуни, переодягнені в активістів-антикорупціонерів, а насправді всі вони — аґенти ЦРУ (бо хто ж іще наважився б критикувати президента?), у той час, як Захід спонсорує фашистів-русофобів в Україні, і всі вони готові захопити Росію і забрати її нафту, і що спонсоровані американцями фашисти розпинають російських дітей на площах українських міст, тому що Захід організував геноцид проти нас, росіян, і ось жінки, які плачуть на камеру, розповідаючи про те, як їх переслідують кочові банди русофобів, і що, певна річ, лише президент усе робить правильно, і тому Росія мала повне право анексувати Крим, озброювати й посилати найманців в Україну, і що це лише початок нового великого конфлікту між Росією і рештою світу. І коли ви перевіряєте (за допомогою друзів, Reuters і будь-кого іншого, крім *Останкино*), чи насправді в Україні до влади прийшли фашисти і чи насправді там розпинають дітей, виявляється, що все це неправда, і що жінки, які стверджують, що вони свідки, насправді найняті акторки, переодягнені в «очевидців». Але навіть якщо ви знаєте, що всі виправдання для війни президента сфабриковані, навіть якщо розумієте, що причина у створенні нової політтехнології, яка утверджувала б всемогутність президента і змусила забути про занепад економіки, навіть якщо ви знаєте та розумієте: те, що часто з'являється на останкінських каналах, — брехня, через якийсь час ви почнете кивати. Тому що важко осягнути, що вони брешуть так сильно, нахабно і регулярно, і на певному рівні ви відчуваєте, що якщо *Останкино* може брехати настільки сильно і настільки безкарно, то чи не означає це, що вони мають реальну владу, владу визначати, що правда, а що ні, тож чи не краще вам просто кивнути?

А перемкнувши на інший канал, бачиш, як «*Ночные волки*» проїжджають через Севастополь маршем на честь анексії Криму, воскресіння імперії, тримаючи в руках ікони Богородиці й цитуючи Сталіна під акомпанемент свого великого гімну:

> *Но инородцам кольчугой звенит*
> *Русская речь.*
> *И от перелеска до звезд*
> *Высится Белая рать.*

«*Ночные волки*» — лише одні з багатьох зірок нового останкінського ансамблю. Є також Херувими, одягнені повністю в чорне і прикрашені черепами та хрестами, що закликають до очищення Росії від моральної темряви, неонацисти з тілами танцівників MTV, які знімають побиття підлітків-ґеїв в ім'я патріотизму, козаки з канчуками, що нападають на вулицях на художників-перформерів. І всі вони виштовхнуті в центр екрана для появи на низькопробних ток-шоу і зйомок програм документально-розважального формату, наповнюючи телевізійний контекст оханнями й аханнями про ґеїв і Господа, Сатану, фашистів і ЦРУ. Їхня поява не має демократичної природи; лише невелика кількість росіян регулярно відвідує церкву. Найімовірніше, Кремль нарешті оволодів технікою змішування реаліті-шоу і авторитаризму, щоби розважати, відволікати 140-мільйонне населення, постійно лякати його геополітичними кошмарами, які стають заразними, варто лише повторити їх достатню кількість разів. Адже коли я розмовляю з багатьма своїми колишніми колегами, які досі працюють у лавах російських ЗМІ або в державних корпораціях, вони можуть іронізувати над усіма вигадками про Святу Росію як про піар-проєкт (тому що все — піар!), але їхній переможний цинізм, своєю чергою, означає, що їх можна змусити вважати, що всюди суцільні змови: якщо немає нічого правдивого й усі мотиви аморальні та нікому не можна довіряти, то чи не означає це, бува, що якась чорна рука стоїть за всім?

На іншому каналі інструктор з особистого розвитку з «*Розы Мира*» дає поради про те, як подолати всі ваші емоційні проблеми (після трагічної історії з моделями він просто змінив назву своєї організації і продовжив, немовби нічого й не було). *Останкино* працює за тими ж принципами, що й курси Lifespring: повторення й нескінченне відтворення всіх страхів, нападів паніки та лихоманок Росії без пошуку якоїсь критики або зцілення — просто змішуючи їх так, що ви назавжди загрузнете в них і ніколи не визволитесь. А тим часом Кремль прив'язує людей до себе спочатку приниженням і знущанням з допомогою перевертнів у погонах і баронів-чиновників, а потім піднімає країну за допомогою дивовижних військових завоювань.

Потім у програмі передач — шоу з депутатами Ґосдуми: деякі з них, як і раніше, плюються слиною і ходять з побуряковілими обличчями, але сьогодні стало більше чоловіків в англійських костюмах, окулярах без оправи, з акуратними зачісками, і їм треба якось постаратися розробляти закони настільки кричущі в їхньому патріотичному бурлеску, щоб на них звернули увагу. Вони висловлюють пропозиції «заборонити нетрадиційний секс» або «заборонити англійські слова», а також надати дозвіл на вторгнення Росії в Україну. Озирнувшись на кар'єри цих нових релігійних патріотів, можна помітити, що нещодавно вони були переконаними демократами та лібералами, прозахідними прихильниками модернізації, інновації та відданими прибічниками європейського курсу Росії, а перед тим усі — вірними комуністами. І хоча їхні останні втілення, з одного боку, є просто новими актами в московсько-

му політичному кабаре, щось у їхній манері відрізняється
від звичного російського політичного суб'єкта, який про-
мовляє свої тиради з хитрим підморгуванням і киванням.
Тепер манера якась незворушна. Монотонні, із запалими
очима, мовби вони вертілись і крутились у стількох різних
напрямках, що раптом зістрибнули з цієї дзиґи і втрапили
у щось геть клінічне. Чи не тому, що в цій системі закладено
якесь божевілля? Якщо в одному кінці спектра — політтех-
нологи, які граються з реальністю, або Альона, яка підла-
штовується під кожного папіка, або Віталій, який розігрує
фантазію про себе самого у фільмах, які він сам зняв про
власне життя, у другому — Борис Бєрєзовський, родоначаль-
ник системи, що став її абсурдним відображенням, банкру-
том, незрозумілим англійському судові, якому сказали, що
він «увів себе в оману вірою у власну версію подій».

І на кожному каналі — президент, створений як телеві-
зійна проєкція, яка вміщує в себе всі російські архетипи,
що, здається, зараз лусне разом з усією Росією, ще швид-
ше змінюючи ролі ґанґстера-державника-завойовника-
байкера-віруючого-імператора, однієї миті по-дипломатич-
ному раціональний, а наступної — розводячись про змови.
А на телебаченні президент спілкується за допомогою жи-
вого відеозв'язку із заводськими робітниками, які позують
у комбінезонах перед танком, який вони збудували, і завод-
ські робітники обіцяють президентові, що, якщо протести
проти нього триватимуть, вони «прийдуть до Москви й за-
хистять нашу стабільність». Але згодом з'ясовується, що цих
робітників насправді не існує і що все це гра підставних ак-
торів, яку організували місцеві політтехнологи (тому що всі
тепер політтехнологи). Телебачення вироджується у сферу,
де не існує прив'язки до реальності, де маріонетки розмов-
ляють із голограмами, водночас упевнені, що вони реальні,
де немає нічого правдивого й усе можливе. І наслідок усьо-
го цього марення — дивовижне відчуття невагомості.

А втім, зазирнувши під кремлівську дзиґу, чи не побачите ви найточніших і найжорсткіших розрахунків? Бо ж якщо одна частина системи схильна до невгамовного спектаклю, друга тяжіє до повільного, терплячого поглинання. І Кремль роками поглинає Захід: «Англії подобається сміятися з нас, — написав один таблоїд після виходу програми "Зустрічайте росіян", — але чи готова вона втратити наші інвестиції?»

«Це була перша нелінійна війна», — написав Владіслав Сурков у новому оповіданні «Без неба», опублікованому під його псевдонімом, дія якого відбувається в антуражі антиутопії майбутнього після «П'ятої світової війни».

> «У примітивних війнах дев'ятнадцятого і двадцятого століть й інших середніх віків зазвичай билися дві сторони. Дві нації або два тимчасові союзи. Тепер зіткнулися чотири коаліції. І не просто двоє на двох. Або троє проти одного. Ні. Усі проти всіх».

У сурковській візії немає згадок про священні війни, немає жодних кабаре, що були провокували та дражнили Захід, який своєю чергою призначав Кремлеві роль свого великого супротивника в нашвидкуруч написаних сценаріях геополітичних сітокмів про «зіткнення цивілізацій». В оповіданні Суркова — інше: похмурі картини глобалізації, в яких замість спільного зростання взаємозв'язки означають численні протистояння між рухами, корпораціями та містами-державами. Де старі союзи, Євросоюз, НАТО й «Захід», цілком зужиті, де Кремль може прокреслювати нові, плинні лінії лояльності й інтересу, перекачувати нафту та гроші, відокремлювати Європу від Америки, налаштувати одну західну компанію проти іншої і водночас проти їхніх урядів так, що ніхто не знає, де чиї інтереси і хто за ними стоїть.

«Ми міноритарні акціонери глобалізації», — чую я від представників російських корпорацій і політиків. А це, пам'ятаючи, як система намагалася зламати Яну, може означати, що, найімовірніше, уявлення Кремля про себе у світі — «корпоративний рейдер»: надзвичайно жорстокий двоюрідний брат західних корпоративних рейдерів. Позаяк саме за допомогою «рейдерства» більшість російської еліти заробила свої перші капітали, скуповуючи компанії, а потім використовуючи всі можливі засоби (арешти, зброю, захоплення, вибухи, хабарі, шантаж) для отримання переваг. Кремль — це великий корпоративний рейдер всередині глобалізації, він переконаний або принаймні намагається переконати вас у своїй здатності наскрізь бачити всі старі ходи неповороткого Заходу у спробі грати якусь власну підривну гру. Це геополітичний авангард XXI століття.

> «Траплялося, що декілька провінцій виступали на одному боці, а декілька — на другому, а якесь місто чи покоління, чи стать [...] — на третьому. Потім вони могли змінити позицію. [...] Але здебільшого розуміли війну як процес. Точніше, частину процесу, його гостру фазу. Можливо, і не найважливішу».

Кремль змінює меседжі на свою користь, коли забажає, всюди знаходячи лазівку: європейські праві націоналісти спокушені антиєвросоюзівським пафосом, крайні ліві залучені за допомогою казок про боротьбу з гегемонією США, американські релігійні консерватори переконані в боротьбі Кремля проти гомосексуалізму. І наслідком є хор відео і голосів, які обробляють глобальну аудиторію з різних кутів, створюючи кумулятивну луна-камеру та багатоекранний простір підтримки Кремля, і все це транслюється на Russia Today. Проте, як з усіма спроєктованими галюцинаціями та кривими дзеркалами Кремля, ніколи не скажеш, як ці відео і ехо відповідають справжній потузі і справжнім намірам. Чи не є їхнім призначенням відлуння та відображення, щоби Кремль видавався більшим, ніж є насправді? Тож ти просто переляканий і зачарований, просто в пастці чергової політичної технології, натомість справжні події відбуваються подалі від людського ока?

Оповідання «Без неба» було опубліковано 12 березня 2014 року. За кілька днів до анексії Криму Росією. Сурков допоміг організувати анексію з усім своїм театром—«*Нічними волками*», «казаками», зрежисованим референдумом, підготовленими політиками-маріонетками і озброєними людьми, усе з такою швидкістю, у такому тумані чи ж круговерті, що світ просто зачаровано дивився, як Кремль перемальовує карту Європи, перевизначає «факти на місці». У результаті Сурков потрапив під заборону в'їжджати в Євросоюз та США й інвестувати туди кошти.

«Чи ця заборона вплине на вас? — запитав репортер у Суркова дорогою через Кремлівський палац. — Ваші смаки зраджують у вас дуже західну людину». Сурков посміхнувся і показав на свою голову: «Я можу вмістити Європу тут». Пізніше він зробить заяву: «Я сприймаю це рішення адміністрації у Вашинґтоні як визнання мого служіння Росії. Для мене це велика честь: це все одно, що бути номінованим на премію "Оскар". Я не маю рахунків за кордоном. Єдине, що цікавить мене в США, — це Тупак Шакур, Аллен Ґінзберґ і Джексон Поллок. Мені не потрібна віза для доступу до їхньої творчості. Я нічого не втрачаю».

Ми з донькою проходимо паспортний контроль. Незабаром посадка на літак. Вона вибирає сувеніри в duty free — пам'ятки про Англію для російських родичів. Я завжди почуваюся як удома в почекальнях аеропортів, коли ти ні тут, ні там, де всі позбавлені громадянства. Раніше росіян було завжди легко помітити: вони були вбрані або надто нарядно, або надто недбало. Але тепер незрозуміло, не скажеш, додому їдуть пасажири чи від'їздять.

Оголошують рейс, ми рушаємо до літака, і я думаю, чи знайду я іншу Росію під час цього візиту: коли я іноді приїжджаю до Москви, на вулиці виходять протестувальники проти Кремля. «Не бреши і не кради» — таке гасло у протестувальників, яке, можливо, звучить дещо по-резонерському, а англійською — зверхньо, але російською гасло *«не врать и не воровать»* із вібруванням повторюваних звуків «в» і «р» звучить, немов суворий старозавітний гуркіт (можливо, найближчим відповідником буде «Не кради, не свідкуй криво»), що в чотирьох словах вхоплює зв'язок між фінансовою та інтелектуальною корупцією, де слова ніколи не означають сказане, а цифри в бюджеті ніколи не відповідають дійсності.

Одного разу на Бульварному кільці, у сутінках, до натовпу звертався лідер протестувальників, тримаючи стару фотографію Владіка Мамишева-Монро, який уособлював президента. Він сказав таке: «Це портрет нашого улюбленого художника Владіка і саме цього ми й повинні позбутись». Він мав на увазі радше не самого президента, натомість усю культуру симуляції, яка пожирає все і яку Владік намагався описати: «Одного дня ми торкаємося шафи і свого одягу, а вони, з'їдені червами, просто розсипаються в наших руках».

Сам Владік загинув. Його знайшли мертвим у басейні на острові Балі. Смерть від серцевого нападу. Напередодні знайомий олігарх зробив йому пропозицію перейти на бік Кремля і стати героєм серії картин, у яких він би перевтілився і з'явився на фото, де нових лідерів протесту зображено содомітами. Владік відмовився.

Вештаючись акціями протесту й розмовляючи з новими московськими дисидентами, я помітив дещо нове. Якщо колись вони вживали слово «Захід» загалом і слово «Лондон» зокрема на позначення орієнтиру своїх прагнень, то тепер слова «Лондон» і «Захід» промовляли з легкою відразою, як місце, що служить притулком, винагородою та посиленням усіх репресивних сил. А отже, у класичному стилі Третього Риму російський ліберал може стати останнім справжнім лібералом на Землі, єдиним, хто ще досі вірить в ідеї, які проповідував Бенедикт і консультанти з міжнародного розвитку.

Я сподівався, що зможу знайти Можаєва, який досі перебуває в пошуках своєї Старої Москви, блукає і розповідає щось із пляшкою портвейну в кишені (він відмовився від горілки). Певна річ, він так нікуди й не емігрував. Чув, йому навіть вдалося нещодавно врятувати кілька будинків. Але він нічого не міг зробити для будинку під номером три на Пєчатніковому провулку, який зруйнували, і тепер збереглася лише можаєвська елегія про нього: «Це місце відоме, як "серце Москви"», — писав він в есеї, на який я натрапив.

> «Але двір його не тільки облізлий і закинутий, а й доволі незручний — неоковирний прохідний простір на схилі гори. Однак ті, хто пам'ятають це місце бодай п'ять років тому, розповідають зовсім інше.
>
> Двір і тоді був прохідним і неоковирним, але ніхто на це не зважав. Посередині (...) стояла лавка, вельми схиляючи до краєзнавчих медитацій. Найкраще було приходити сюди ввечері, коли в будинках вмикали світло, і незворушно споглядати застиглий час. Тут з'являлось майже повне відчуття того, що ви перенеслися на пів сотні років назад: темною цегляною кладкою в'ється плющ, на подвір'ї сохне білизна, у навстіж відчинених під'їздах — дитячі візочки. Останнім часом візочки, щоправда, вже належали переселенцям із Середньої

Азії, але картину створювали цілком автентич-
ну. А на першому поверсі була одна правдива ста-
ромосковська квартира, вікна якої виходили прямо
на заповітну лавку. Ось там усе було справжнім:
жовтий абажур на неяскравій лампочці, книжкові
полиці до самої стелі, квіти на підвіконні, бородa-
тий чолов'яга з чайником і коти, які постійно за-
стрибували у кватирку».

Ми летимо. Моя донька сидить біля вікна, як любить най-
більше. Вона притулилася чолом до холодного скла, на-
магаючись поміж хмар розгледіти вогні міста. Незабаром
у поле зору потраплять вогні концентричних кіл Москви.
Ніхто ніколи насправді більше не залишає своїх місць. Усі
розповіді «я вирушив у далеку подорож» уже не здаються
реальними. Рух між Москвою та Лондоном став настіль-
ки звичним (вісім рейсів на день, включно з бюджетни-
ми авіалініями і рейсом вихідного дня під назвою «шкіль-
ний автобус»), що обидва міста злились у моїй свідомості.
Я проходжу підземним переходом до Гайд-парку, виходжу
на Бульварне кільце і бачу багато тих самих облич, які щой-
но бачив на Пікаділлі. Повертаю на розі проспекту Миру
і знову йду вздовж Темзи.

Моя донька вже ставиться до цих різких переходів між
країнами нормально. Іноді вона полюбляє грати у гру, в якій
ділить обличчя на дві ідентичності, з якими починає ба-
витись: «Ця половина мого обличчя — російська, а ця по-
ловина — англійська. Мої щоки — єврейські. Мої вуха на-
лежать Лондону, а рот — Москві, але очима я стежу за...»
І потім вона заходиться сміхом. Чи вона вже дитя велико-
го Офшору? І яким він виявиться? Близьконуля? Вулицею
всіх п'ятниць?

І перш ніж я про це дізнаюсь, ця подорож добіжить кін-
ця, і я повернуся до Лондона, дорогою на наступну вечір-

ку Ґріґорія, які він тепер влаштовує і в Москві, і в Лондоні.
Вечірка відбувається в Оранжереї палацу Кенсінґтон. Останньої хвилини я намагаюся дістати костюм, але на той
час усі костюми на тему Літньої ночі в центральному Лондоні вже розійшлись. Я прикрашаю себе непереконливою
гірляндою квітів, зірваних у якихось садах неподалік метро. Я запізнююсь і чомусь думаю, що вхід буде з кінця палацу Найтсбридж, але коли проходжу через парк, мені кажуть, що я мушу обійти з іншого боку, через Квінсвей. Там
немає прямого шляху, сутеніє, і я гублюсь. Я продираюся
через огорожі й терни, потім кудись звертаю й опиняюся
на краю Кенсінґтон Пелес Ґарден — найдорожчої вулиці
в Лондоні, і охоронці біля високих брам дивляться на мене
з підозрою. Потім я знову повертаюся до парку, забруднюю
штани і чую музику — нарешті потрапляю до відповідного входу. Ось зубчаста огорожа, охоронець і жінка, вбрана,
наче бог Пан, зі списком гостей у своєму айпеді. За брамою я бачу дівчат-ельфів на високих підборах і Королев
Ночі у блискучих сукнях, які розмовляють кількома мовами і зникають за рогом палацу, прямуючи на вечірку, яку
я вже чую, але ще не бачу. Я називаю своє ім'я, але вони кажуть, що його немає у списку запрошених, і я запізнився,
і вони мене не пропустять. Я пробую надіслати повідомлення Ґріґорію, але, певна річ, він зайнятий зі своїми гістьми і не відповідає. Наскільки можу, я нахиляюся над огорожею, що тупими кінцями впивається мені в живіт, одною
рукою підтримую гірлянду на голові, витягуючи шию, аби
бодай мигцем його побачити.

Подяки

Цю книжку я б не почав без Пола Коупленда і не зміг би закінчити без його великої допомоги. Він подарував мені нове розуміння дружби. Я завжди в боргу перед моїми батьками, а з цією книжкою — більше, ніж будь-коли. Тьоті Саші — за те, що була нашим ангелом-охоронцем. Я хотів би подякувати Деніелові Соуру та Мері-Кей Вілмерс із *London Review of Books* — за те, що дали мені перший шанс, Тунку Варадараджану і Тіні Браун — за те, що дали мені ще кілька, моєму аґентові й видавцям. Бенові Джуда — за прочитання останньої миті. А також моїм продюсеркам на *ТНТ*: і за можливість працювати в захопливих проєктах, і за вияв добра й милосердя, коли я зазнав поразки.

З біографією Суркова я ознайомився завдяки матеріалові Зої Свєтової «Who Is Mr Surkov?» у *New Times Magazine* (26 грудня 2011). «Can Russia Modernise?» (Cambridge University Press, 2013) Альони Лєдєнєвої вводить у контекст протистоянь між різноманітними російськими охоронними аґенціями та «рейдерства». Яна Яковлєва надрукувала книжку своїх тюремних листів «*Неэлектронные письма*» (Праксис, 2008). Біографію Чєркєсова я дізнався із матеріалу «*Заложник Норд-Веста*» в журналі *Профиль* (3 жовтня 2003). Докладну інформацію про руйнування в Москві можна знайти в Moscow Heritage at Crisis Point, виправле-

283

не видання (SAVE Europe's Heritage, Moscow Architectural Preservation Society, 2009). Останній роман Віталія Дьомочки «Газова криза 2» («*Газовый кризис 2*» (2010). Частково історії про Владіслава Суркова і глави «Ініціації» та «Коротка історія сект» були представлені в есеях для журналу *London Review of Books* і блоґу, особливо «Распутін Путіна» («Putin's Rasputin», 20 жовтня 2011), «Форми делірію» («Forms of Delirium», 10 жовтня 2013) і «Система» («Sistema», 5 грудня 2013).

ДЖЕРЕЛА ДО РОЗДІЛУ «ЗАГУБЛЕНІ ДІВЧАТА»:

https://www.slideshare.net/unicefceecis/adolescent-deaths-from-suicide-in-russia-2011

https://www.nytimes.com/2012/04/20/world/europe/in-russia-spate-of-teenage-suicides-causes-alarm.html?referrer

http://www.ncbi.nlm.nih.gov/pmc/articles/PMC1414751/table/T1/

Наші книги ви можете знайти тут:
«Книгарня бестселерів Yakaboo»

Yakaboo.ua

м. Київ, вул. Хрещатик, 22,
1 поверх (Головпоштамт)

Науково-популярне видання

Пітер Померанцев

Нічого правдивого й усе можливо
Сходження до нової Росії

Переклав з англійської *Андрій Бондар*
Літературна редакторка *Оксана Форостина*
Коректорка *Алла Кравченко*
Дизайн обкладинки *Володимира Гавриша*
Верстальниця *Наталія Коваль*
Відповідальна за випуск *Світлана Андрющенко*

Підписано до друку 24.11.2020 р.
Формат 60x90/16.
Цифрові шрифти Casus Pro.
Друк офсетний.
Наклад 2000 прим.
Зам. № 111/11

Видавець ТОВ: «Якабу Паблішинг».
Свідоцтво про внесення до державного реєстру видавців ДК
№5243 від 08.11.2016. 01025, м. Київ, вул. Воздвиженська, 52-54а.
www.yakaboo.ua. Тел.: +38 (044) 255-05-05

Віддруковано ПП «Юнісофт»
61036, Україна, м. Харків, вул. Морозова, 13б
Свідоцтво про внесення до державного реєстру видавців
ДК №3461 від 14.04.2009
Тел.: +38 (057) 730-17-13

Померанцев Пітер

П55   Нічого правдивого й усе можливо. Сходження до нової Росії /
Пітер Померанцев; пер. з англ. А. Бондар. — Київ : Yakaboo Publishing,
2020. — 288 с.

ISBN 978-617-7544-64-6

Москва почалася для британського журналіста Пітера Померанцева, народженого в Києві сина дисидента-вигнанця, 2001 року, коли він приїжджав у переповнене життям, можливостями, грошима місто — працювати в західних аналітичних центрах, проєктах ЄС, асистентом на зйомках документальних фільмів. Проте сюжет цієї книжки починається лише 2006 року, коли Померанцев стає продюсером документальних фільмів і реаліті-шоу на телеканалі ТНТ. Він знайомиться зі світом, який у своїх засадах відрізняється від знайомих йому світів: британського європейського, російського дисидентського. Це світ всемогутнього російського телебачення, грубих грошей та великої влади. І поруч із цією Росією нафтових капіталів, декадентських вечірок, захмарно дорогих творів мистецтва постає Росія переповнених слідчих ізоляторів, бандитів, спецслужб, безправ'я. Так Померанцев відкриває сам спосіб мислення цієї «нової Росії» — глибоке розщеплення особистості, множинність, розшарування і порожнечу між ними. Розповідь не завершується у Москві: по поверненні до Лондона Померанцев спостерігає, як «нова Росія» крокує Заходом, скуповуючи нерухомість, а її мислення універсалізується. Книжка «Нічого правдивого й усе можливо» зробила внесок у зміну способу, в який у світі доти дискутували про Росію, особливо на тлі подій 2014 року, коли книжка вперше побачила світ. А 2016 року Пітер Померанцев отримав за неї нагороду Королівського літературного товариства — Премію Онтадчі.

УДК 316.776.23-029:821